आचार्य चाणक्य जिन्हे हम पारंपरिक रुप से कौटिल्य या विष्णुगुप्त के नाम से भी जानते हैं एक भारतीय शिक्षक, दार्शनिक, अर्थशास्त्री, धर्मशास्त्रज्ञ और राज–सलाहकार थे। उन्होने अर्थशास्त्र की रचना की जो एक प्राचीन भारतीय राजनीतिक निबंध है। चाणक्य भारतीय राजनीति और अर्थशास्त्र के क्षेत्र में अगुआ माने जाते हैं। उनके द्वारा लिखे गए ग्रंथ जो गुप्त साम्राज्य की समाप्ति के साथ विलुप्त हो गए थे, सौभाग्यवश वर्ष 1915 में पुनः प्राप्त हो गए।

आचार्य चाणक्य
प्रणीत

चाणक्य नीति

"जो कोई भी व्यक्ति इस नीति शास्त्र का मन से अध्ययन करेगा
वह जीवन में कभी धोखा नहीं खाएगा,
सफलता सदा उसके कदम चूमेगी।"

Om Books International

Reprinted in 2019 by
Om Books International

Corporate & Editorial Office
A-12, Sector 64, Noida 201 301
Uttar Pradesh, India
Phone: +91 120 477 4100
Email: editorial@ombooks.com
Website: www.ombooksinternational.com

Sales Office
107, Ansari Road, Darya Ganj,
New Delhi 110 002, India
Phone: +91 11 4000 9000
Fax: +91 11 2327 8091
Email: sales@ombooks.com
Website: www.ombooks.com

ISBN: 978-93-85609-91-6

Printed in India

10 9 8 7 6 5 4 3

विषयानुक्रम

अच्छा है, बुढ़ापे के लक्षण, काम से पहले विचार लें, माता–पिता के भिन्न रूप।

चाणक्य नीति

प्रथम अध्याय

ईश्वर प्रार्थना

प्रणम्य शिरसा विष्णुं त्रैलोक्याधिपतिं प्रभुभ् ।
नाना शास्त्रोद्धृतं वक्ष्ये राजनीति समुच्चयम् ।।1।।

तीनों लोकों (स्वर्ग, पृथ्वी, पाताल) के स्वामी भगवान विष्णु के चरणों में शीष नवाकर प्रणाम करके अनेक शास्त्रों से उद्धृत राजनीति के संकलन का वर्णन करता हूँ।

चाणक्य यहाँ राजनीति–सम्बन्धी विचारों के प्रतिपादन के समय कार्य के निर्विघ्न समाप्ति के भाव से कहते हैं कि–मैं कौटिल्य सबसे पहले तीनों लोकों के स्वामी भगवान विष्णु को सिर नवाकर प्रणाम करता हूँ। इस पुस्तक में मैंने अनेक शास्त्रों से चुन–चुनकर राजनीति की बातें एकत्रित की हैं। यहाँ मैं इन्हीं का वर्णन करता हूँ।

चाणक्य (विष्णुगुप्त) के लिए कौटिल्य का सम्बोधन इनके कूटनीति में प्रवीण होने के कारण प्रयोग किया है। यह एक तथ्य है कि चाणक्य की नीति राजा एवं प्रजा, दोनों के लिए ही प्रयोग किए जाने के लिए थी। राजा के द्वारा निर्वाह किए जानेवाला प्रजा के प्रति धर्म ही राज धर्म कहा गया है और प्रजा द्वारा राजा अथवा राष्ट्र के प्रति निर्वाह किया गया धर्म ही प्रजा–धर्म कहा गया। इस धर्म का उपदेश

ही नीतिवचन के रूप में निर्विघ्न पूर्ण हो इसी आशय से प्रारम्भ में मंगलाचरण के रूप में विष्णु की आराधना से कार्यारम्भ किया गया है।

अच्छा मनुष्य कौन

अधीत्येदं यथाशास्त्रं नरो जानाति सत्तमः ।
धर्मोपदेशविश्यातं कार्याऽकार्याशुभाशुभम् ।।२।।

धर्म का उपदेश देनेवाले, कार्य–अकार्य, शुभ–अशुभ को बताने वाले इस नीतिशास्त्र को पढ़कर जो सही रूप में इसे जानता है, वही श्रेष्ठ मनुष्य है।

इस नीतिशास्त्र में धर्म की व्याख्या करते हुए क्या करना चाहिए, क्या नहीं करना चाहिए; क्या अच्छा है, क्या बुरा है इत्यादि ज्ञान का वर्णन किया गया है। इसका अध्ययन करके इसे अपने जीवन में उतारने वाला मनुष्य ही श्रेष्ठ मनुष्य है।

आचार्य विष्णुगुप्त (चाणक्य) का यहाँ कहना है कि ज्ञानी व्यक्ति नीतिशास्त्र को पढ़कर जान लेता है कि उसके लिए करणीय क्या है और न करने योग्य क्या है। साथ ही उसे कर्म के भले–बुरे के बारे में भी ज्ञान हो जाता है। कर्त्तव्य के प्रति व्यक्ति द्वारा ज्ञान से अर्जित यह दृष्टि ही धर्मोपदेश का मुख्य सरोकार और प्रयोजन है। कार्य के प्रति व्यक्ति का धर्म ही व्यक्ति–धर्म (मानव–धर्म) कहलाता है अर्थात् मनुष्य अथवा किसी वस्तु का गुण और स्वभाव जैसे अग्नि का धर्म जलाना और पानी का धर्म बुझाना है उसी प्रकार राजनीति में भी कुछ कर्म धर्मानुकूल होते हैं और बहुत कुछ धर्म के विरुद्ध होते हैं।

गीता में श्रीकृष्ण ने युद्ध में अर्जुन को क्षत्रिय का धर्म इसी अर्थ में बताया था कि रणभूमि में सम्मुख शत्रु को सामने पाकर युद्ध ही क्षत्रिय का एकमात्र धर्म होता है। युद्ध से पलायन या विमुख होना कायरता कहलाती है। इसी अर्थ में आचार्य चाणक्य धर्म को ज्ञान सम्मत मानते हैं।

राजनीति : जग कल्याण के लिए

तदहं सम्प्रवक्ष्यामि लोकानां हितकाम्यया ।
येन विज्ञान मात्रेण सर्वज्ञत्वं प्रपद्यते ।।३।।

मैं (चाणक्य) लोगों की भलाई की इच्छा से अर्थात् लोकहितार्थ राजनीति के उस रहस्यवाले पक्ष को प्रस्तुत करूँगा जिसे केवल जान लेने मात्र से ही व्यक्ति स्वयं को सर्वज्ञ समझ सकता है।

स्पष्ट है कि राजनीति के सिद्धान्त अपनाना उतना महत्त्वपूर्ण नहीं जितना कि उनको समझना–जानना कि वे क्या हैं, और उनका प्रभाव क्या हो सकता है। इसीलिए उनके नीतिशास्त्र का पारायण करने वाला व्यक्ति राजनीति का पंडित हो सकता है इसलिए आत्मकल्याण ही नहीं जगकल्याण के लिए राजनीति को जानना बहुत जरूरी है।

शिक्षा : सुपात्र की

मूर्खशिष्योपदेशेन दुष्टास्त्रीभरणेन च ।
दुःखितैः सम्प्रयोगेण पण्डितोऽप्यवसीदति ।।४।।

मूर्ख शिष्य को पढ़ाने से, उपदेश देने से, दुष्ट स्त्री का भरण–पोषण करने से तथा दुःखी लोगों का साथ करने से विद्वान् व्यक्ति भी दुःखी होता है यानी कह सकते हैं कि चाहे कोई भी कितना ही समझदार क्यों न हो किन्तु मूर्ख शिष्य को पढ़ाने पर, दुष्ट स्त्री के साथ जीवन बिताने पर तथा दुःखियों–रोगियों के बीच में रहने पर विद्वान् व्यक्ति भी दुःखी हो ही जाता है। साधारण आदमी की तो बात ही क्या। अतः नीति यही कहती है कि मूर्ख शिष्य को शिक्षा नहीं देनी चाहिए। दुष्ट स्त्री से सम्बन्ध नहीं रखना चाहिए बल्कि उससे दूर ही रहना चाहिए और दुःखी व्यक्तियों के बीच में नहीं रहना चाहिए।

हो सकता है, ये बातें किसी भी व्यक्ति को साधारण या सामान्य लग सकती हैं लेकिन यदि इन पर गंभीरता से विचार किया जाए तो यह स्पष्ट है कि शिक्षा की सीख उसी व्यक्ति को देनी चाहिए जो

उसका सुपात्र हो या जिसके मन में इन शिक्षाप्रद बातों को ग्रहण करने की इच्छा हो।

आप जानते हैं कि एक बार वर्षा से भीगते बन्दर को बया (चिड़िया) ने घोंसला बनाने की शिक्षा दी लेकिन बन्दर उसकी इस सीख के योग्य नहीं था। झुंझलाए हुए बन्दर ने बया का ही घोंसला उजाड़ डाला। इसीलिए कहा गया है कि जिस व्यक्ति को किसी बात का ज्ञान न हो उसे कोई भी बात आसानी से समझाई जा सकती है पर जो अधूरा ज्ञानी है उसे तो ब्रह्मा भी नहीं समझा सकता। इसी संदर्भ में चाणक्य ने आगे कहा है कि मूर्ख के समान ही दुष्ट स्त्री का संग करना या उसका पालन–पोषण करना भी व्यक्ति के लिए दुःख का कारण बन सकता है। क्योंकि जो स्त्री अपने पति के प्रति आस्थावान न हो सकी वह किसी दूसरे के लिए क्या विश्वसनीय हो सकती है? नहीं। इसी तरह दुःखी व्यक्ति जो आत्मबल से हीन हो चुका है, निराशा में डूब चुका है उसे कौन उबार सकता है। इसलिए बुद्धिमान को चाहिए कि वह मूर्ख, दुष्ट स्त्री या दुःखी व्यक्ति (तीनों से) बचकर आचरण करे। पंचतंत्र में भी कहा गया है–

'माता यस्य गृहे नास्ति भार्या चाप्रियवादिनी ।
अरण्यं तेन गन्तव्यं यथारण्यं तथा गृहम् ॥' पञ्च. ४/५३

अर्थात् जिसके घर में माता न हो और स्त्री व्यभिचारिणी हो, उसे वन में चले जाना चाहिए, क्योंकि उसके लिए घर और वन दोनों समान ही हैं।

दुःखी का पालन भी सन्तापकारक ही होता है। वैद्य 'परदुःखेन तप्यते' दूसरे के दुःख से दुःखी होता है। अतः दुःखियों के साथ व्यवहार करने से पण्डित भी दुःखी होगा।

मृत्यु के कारणों से बचें

दुष्टा भार्या शठं मित्रं भृत्यश्चोत्तरदायकः ।
ससर्पे गृहे वासो मृत्युरेव न संशयः ॥५॥

दुष्ट पत्नी, शठ मित्र, उत्तर देने वाला सेवक तथा सांपवाले घर में रहना, ये मृत्यु के कारण हैं। इसमें सन्देह नहीं करना चाहिए।

आचार्य चाणक्य कहते हैं कि ये चार चीजें किसी भी व्यक्ति के लिए जीती–जागती मृत्यु के समान हैं–दुश्चरित्र पत्नी, दुष्ट मित्र, जवाब देने वाला अर्थात् मुँह लगा नौकर–इन सबका त्याग कर देना चाहिए। घर में रहने वाले सांप को कैसे भी, मार देना चाहिए। ऐसा न करने पर व्यक्ति के जीवन को हर समय खतरा बना रहता है। क्योंकि किसी भी सद्गृहस्थ के लिए उसकी पत्नी का दुष्ट होना मृत्यु के समान है। वह व्यक्ति आत्महत्या करने पर विवश हो सकता है। वह स्त्री सदैव व्यक्ति के लिए दुःख का कारण बनी रहती है। इसी प्रकार नीच व्यक्ति, धूर्त अगर मित्र के रूप में आपके पास आकर बैठता है तो वह आपके लिए अहितकारी ही होगा। सेवक या नौकर भी घर के गुप्तभेद जानता है, वह भी यदि स्वामी की आज्ञा का पालन करने वाला नहीं है तो मुसीबत का कारण हो सकता है। उससे भी हर समय सावधानी बरतनी पड़ती है, तो दुष्ट स्त्री, छली मित्र व मुँहलगा नौकर कभी भी समय पड़ने पर धोखा दे सकते हैं। अतः ऐसे में पत्नी को आज्ञाकारिणी व पतिव्रता होना, मित्र को समझदार व विश्वसनीय होना और नौकर को स्वामी के प्रति श्रद्धावान होना चाहिए। इसके विपरीत होने पर कष्ट ही कष्ट है। इनसे व्यक्ति को बचना ही चाहिए वरना ऐसा व्यक्ति कभी भी मृत्यु का ग्रास हो सकता है।

विपत्ति में क्या करें–

आपदर्थे धनं रक्षेद् दारान् रक्षेद् धनैरपि।
आत्मानं सततं रक्षेद् दारैरपि धनैरपि ॥६॥

विपत्ति के समय के लिए धन की रक्षा करनी चाहिए। धन से अधिक रक्षा पत्नी की करनी चाहिए। किन्तु अपनी रक्षा का प्रश्न सम्मुख आने पर धन और पत्नी का बलिदान भी करना पड़े तो भी नहीं चूकना चाहिए।

संकट, दुःख में धन ही मनुष्य के काम आता है। अतः ऐसे संकट के समय में संचित धन ही काम आता है इसलिए मनुष्य को धन की रक्षा करनी चाहिए। पत्नी धन से भी बढ़कर है, अतः उसकी रक्षा धन से भी पहले करनी चाहिए। किन्तु धन एवं पत्नी से पहले तथा इन दोनों से बढ़कर अपनी रक्षा करनी चाहिए। अपनी रक्षा होने पर इनकी तथा अन्य सबकी भी रक्षा की जा सकती है।

आचार्य चाणक्य धन के महत्त्व को कम नहीं करते क्योंकि धन से व्यक्ति के अनेक कार्य सधते हैं किन्तु परिवार की भद्र महिला, स्त्री अथवा पत्नी के जीवन–सम्मान का प्रश्न सम्मुख आ जाने पर धन की परवाह नहीं करनी चाहिए। परिवार की मान–मर्यादा से ही व्यक्ति की अपनी मान–मर्यादा है। वही चली गई तो जीवन किस काम का और वह धन किस काम का? पर जब व्यक्ति की स्वयं की जान पर बन आवे तो क्या धन, क्या स्त्री, सभी की चिन्ता छोड़ व्यक्ति को अपने जीवन की रक्षा करनी चाहिए। वह रहेगा तो ही पत्नी अथवा धन का उपभोग कर सकेगा वरना सब व्यर्थ ही रह जाएगा। राजपूत स्त्रियों ने जब यह अनुभव किया कि राज्य की रक्षा कर पाना या उसे बचा पाना असंभव हो गया तो उन्होंने जौहर व्रत का पालन किया और अपने प्राणों की आहुति दे दी। यही जीवन का धर्म है।

आपदर्थे धनं रक्षेच्छ्रीमतांकुतः किमापदः ।
कदाचिच्चलिता लक्ष्मी संचितोऽपि विनश्यति ।।७।।

आपत्ति काल के लिए धन की रक्षा करनी चाहिए लेकिन धनवान को आपत्ति क्या करेगी अर्थात् धनवान पर आपत्ति आती ही कहाँ है? तो प्रश्न उठा कि लक्ष्मी तो चंचल होती है, पता नहीं कब नष्ट हो जाए तो फिर यदि ऐसा है तो कदाचित् संचित धन भी नष्ट हो सकता है।

बुरा समय आने पर व्यक्ति का सब कुछ नष्ट हो सकता है। लक्ष्मी स्वभाव से ही चंचल होती है। इसका कोई भरोसा नहीं कि कब साथ छोड़ जाए। इसलिए धनवान व्यक्ति को भी यह नहीं समझना

चाहिए कि उस पर विपत्ति आएगी ही नहीं। दुःख के समय के लिए कुछ धन अवश्य बचाकर रखना चाहिए।

वस्तुतः यह श्लोक 'भोज-प्रबन्ध' में भी उद्धृत है। वहाँ राजा भोज और कोषाध्यक्ष की बातचीत का प्रसंग है। राजा भोज अत्यधिक दानी थे। उनकी इतनी दानशीलता को देखकर खजांची एक चरण लिख देता है तो राजा दूसरे चरण में उसका उत्तर दे देते हैं अन्त में खजांची राजा के मन्तव्य और दान के महत्त्व को समझकर अपनी भूल स्वीकार कर लेता है।

यहाँ अभिप्राय यह है कि धन का प्रयोग अनुचित कार्यों में किया जाए तो उसके नष्ट होने पर व्यक्ति विपन्नता को प्राप्त होता है किन्तु सत्कार्यों में व्यय किया गया धन व्यक्ति को मान, प्रतिष्ठा और समाज में आदर का पात्र बनाता है क्योंकि धन-सम्पत्ति अस्थायी होती है। इन पर क्या गुमान करना। व्यक्ति इन्हें अर्जित करता है। वास्तविक शक्ति तो प्रभु द्वारा प्रदत्त है वही स्थायी है। जब तक उसकी कृपा है तब तक ही सब कुछ है लेकिन यह निश्चय है कि धन सम्पत्ति व्यक्ति के परिश्रम, बुद्धिमत्ता और कार्यक्षमता से प्राप्त होती है और इसके चलते वह कभी नष्ट नहीं होती। श्रम, बुद्धि और कार्यक्षमता के अभाव में वह हमेशा साथ छोड़ देती है, तो मूल बात श्रम, बुद्धि की कार्य क्षमता का बने रहना है तभी लक्ष्मी भी स्थिर रह सकती है।

इन स्थानों पर न रहें-

यस्मिन् देशे न सम्मानो न वृत्तिर्न च बान्धवाः ।
न च विद्यागमोऽप्यस्ति वासस्तत्र न कारयेत् ।।८।।

जिस देश में सम्मान न हो, जहाँ कोई आजीविका न मिले, जहाँ अपना कोई भाई-बन्धु न रहता हो और जहाँ विद्या-अध्ययन सम्भव न हो, ऐसे स्थान पर नहीं रहना चाहिए।

अर्थात् जिस देश अथवा शहर में निम्नलिखित सुविधाएं न हों, उस स्थान को अपना निवास नहीं बनाना चाहिए-

जहाँ किसी भी व्यक्ति का सम्मान न हो।

जहाँ व्यक्ति को कोई काम न मिल सके।

जहाँ अपना कोई सगा–सम्बन्धी या परिचित व्यक्ति न रहता हो।

जहाँ विद्या प्राप्त करने के साधन न हों, अर्थात् जहाँ स्कूल–कॉलेज या पुस्तकालय आदि न हों।

ऐसे स्थानों पर रहने से कोई लाभ नहीं होता। अतः इन स्थानों को छोड़ देना ही उचित होता है।

अतः मनुष्य को चाहिए कि वह आजीविका के लिए उपयुक्त स्थान चुने। वहाँ का समाज ही उसका सही समाज होगा क्योंकि मनुष्य सांसारिक प्राणी है, वह केवल आजीविका के भरोसे जीवित नहीं रह सकता। जहाँ उसके मित्र–बन्धु हों वहाँ आजीविका भी हो तो यह उपयुक्त स्थान होगा। विचार–शक्ति को बनाये रखने के लिए, ज्ञान–प्राप्ति के साधन भी वहाँ सुलभ हों, इसके बिना भी मनुष्य का निर्वाह नहीं। इसीलिए आचार्य चाणक्य यहाँ नीति वचन के रूप में कहते हैं कि व्यक्ति को ऐसे देश में निवास नहीं करना चाहिए जहाँ उसे न सम्मान प्राप्त हो, न आजीविका का साधन हो, न बंधु–बान्धव हों, न ही विद्या–प्राप्ति का कोई साधन हो बल्कि जहाँ ये संसाधन उपलब्ध हों वहाँ वास करना चाहिए।

धनिकः श्रोत्रियो राजा नदी वैद्यस्तु पञ्चमः ।
पञ्च यत्र न विद्यन्ते न तत्र दिवसे वसेत ।।९।।

जहाँ कोई सेठ, वेदपाठी विद्वान् राजा और वैद्य न हो, जहाँ कोई नदी न हो, इन पाँच स्थानों पर एक दिन भी नहीं रहना चाहिए।

अर्थात् इन स्थानों पर एक दिन भी नहीं रहना चाहिए–

जिस शहर में कोई भी धनवान व्यक्ति न हो।

जिस देश में वेदों को जाननेवाले विद्वान न हों।

जिस देश में कोई राजा या सरकार न हो।

जिस शहर या गांव में कोई वैद्य (डॉक्टर) न हो।

जिस स्थान के पास कोई भी नदी न बहती हो।

क्योंकि आचार्य चाणक्य मानते हैं कि जीवन की समस्यओं में इन पाँच वस्तुओं का अत्यधिक महत्त्व है। आपत्ति के समय धन की आवश्यकता होती है जिसकी पूर्ति धनी व्यक्तियों से ही हो पाती है। कर्मकाण्ड के लिए पारंगत पुरोहितों की आवश्यकता होती है। राज्य–शासन के लिए राज–प्रमुख या राजा की आवश्यकता होती है। जल आपूर्ति के लिए नदी और रोग निवारण के लिए अच्छे चिकित्सक की आवश्यकता होती है। इसीलिए आचार्य चाणक्य पूर्वोक्त पाँचों सुविधाएं जीवन के लिए अपेक्षित सुविधा के रूप में मानते हुए इनकी आवश्यकता पर बल देते हैं और इन सुविधाओं से सम्पन्न स्थान को ही रहने योग्य स्थान के रूप में समझते हैं।

लोकयात्रा भयं लज्जा दाक्षिण्यं त्यागशीलता ।

पञ्च यत्र न विद्यन्ते न कुर्यात्तत्र संगतिम् ।।१०।।

आचार्य चाणक्य कहते हैं कि जिस स्थान पर आजीविका न मिले, लोगों में भय लज्जा, उदारता तथा दान देने की प्रवृत्ति न हो, ऐसी पाँच जगहों को भी मनुष्य को अपने निवास के लिए नहीं चुनना चाहिए। इन पाँच चीजों को विस्तार से बताते हुए कहते हैं कि जहाँ निम्नलिखित पाँच चीजें न हों, उस स्थान से कोई सरोकार नहीं रखना चाहिए।

जहाँ रोजी–रोटी का कोई साधन अथवा आजीविका या व्यापार की स्थिति न हो।

जहाँ लोगों में लोकलाज अथवा किसी प्रकार का भय न हो।

जिस स्थान पर परोपकारी लोग न हों और जिनमें त्याग की भावना न पाई जाती हो।

जहाँ लोगों को समाज या कानून का कोई भय न हो।

जहाँ के लोग दान देना जानते ही न हों।

ऐसे स्थान पर व्यक्ति का कोई सम्मान नहीं होता और वहाँ रहना भी कठिन ही होता है। अतः व्यक्ति को अपने आवास के लिए सब प्रकार से साधन सम्पन्न और व्यावहारिक स्थान चुनना चाहिए ताकि वह एक स्वस्थ वातावरण में अपने परिवार के साथ सुरक्षित एवं

सुखपूर्वक रह सके। क्योंकि जहाँ के लोगों में ईश्वर, लोक व परलोक में आस्था होगी वहीं सामाजिक आदर का भाव होगा, अकरणीय कार्य करने में भय, संकोच व लज्जा का भाव रहेगा। लोगों में परस्पर त्याग भावना होगी और वे व्यक्ति स्वार्थ में लीन कानून तोड़ने में प्रवृत्त नहीं होंगे, बल्कि दूसरों के हितार्थ दानशील होंगे।

परख समय पर होती है-

जानीयात्प्रेषणेभृत्यान् बान्धवान्व्यसनाऽऽगमे ।
मित्रं चाऽऽपत्तिकालेषु भार्यां च विभवक्षये ।।११।।

आचार्य चाणक्य समय आने पर संबंधियों की परीक्षा के संदर्भ में कहते हैं–किसी महत्त्वपूर्ण कार्य पर भेजते समय सेवक की पहचान होती है। दुःख के समय में बन्धु–बान्धवों की, विपत्ति के समय मित्र की तथा धन नष्ट हो जाने पर पत्नी की परीक्षा होती है।

यदि किसी विशेष अवसर पर सेवक को कहीं विशेष कार्य से भेजा जाए तभी उसकी ईमानदारी आदि की परीक्षा होती है। रोग या विपत्ति में ही सगे–सम्बन्धियों तथा मित्रों की पहचान होती है और गरीबी में, धनाभाव में पत्नी की परीक्षा होती है।

सभी जानते हैं कि मनुष्य सामाजिक प्राणी है। वह अकेला नहीं रह सकता। उसे अपने हर काम को करने में सहायक, मित्र, बन्धु, सखा और परिजनों की आवश्यकता होती है किन्तु किसी भी कारणवश उसके ये सहायक उसकी जीवन–यात्रा में समय पर सहायक नहीं होते तो उस व्यक्ति का जीवन निष्फल हो जाता है। अतः सही सेवक वही जो असमय आने पर सहायक होवे। मित्र, सखा व बन्धु वही भला जो आपत्ति के समय सहायक हो, व्यसनों से मुक्ति दिलानेवाला हो और पत्नी वही सहायिका और असली जीवन–संगिनी है जो धनाभाव में भी पति का सदैव साथ दे। ऐसा न होने पर इनका होना बेकार है।

आतुरे व्यसने प्राप्ते दुर्भिक्षे शत्रुसंकटे ।
राजद्वारे श्मशाने च यस्तिष्ठति स बान्धवः ।।१२।।

यहाँ आचार्य चाणक्य बन्धु–बान्धवों, मित्रों और परिवारजनों की पहचान बताते हुए कहते हैं कि रोग की दशा में–जब कोई बीमार होने पर, असमय शत्रु से घिर जाने पर, राजकार्य में सहायक रूप में तथा मृत्यु पर श्मशान भूमि में ले जानेवाला व्यक्ति सच्चा मित्र और बन्धु है।

देखा जाए तो सामाजिक प्राणी होने के कारण मनुष्य के सम्पर्क में अनेक लोग आ जाते हैं और अपने लाभ के कारण वह व्यक्ति में जुड़े होने का भाव भी जताते हैं किन्तु वे कितने सच्चे और सही मित्र हैं और कितने मौकापरस्त, इसका अनुभव तो समय आने पर ही हो जाता है।

ऊपर वर्णित स्थितियाँ ऐसे ही अवसर का उदाहरण हैं। जब कोई व्यक्ति रोगग्रस्त हो जाता है तो उसे सहायक की आवश्यकता पड़ती है ऐसे में परिवारजन और मित्र बन्धु जो सहायक बनते हैं वास्तव में वही सही मित्र कहे जाते हैं। शेष सब तो मुँहदेखी की बातें हैं। इसी प्रकार जब कोई व्यक्ति शत्रु से घिर जाए, उसके प्राण संकट में पड़ जाएं तो जो कोई मित्र, सगा–सम्बन्धी शत्रुओं से मुक्ति दिलाता है, प्राण–रक्षा में सहायक बनता है वह उसका मित्र व हितैषी है। शेष सब स्वार्थ के नाते ही जुड़े हैं।

ऐसे ही राजा और सरकार की ओर से व्यक्ति पर न्यायिक मामले में अभियोग लग जाता है या किसी राजकीय कर्म में उसके समक्ष बड़ी समस्या आ जाती है तो मित्र–बन्धु (यदि वे सच्चे हैं) तो ही सहयोग करते हैं और मृत्युपरान्त तो हम सभी जानते हैं कि व्यक्ति चार व्यक्तियों के कन्धों पर सवार होकर ही श्मशान पहुँचता है। ऐसे में मित्र–सम्बन्धियों की अपेक्षा होती है। ऐसे समय में ही सच्चे और सही ईमानदार मित्र की वास्तविक पहचान होती है।

हाथ आई चीज न गंवाएँ–

योो ध्रुवाणि परित्यज्य ह्यध्रुवं परिसेवते ।
ध्रुवाणि तस्य नश्यन्ति चाध्रुवं नष्टमेव तत् ।।१३।।

आचार्य चाणक्य कहते हैं कि जो निश्चित को छोड़कर अनिश्चित का सहारा लेता है, उसका निश्चित भी नष्ट हो जाता है। अनिश्चित तो स्वयं नष्ट होता ही है। अभिप्राय यह है कि जिस चीज का मिलना पक्का निश्चित है, उसी को पहले प्राप्त करना चाहिए या उसी काम को पहले कर लेना चाहिए। ऐसा न करके जो व्यक्ति अनिश्चित यानि जिसका होना या मिलना पक्का न हो, उसकी ओर पहले दौड़ता है, उसका निश्चित भी नष्ट हो जाता है अर्थात् मिलने वाली वस्तु भी नहीं मिलती। अनिश्चित का तो विश्वास करना ही मूर्खता है, इसे तो नष्ट ही समझना चाहिए। अर्थात् ऐसा आदमी अक्सर 'आधी तज पूरी को धावे, आधी मिले न पूरी पावे' की स्थिति का शिकार हो जाता है।

इस संदर्भ में अनेक उदाहरण दिए जा सकते हैं। कुछ व्यक्ति केवल मनोरथ से ही कर्म की प्राप्ति मान लेते हैं, वह जो कुछ पाने योग्य हाथ में है, उसकी परवाह किए बगैर जो हाथ में नहीं है उसके चक्कर में पड़ जाते हैं और होता यह है कि जो पा सकते थे, उसे भी गंवा बैठते हैं। ऐसे व्यक्ति केवल डींगें मारते हैं, कर्म में शिथिलता बरतते हैं और शेखचिल्ली होकर रह जाते हैं। इसलिए व्यक्ति को चाहिए कि वह अपने साधनों के अनुरूप कार्य–योजना बनाकर चले तभी वह इस जीवन–रूपी सागर को शरीर–रूपी नौका के सहारे पार जा सकता है वरना नाव मझधार में कहीं भी मनोरथ के भंवर में फंसकर रह जाएगी। अतः मनुष्य को अपनी क्षमता को पहचानकर कार्य करना चाहिए क्योंकि काम करने से ही होता है, केवल मनोरथ से नहीं।

विवाह समान में ही शोभा देता है–

वरयेत्कुलजां प्राज्ञो निरूपामपि कन्यकाम् ।
रूपवतीं न नीचस्य विवाहः सदृशे कुले ।।१४।।

आचार्य चाणक्य विवाह के सन्दर्भ में रूप और कुल में श्रेष्ठता कुल को देते हुए कहते हैं कि बुद्धिमान मनुष्य को चाहिए कि वह रूपवती न होने पर भी कुलीन कन्या से विवाह कर ले, किन्तु नीच कुल की कन्या यदि रूपवती तथा सुशील भी हो, तो उससे विवाह न करे। क्योंकि विवाह समान कुल में ही करना चाहिए।

(विवाह के लिए वर और वधू दोनों का घराना समान स्तर का होना चाहिए। बुद्धिमान मनुष्य को अपने समान कुल की कन्या से ही विवाह करना चाहिए। चाहे कन्या साधारण रूप–रंग की ही क्यों न हो, निम्न कुल की कन्या यदि सुन्दर और सुशील भी हो, तो उससे विवाह नहीं करना चाहिए।)

गरुड़ पुराण में भी यह श्लोक किंचित् पाठभेद से मिलता है। उसमें भी कहा गया है कि 'समान कुलव्यसने च सख्यम्' अर्थात् मित्रता एवं विवाह समान में ही शोभा देता है। विजातीय अथवा असमान (बेमेल विवाह) में अनेक कष्ट आते हैं। अनेक समस्याएँ पैदा हो जाती हैं। यद्यपि मनुस्मृति में प्रतिकूल विवाह का भी विधान है लेकिन देखने में यही आता है कि असमान विवाह अनेक कारणों से असफल हो ही जाते हैं या उनका परिणाम सुखद नहीं रह पाता। इसलिए जीवन के सन्दर्भ में विवाह जैसे महत्त्वपूर्ण प्रश्न को भावुकता का शिकार बनने से रोकना ही नीतिसंगत है।

देख परख कर भरोसा करें–

नखीनां च नदीनां च शृंगीणां शस्त्रपाणिनाम् । विश्वासो नैव कर्तव्यः स्त्रीषु राजकुलेषु च ॥१५॥

आचार्य चाणक्य यहाँ विश्वसनीयता के लक्षणों की चर्चा करते हुए कहते हैं कि लम्बे नाखूनवाले हिंसक पशुओं, नदियों, बड़े–बड़े सींगवाले पशुओं, शस्त्रधारियों, स्त्रियों और राज–परिवारों का कभी विश्वास नहीं करना चाहिए क्यों ये कब घात कर दें, चोट पहुँचा दें कोई भरोसा नहीं। जैसे लम्बे नाखूनवाले सिंह, भालू अथवा बाघ

आदि पर भी भरोसा नहीं किया जा सकता, क्योंकि उनके सम्बन्ध में आप इस बात के लिए आश्वस्त नहीं हो सकते कि वे आप पर आक्रमण नहीं करेंगे। हिंसक पशु तो स्वभाव से ही आक्रामक प्रवृत्ति के होते हैं, इसलिए उन पर विश्वास करने वाला व्यक्ति सदा धोखा खाता है। ऐसे ही यदि आप कोई नदी पार करना चाहते हैं तो आपको किसी व्यक्ति के यह कहने पर भरोसा नहीं करना चाहिए कि नदी का प्रवाह अथवा गहराई कितनी है, क्योंकि नदी के प्रवाह और उसकी गहराई के सम्बन्ध में कोई निश्चित धारणा कभी नहीं बताई जा सकती। इसलिए आप यदि नदी में उतरते हैं तो आपका सावधान रहना आवश्यक है और स्वयं के विवेक का प्रयोग करना चाहिए।

इसी प्रकार आचार्य चाणक्य का कहना है कि सींगवाले पशुओं तथा शस्त्रधारी व्यक्ति का भी विश्वास नहीं किया जा सकता। क्योंकि न जाने वे कब स्वार्थवश आपका अहित कर बैठें या अपने जुनून में आक्रमण कर दें।

इसी प्रकार स्त्रियों का भी आँख मींचकर विश्वास नहीं किया जा सकता क्योंकि क्या पता उनके मन में क्या है और वे अपने संकीर्ण सोच, प्रति ईर्ष्या–द्वेष से ग्रस्त आपको कब गलत सलाह दे बैठें या आपको गलत, अपने मनोनुकूल कार्य के लिए प्रेरित कर दें। आचार्य चाणक्य का स्पष्ट मत है कि बहुत–सी स्त्रियाँ कहती कुछ हैं और करती कुछ और हैं। वे प्रेम किसी अन्य से करती हैं तथा प्रेम का प्रदर्शन किसी अन्य से करती हैं। इसीलिए उनकी स्वामिभक्ति व पतिव्रता होने पर विश्वास नहीं किया जा सकता। इसमें सावधानी बरतनी चाहिए।

इसी प्रकार आचार्य चाणक्य राजकुल की भी चर्चा करते हैं। उनके विचार से राजनीति सदा ही परिवर्तनशील होती है। राजपरिवार के लोग सत्ता–पक्ष से जुड़े होने के कारण या सत्ता में आने (सत्ता पाने) के लोभ में कूट चालों में ग्रस्त रहते हैं, उसी के शिकार भी होते हैं। उनके मित्र या शत्रु सामयिक हानि–लाभ पर निर्भर करते हैं। इस पक्ष से ऐतिहासिक पृष्ठभूमि में देखें तो यह तथ्य स्पष्ट है कि राज्य–प्राप्ति

के लिए पुत्र पिता की हत्या करवा देता है। उसे कारागार में डलवा देता है। कंस ने लोभ में पिता उग्रसेन को कारागार में डाल दिया था और अपने प्राणों को सुरक्षित रखने के भाव से बहन देवकी को पति वसुदेव सहित जेल में डाल दिया था। कृष्ण का जन्म कंस की कारावास में ही हुआ था।

अतः चाणक्य के अनुसार इन 6 सम्बन्धों–शक्तियों पर अन्धविश्वास नहीं करना चाहिए क्योंकि इनकी चित्तवृत्तियाँ क्षण– प्रतिक्षण बदलती रहती हैं। यही नीति कहती है।

सार को ग्रहण करें–

विषादप्यमृतं ग्राह्यममेध्यादपि कांचनम् ।
नीचादप्युत्तमां विद्यां स्त्रीरत्नं दुष्कुलादपि ।।१६।।

आचार्य चाणक्य यहाँ साध्य की महत्ता दर्शाते हुए साधन को गौण मानते हुए कहते हैं कि विष में से भी अमृत तथा गन्दगी में से भी सोना लेना चाहिए। नीच व्यक्ति से भी उत्तम विद्या ले लेनी चाहिए और दुष्ट कुल से भी स्त्री–रत्न को ले लेना चाहिए।

अमृत अमृत है, जीवनदायी है अतः विष में पड़े हुए अमृत को लेना ही उचित होता है। सोना यदि कहीं पर गन्दगी में भी पड़ा हो तो उसे उठा लेना चाहिए। अच्छा ज्ञान या विद्या किसी नीच कुल वाले व्यक्ति से भी मिले तो उसे खुशी से ग्रहण कर लेना चाहिए। इसी तरह यदि दुष्टों के कुल में भी कोई गुणवान, सुशील श्रेष्ठ कन्या हो, तो उसे स्वीकार कर लेना चाहिए।

कहने का तात्पर्य यह है कि व्यक्ति को अमृत, स्वर्ण, विद्या तथा गुण और स्त्री–रत्न को ग्रहण करने से कभी भी हिचकिचाना नहीं चाहिए। वह इनके ग्रहण में गुण को महत्ता दे, स्रोत को नहीं अर्थात् बुरे स्रोत से कोई उत्तम पदार्थ प्राप्त होता हो तो उसे प्राप्त करने में व्यक्ति को संकोच नहीं करना चाहिए क्योंकि उपलक्ष्य तो साध्य है साधन नहीं। चाणक्य ने एक स्थान पर यह भी कहा है कि नीच

कुल की सुन्दर कन्या से विवाह आदि नहीं करना चाहिए, परन्तु यहाँ उनका संकेत इस ओर है कि भले ही कन्या छोटे कुल में उत्पन्न हुई हो, पर वह गुणवती हो तो उसे ग्रहण करने में चाणक्य आपत्ति नहीं समझते। यहाँ उन्होंने उसके गुणों की ओर संकेत किया है केवल मात्र रसिक की भांति उसके रूप की ओर नहीं। विवाह के सम्बन्ध में तो चाणक्य की यह स्पष्ट धारणा है कि वह तो समान स्तर के परिवार में ही होना चाहिए। ऐसा प्रतीत होता है कि चाणक्य विवाह के बाद होने वाले परिणामों में पूर्णतया परिचित थे। जैसा कि आज हम देखते हैं कि समान स्तर और समान विचारवाले परिवारों में विवाह न होने के कारण व्यक्ति को अनेक संकटों से गुजरना पड़ता है किन्तु इसके बाद भी गुण का महत्त्व सर्वोपरि है उसे परखने में भूल नहीं करनी चाहिए।

स्त्री पुरुष से आगे होती है–

स्त्रीणां द्विगुण आहारो लज्जा चापि चतुर्गुणा ।
साहसं षड्गुणं चैव कामश्चाष्टगुणः स्मृतः ।।१७।।

आचार्य चाणक्य यहाँ पुरुषों की अपेक्षा स्त्रियों की क्रियावृत्ति की तुलना करते हुए कहते हैं कि स्त्रियों में आहार दुगुना, लज्जा चौगुनी, साहस छ: गुना तथा कामोत्तेजना आठ गुनी होती है।

यहाँ वस्तुतः नारी के बारे में जो कहा गया है, उसकी निन्दा नहीं बल्कि गुण की दृष्टि से प्रशंसा है कि स्त्रियों का आहार पुरुष से दुगुना होता है। लज्जा चौगुनी होती है, किसी भी बुरे काम को करने की हिम्मत स्त्री में पुरुष से छ: गुना अधिक होती है तथा कामोत्तेजना–सम्भोग की इच्छा पुरुष से स्त्री में आठ गुना अधिक होती है तथा कामोत्तेजना–सम्भोग की इच्छा पुरुष से स्त्री में आठ गुना अधिक होती है। और यह गुणवत्ता उनके शारीरिक दायित्व–जिसका वे विवाहोपरान्त वहन करती हैं, के कारण होती है। स्त्रियों को गर्भधारण करना होता है सन्तानोत्पत्ति के बाद उसका पालन–पोषण करना पड़ता है या पूरी प्रक्रिया में उन्हें कितना कष्ट

उठाना पड़ता है इसकी कल्पना स्त्री के अलावा दूसरा अन्य कोई कैसे कर सकता है। 'बांझ क्या जाने प्रसव पीड़ा' प्रसव पीड़ा झेलना या होने के गौरव के सामने एक सामान्य प्रक्रिया होकर रह जाती है।

जहाँ तक काम—भावना का प्रश्न है पुरुषों की अपेक्षा काम—भावना स्त्रियों में अधिक होती है क्योंकि मैथुन के बाद वीर्यस्खलन के साथ काम शांति और काम वैराग्य भी उत्पन्न होता है। स्त्रियों में भी काम शांति होती है साथ ही अतृप्तावस्था में स्वाभाविक क्रिया न होने पर अन्य पुरुष से सम्बन्ध कायम करने की प्रबल भावना उसमें वेश्यापन (परपुरुषगामी) ला देती है। लेकिन पुरुष में तत्काल ऐसी क्रियाएं नहीं देखी जातीं। अतः काम—भावना का पुरुष की अपेक्षा स्त्रियों में अधिक होना अनुमानित किया गया है।

द्वितीय अध्याय

स्त्रियों के स्वाभाविक दोष–

अनृतं साहसं माया मूर्खत्वमतिलोभिता ।
अशौचत्वं निर्दयत्वं स्त्रीणां दोषाः स्वभावजाः ।।

यहाँ आचार्य चाणक्य स्त्रियों के स्वभाव पर टिप्पणी करते हुए यह कह रहे हैं कि झूठ बोलना, साहस, छल–कपट, मूर्खता, अत्यन्त लोभ, अपवित्रता और निर्दयता–ये स्त्रियों के स्वाभाविक दोष हैं। अर्थात् स्त्रियों में यह प्रवृत्ति जन्म से ही होती है। वे अपने दुःसाहस में कोई भी ऐसा काम कर सकती हैं जिस पर भरोसा नहीं किया जा सकता।

आचार्य चाणक्य ने यहाँ नारी के स्वभाव का वर्णन किया है और मानते हैं कि सृष्टि की रचना में नारी का अक्षुण्ण योगदान है। लेकिन जहाँ स्वभाव का प्रश्न है वहाँ ये दोष भी पाए जाते हैं। इसका अर्थ यह नहीं कि नारी बुद्धिमान् नहीं होती। आद्य शंकराचार्य ने प्रश्नोत्तरी में उल्लिखित किया है कि 'द्वारं किमेकं नरकस्य नारी' अर्थात् नरक का प्रधान द्वार या एकमात्र द्वार के रूप में नारी को उद्धृत किया है। तुलसीदास ने कहा है कि 'नारि स्वभाव सत्य कवि कहहीं, अवगुण आठ सदा उर रहहीं।' इन आठ अवगुणों में इसी श्लोक में गिनाये नामों का अनुवाद किया है। साथ ही सामान्य नियम को विशेष नियम प्रभावित

करते रहते हैं क्योंकि नारी ममता, दया, क्षमा आदि का एकमात्र स्थान है। इसके बिना सृष्टि ही अधूरी है। अतः सीता, राधा, जीजाबाई, लक्ष्मीबाई आदि में अवगुण ढूंढ़ना अपनी अविवेकिता है। ये तो नारी के आदर्श हैं और आचार्य चाणक्य ने स्त्रियों के जिन दोषों की ऊपर चर्चा की है वे स्वाभाविक वृत्तियाँ हैं। आवश्यक नहीं कि ये सभी स्त्रियों में पाई जाएं।

जीवन के सुख भाग्यशाली को मिलते हैं–

भोज्यं भोजनशक्तिश्च रतिशक्तिर वरांगना ।
विभवो दानशक्तिश्च नाऽल्पस्य तपसः फलम् ।।२।।

यहाँ आचार्य चाणक्य का कथन है कि भोज्य पदार्थ, भोजन–शक्ति, रतिशक्ति, सुन्दर स्त्री, वैभव तथा दान–शक्ति, ये सब सुख किसी अल्प तपस्या का फल नहीं होते। अर्थात् सुन्दर खाने–पीने की वस्तुएँ मिलें और जीवन के अन्त तक खाने–पचाने की शक्ति बनी रहे स्त्री से संभोग की इच्छा बनी रहे तथा सुन्दर स्त्री मिले, धन–सम्पत्ति हो और दान देने की आदत भी हो। ये सारे सुख किसी भाग्यशाली को ही मिलते हैं, पूर्व जन्म में अखण्ड तपस्या से ही ऐसा सौभाग्य मिलता है।

अकसर देखने में यह आता है कि जिन व्यक्तियों के पास खाने की कोई कमी नहीं, उनके पास उन्हें खाकर पचाने की सामर्थ्य नहीं होती। आप इसे यूँ भी कह सकते हैं कि जिसके पास चने हैं, उसके पास उनका आनन्द उठाने के लिए दाँत नहीं और जिसके पास दाँत हैं, उसके पास चने नहीं। अभिप्राय यह है कि अत्यन्त धनवान् व्यक्ति भी ऐसे रोगों से ग्रस्त रहते हें, जिन्हें साधारण या सादी चीज भी नहीं पचती, परंतु जो व्यक्ति खूब ह्रष्ट–पुष्ट हैं, तगड़े हैं, तथा जिनकी पाचनशक्ति भी तेज है, उनके पास अभाव के कारण खाने को ही कुछ नहीं होता। इसी प्रकार बहुत से व्यक्तियों के पास धन–दौलत और वैभव की कोई कमी नहीं होती, परन्तु उनमें उसके उपभोग करने और दान देने की प्रवृत्ति नहीं होती। जिन व्यक्तियों में ये बातें समान रूप में मिलती हैं, चाणक्य उसे उनके पूर्वजन्म के तप का फल मानते हैं। अर्थात् उनका

यह कहना है कि खाने–पीने की वस्तुओं के साथ उन्हें पचाने की शक्ति, सुन्दर स्त्री के रहने पर मनुष्य में सम्भोग की शक्ति और धन के रहने पर उसका सदुपयोग और दान की प्रवृत्ति जिस व्यक्ति में होती है, वह बहुत भाग्यशाली होता है। इसे पिछले जन्म का सुफल ही मानना चाहिए।

जीवन–सुख में ही स्वर्ग है–

यस्य पुत्रो वशीभूतो भार्या छन्दानुगामिनी ।
विभवे यस्य सन्तुष्टिस्तस्य स्वर्ग इहैव हि ।।३।।

आचार्य चाणक्य का कथन है कि जिसका पुत्र वशीभूत हो, पत्नी वेदों के मार्ग पर चलनेवाली हो और जो अपने वैभव से सन्तुष्ट हो, उसके लिए यहीं स्वर्ग है।

अभिप्राय यह है कि जिस मनुष्य का पुत्र आज्ञाकारी होता है, सब प्रकार से कहने में होता है पत्नी धार्मिक और उत्तम चाल–चलनवाली होती है, सद्गृहिणी होती है तथा जो अपने पास जितनी भी धन–सम्पत्ति है, उसी में खुश रहता है, सन्तुष्ट रहता है, ऐसे व्यक्ति को इसी संसार में स्वर्ग का सुख प्राप्त होता है। उसके लिए पृथ्वी में ही स्वर्ग हो जाता है।

क्योंकि पुत्र का आज्ञापालक होना, स्त्री का पतिव्रता होना और मनुष्य का धन के प्रति लोभ–लालच न रखना अथवा मन में सन्तोष बनाए रखना ही स्वर्ग के मिलने वाले सुख के समान है। ऐसा विश्वास किया जाता है कि स्वर्ग अनेक शुभ अथवा पुण्य कार्यों के अर्जित करने से ही प्राप्त होता है। उसी प्रकार इस संसार में ये तीनों सुख भी मनुष्य को पुण्य कर्मों के सुफल रूप ही प्राप्त होते हैं। जिस व्यक्ति को ये तीनों सुख प्राप्त हों, उसे बहुत भाग्यशाली समझना चाहिए।

सार्थकता में ही सम्बन्ध का सुख–

ते पुत्रा ये पितुर्भक्ताः सः पिता यस्तु पोषकः ।
तन्मित्रम् यत्र विश्वासः सा भार्या या निवृतिः ।।४।।

आचार्य चाणक्य का कथन है कि पुत्र वही है, जो पिता का भक्त है। पिता वही है, जो पोषक है, मित्र वही है, जो विश्वासपात्र हो। पत्नी वही है, जो हृदय को आनन्दित करे।

अर्थात् पिता की आज्ञा को माननेवाला और सेवा करने वाला ही पुत्र कहा जाता है। अपने बच्चों का सही पालन–पोषण, देख–रेख करने वाला और उन्हें उचित शिक्षा देकर योग्य बनाने वाला व्यक्ति ही सच्चे अर्थ में पिता है। जिस पर विश्वास हो, जो विश्वासघात न करे, वही सच्चा मित्र होता है। पति को कभी दुःखी न करने वाली तथा सदा उसके सुख का ध्यान रखने वाली ही पत्नी कही जाती है।

अभिप्राय यह है कि इस संसार में सम्बन्ध तो अनेक प्रकार के हैं, परन्तु निकट के सम्बन्ध के रूप में पिता, पुत्र, माता और पत्नी ही माने जाते हैं। इसलिए कहा जा सकता है कि सन्तान वही जो माता–पिता की सेवा करे वरना वह सन्तान व्यर्थ है। इसी प्रकार अपनी सन्तान और अपने परिवार का भरण–पोषण करने वाला व्यक्ति ही पिता कहला सकता है और मित्र भी ऐसे व्यक्ति को ही माना जा सकता है जिस पर कभी भी किसी प्रकार से अविश्वास न किया जा सके। जो सदा विश्वासी रहे, अपने अनुकूल आचरण से पति को सुख देने वाली स्त्री ही सच्चे अर्थों में पत्नी कहला सकती है। इसका अर्थ यह है कि नाम और सम्बन्धों के बहाने एक–दूसरे से जुड़े रहने में कोई सार नहीं, सम्बन्धों की वास्तविकता तो तभी तक है जब सब अपने कर्तव्य का पालन करते हुए एक–दूसरे को सुखी बनाने का प्रयत्न करें और सम्बन्ध की वास्तविकता का सदा निर्वाह करें।

छली मित्र को त्याग दें–

परोक्षे कार्यहन्तारं प्रत्यक्षे प्रियवादिनम् ।
वर्जयेत्तादृशं मित्रं विषकुम्भं पयोमुखम् ।।५।।

आचार्य चाणक्य का कथन है कि पीठ पीछे काम बिगाड़ने वाले तथा सामने प्रिय बोलने वाले ऐसे मित्र को मुँह पर दूध रखे हुए विष के घड़े के समान त्याग देना चाहिए।

अभिप्राय यह है कि एक विष भरे घड़े के ऊपर यदि थोड़ा—सा दूध डाल दिया जाए तो फिर भी वह विष का ही घड़ा कहा जाता है। इसी प्रकार मुँह के सामने चिकनी—चुपड़ी बातें करने वाला और पीठ पीछे काम बिगाड़ने वाला मित्र भी इस विष भरे घड़े के समान होता है। विष के घड़े को कोई भी व्यक्ति नहीं अपना सकता। इसलिए इस प्रकार के मित्र को त्याग देना ही उचित है। सच तो यह है कि ऐसे व्यक्ति मित्र कहे ही नहीं जा सकते। इन्हें शत्रु ही समझना चाहिए।

न विश्वसेत्कुमित्रे च मित्रे चापि न विश्वसेत् ।
कदाचित्कुपितं मित्रं सर्वं गुह्यं प्रकाशयेत् ।।६।।

आचार्य चाणक्य का कथन है कि कुमित्र पर कभी विश्वास नहीं करना चाहिए और मित्र पर भी विश्वास नहीं करना चाहिए। कभी कुपित होने पर मित्र भी आपकी गुप्त बातें सबको बता सकता है।

अभिप्राय यह है कि दुष्ट—चुगलखोर मित्र का भूलकर विश्वास नहीं करना चाहिए। साथ ही कितना ही प्रिय मित्र क्यों न हो, उसे भी अपनी राज की बातें नहीं बतानी चाहिए। हो सकता है वह आपसे नाराज हो जाए और आपका कच्चा चिट्ठा सबके सामने खोल दे। इस पर आपको पछताना पड़ सकता है क्योंकि आपका भेद जानकर वह मित्र स्वार्थ में आपका भेद खोल देने की धमकी देकर आपको अनुचित कार्य करने के लिए विवश कर सकता है। अतः आचार्य चाणक्य का विश्वास है कि जिसे आप अच्छा मित्र समझते हैं उसे भी अपने रहस्यों का भेद न दें। कुछ बातों का पर्दा रखना आवश्यक है।

मन का भाव गुप्त ही रखें-
मनसा चिन्तितं कार्यं वाचा नैव प्रकाशयेत् ।
मन्त्रेण रक्षयेद् गूढं कार्य चाऽपि नियोजयेत् ।।७।।

आचार्य चाणक्य का कथन है कि मन में सोचे हुए कार्य को मुँह से बाहर नहीं निकालना चाहिए। मन्त्र के समान गुप्त रखकर उसकी रक्षा करनी चाहिएं गुप्त रखकर ही उस काम को करना भी चाहिए।

अभिप्राय यह है कि मन में जो भी काम करने का विचार हो, उसे मन में ही रखना चाहिए; किसी को बताना नहीं चाहिए। मन्त्र के समान गोपनीय रखकर चुपचाप काम शुरू कर देना चाहिए। जब काम चल रहा हो, उस समय ही उसका ढिंढोरा नहीं पीटना चाहिए। बता देने पर यदि काम पूरा न हुआ तो हंसी होती है। कोई शत्रु काम बिगाड़ भी सकता है। काम पूरा होने पर फिर सबको मालूम हो ही जाता है क्योंकि मनोविज्ञान का नियम है कि आप जिस कार्य के लिए अधिक चिन्तन–मनन करेंगे और चुपचाप उसे कार्य रूप में परिणत करेंगे उसमें सिद्धि प्राप्त करने के अवसर निश्चित मिलेंगे इसीलिए आचार्य का कथन है कि मन में सोची हुई बात या कार्य–योजना कार्य रूप में लाने से पहले प्रकट नहीं करनी चाहिए। इसी में सज्जनों की भलाई है।

पराधीनता

कष्टं च खलु मूर्खत्वं कष्टं च खलु यौवनम् ।
कष्टात्कष्टतरं चैव परगेहनिवासनम् ।।८।।

आचार्य का कहना है कि मूर्खता कष्ट है, यौवन भी कष्ट है, किन्तु दूसरों के घर में रहना कष्टों का भी कष्ट है।

वस्तुतः मूर्खता अपने–आप में एक कष्ट है और जवानी भी व्यक्ति को दुःखी करती है। इच्छाएं पूरी न होने पर भी दुःख तथा कोई भला–बुरा काम हो जाए, तो भी दुःख। इन दुःखों से भी बड़ा दुःख है–पराये घर में रहने का दुःख। दूसरे के घर में न तो व्यक्ति स्वाभिमान के साथ रह सकता है और न अपनी इच्छा से कोई काम ही कर सकता है। क्योंकि मूर्ख व्यक्ति को उचित–अनुचित का ज्ञान न होने के कारण हमेशा कष्ट उठाना पड़ता है। इसीलिए कहा गया

है कि मूर्ख होना अपने—आप में एक बड़ा अभिशाप है। कौन—सी बात उचित है और कौन—सी अनुचित है, यह जानना जीवन के लिए आवश्यक होता है। इसी भांति जवानी बुराइयों की जड़ है। कहा तो यहाँ तक गया है कि जवानी अन्धी और दीवानी होती है। जवानी में व्यक्ति काम के आवेग में विवेक खो बैठता है, उसे अपनी शक्ति पर गुमान हो जाता है। उसमें इतना अहं भर जाता है कि वह अपने सामने किसी दूसरे व्यक्ति को कुछ समझता ही नहीं। जवानी मनुष्य को विवेकहीन ही नहीं, निर्लज्ज भी बना देती है, जिसके कारण व्यक्ति को अनेक कष्ट उठाने पड़ते हैं। ऐसे में व्यक्ति को यदि दूसरे के घर में रहना पड़े तो उसे दूसरे की कृपा पर उसके घर की व्यवस्था का अनुसरण करते हुए रहना पड़ेगा। इस तरह वह अपनी स्वतंत्रता गंवा देगा। तभी तो कहा गया—'पराधीन सपनेहु सुख नाहीं'। इसीलिए इन पर विचार करना चाहिए।

साधु पुरुष—

शैले शैले न माणिक्यं मौक्तिकं न गजे गजे ।
साधवो न हि सर्वत्र चन्दनं न वने वने ।।६।।

आचार्य चाणक्य ने कहा है कि न प्रत्येक पर्वत पर मणि—माणिक्य ही प्राप्त होते हैं न प्रत्येक हाथी के मस्तक से मुक्ता—मणि प्राप्त होती है। संसार में मनुष्यों की कमी न होने पर भी साधु पुरुष सब जगह नहीं मिलते। इसी प्रकार सभी वनों में चन्दन के वृक्ष उपलब्ध नहीं होते।

यहाँ अभिप्राय यह है कि अनेक पर्वतों पर मणि—माणिक्य मिलते हैं, परन्तु सभी पर्वतों पर नहीं। ऐसा विश्वास किया जाता है कि कुछ हाथी ऐसे होते हैं जिनके मस्तक में मणि विद्यमान रहती है, परन्तु ऐसा सभी हाथियों में नहीं होता। इसी प्रकार इस पृथ्वी पर पर्वतों और जंगलों अथवा वनों की कमी नहीं, परन्तु सभी वनों में चन्दन नहीं मिलता। इसी प्रकार सभी जगह साधु व्यक्ति नहीं दिखाई देते।

साधु शब्द से आचार्य चाणक्य का अभिप्राय यहाँ सज्जन व्यक्ति से है। अर्थात् ऐसा व्यक्ति जो दूसरों के बिगड़े हुए काम को बनाता हो, जो अपने मन को निवृत्ति की ओर ले जाता हो और निःस्वार्थ भाव से समाज—कल्याण की इच्छा करता हो। साधु का अर्थ यहाँ केवल भगवे कपड़े पहननेवाले दिखावटी संन्यासी व्यक्ति से नहीं है। यहाँ इसका भाव आदर्श समाजसेवी व्यक्ति से है, परन्तु ऐसे आदर्श व्यक्ति सब जगह कहाँ मिलते हैं। वे तो दुर्लभ ही हैं। जहाँ भी मिलें उनका यथावत् आदर—सम्मान ही करना चाहिए।

पुत्र के प्रति कर्त्तव्य—

पुनश्च विविधैः शीलैर्नियोज्या सततं बुधैः।
नीतिज्ञा शीलसम्पन्नाः भवन्ति कुलपूजिताः ।।१०।।

आचार्य चाणक्य यहाँ पुत्र के संबंध में उपदेश करते हुए कहते हैं कि बुद्धिमान लोगों का कर्तव्य है कि पुत्र को सदा अनेक प्रकार से सदाचार की शिक्षा दें। नीतिज्ञ सदाचारी पुत्र ही कुल में पूजे जाते हैं। अर्थात् पिता का सबसे बड़ा कर्तव्य है कि पुत्र को अच्छी शिक्षा दे। शिक्षा केवल विद्यालय में ही नहीं होती। अच्छे आचरण की, व्यवहार की शिक्षा देना पिता का पावन कर्तव्य है। अच्छे आचरण वाले पुत्र ही अपने कुल का नाम ऊँचा करते हैं। नीतिज्ञ और शील सम्पन्न पुत्र ही कुल में सम्मान पाते हैं।

नेतागण कहा करते हैं कि आज के युवा ही कल के नागरिक हैं। वही देश के भविष्य हैं तो उनका सही भविष्य बनाने की दिशा में सही कदम उठाना माता—पिता और समाज का परम कर्तव्य है।

माता शत्रुः पिता वैरी येनवालो न पाठितः ।
न शोभते सभामध्ये हंसमध्ये वको यथा ।।११।।

यहाँ आचार्य चाणक्य सन्तान की शिक्षा के बारे में माता—पिता के कर्तव्य का उपदेश करते हुए कहते हैं कि बच्चे को न पढ़ाने वाली

माता शत्रु तथा पिता वैरी के समान होते हैं। बिना पढ़ा व्यक्ति पढ़े लोगों के बीच में हंसों में कौए के समान शोभा नहीं पाता।

अभिप्राय यह है कि जो हालत हंसों के बीच में आ जाने पर कौए की हो जाती है, ठीक वही दशा पढ़े–लिखे, सुशिक्षित लोगों के बीच में जाने पर अनपढ़ व्यक्ति की हो जाती है। इसलिए बच्चे को न पढ़ाने वाले माँ–बाप ही उसके शत्रु होते हैं। इस सम्बन्ध में आचार्य चाणक्य मानते हैं कि धन ही नहीं शिक्षा भी व्यक्ति को आदर योग्य बनाती है और शिक्षा से हीन व्यक्ति बिना पूंछ और सींगवाले पशु के समान है।

लालनाद् बहवो दोषास्ताडनाद् बहवो गुणाः ।
तस्मात्पुत्रं च शिष्यं च ताडयेन्न तु लालयेत् ।।१२।।

आचार्य चाणक्य बालक के लालन–पालन में, लाड़–प्यार के सन्दर्भ में उसके अनुपात और सार के बारे में उपदेश करते हुए कहते हैं कि अधिक लाड़ से अनेक दोष तथा ताड़न से गुण आते हैं। इसलिए पुत्र को और शिष्य को लालन की नहीं ताड़न की आवश्यकता होती है।

अभिप्राय यह है कि अधिक लाड़–प्यार करने से बच्चे बिगड़ जाते हैं। उसके साथ सख्ती करने से ही वे सुधरते हैं। इसलिए बच्चों और शिष्य को अधिक लाड़–प्यार नहीं देना चाहिए। उनके साथ सख्ती ही करनी चाहिए।

इसलिए चाणक्य का परामर्श है कि माता–पिता अथवा गुरु को अपने पुत्र अथवा शिष्य का इस बात के लिए ध्यान रखना चाहिए कि उसमें कोई बुरी आदतें घर न कर जाएं। उनसे बचाने के लिए उनकी ताड़ना आवश्यक है, ताकि बच्चा गुणों की ओर आकर्षित हो और दोष ग्रहण से बचे।

स्वाध्यायः

श्लोकेन वा तदर्द्धेन तदर्द्धाऽर्द्धाक्षरेण वा ।
अबन्ध्यं दिवसं कुर्याद् दानाध्ययनकर्मभि ।।१३।।

यहाँ आचार्य स्वाध्याय की महत्ता प्रतिपादित करते हुए कह रहे हैं कि व्यक्ति को चाहिए कि वह किसी एक श्लोक का या आधे या उसके भी आधे अथवा एक अक्षर का ही सही मनन करे। मनन, अध्ययन, दान आदि कार्य करते हुए दिन को सार्थक करना चाहिए।

अभिप्राय यह है कि कम–से–कम जितना भी हो सके, मनुष्य को अपने कल्याण के लिए मनन अवश्य करना चाहिए। मनन करना, अध्ययन करना तथा लोगों की सहायता करना–ये मनुष्य–जीवन के अनिवार्य कर्तव्य हैं। ऐसा करने पर ही जीवन सार्थक होता है। क्योंकि मानव जीवन अमूल्य है। उसका एक–एक दिन, एक–एक क्षण अमूल्य है, उसे सफल बनाने के लिए स्वाध्याय, चिंतन–मनन एवं दान आदि सत्कर्म करते रहना चाहिए। यह जीवन का नियम ही बना लिया जाए तो सर्वोत्तम है।

आसक्ति विष है–

कान्तावियोग स्वजनापमानो
ऋणस्य शेषः कुनृपस्य सेवा ।
दरिद्रभावो विषया सभा च
विनाग्निमेते प्रदहन्ति कायम् ।।१४।।

यहाँ आचार्य जीवन में त्याज्य स्थितियों पर विचार करते हुए व्यक्ति को उपदेश करते हुए कहते हैं कि प्रियतमा का पत्नी से वियोग, स्वजनों से अपमान होना, ऋण का न चुका पाना, दुष्ट राजा की सेवा, दरिद्रता और धूर्त लोगों की सभा, ये बातें बिना अग्नि के ही शरीर को जला देते हैं।

अभिप्राय यह है कि एक आग सबको दिखाई देती है, यह बाहरी अग्नि है किन्तु एक आग अन्दर–ही–अन्दर से व्यक्ति को जलाती रहती है, उसे कोई देख भी नहीं सकता। पत्नी से अत्यधिक प्रेम हो, किन्तु उससे बिछुड़ना पड़ जाए। परिवारवालों की कहीं पर बेइज्जती हो जाए, कर्ज को चुकाना मुश्किल हो जाए, दुष्ट राजा की नौकरी करनी पड़े, गरीबी छूटे नहीं, दुष्ट लोग मिलकर कोई सभा कर रहे हों! ऐसी मजबूरी में बेचारा आदमी अन्दर–ही–अन्दर जलता रहता है। उसकी तड़पन को कोई देख भी नहीं सकता। यह ऐसी ही न दिखने वाली आग है।

विनाश का कारण–

नदीतीरे च ये वृक्षाः परगेहेषु कामिनी ।
मन्त्रिहीनाश्च राजानः शीघ्रं नश्यन्त्यसंशयम् ।।१५।।

आचार्य चाणक्य नीति के वचनों के क्रम में यहाँ उपदेश कर रहे हैं कि तेज बहाव वाली नदी के किनारे लगने वाले वृक्ष, दूसरे के घर में रहने वाली स्त्री, मन्त्रियों से रहित राजा लोग–ये सभी शीघ्र ही नष्ट हो जाते हैं।

भाव यह है कि नदी की धारा अनिश्चित रहने के कारण उसके किनारे उगने वाले वृक्ष शीघ्र ही नष्ट हो जाते हैं। क्योंकि उनकी जमीन पेड़ों के बोझ को सह नहीं पाती और जड़ें उखड़ने लगती हैं। उसी प्रकार दूसरे के घर गई हुई स्त्री भी चरित्र की दृष्टि से सुरक्षित नहीं रह पाती उसका सतीत्व शंका के दायरे में आ जाता है। इस सन्दर्भ में किसी नीतिकार ने ही कहा है–

'लेखनी पुस्तिका दाराः परहस्ते गता गताः ।
आगता दैवयोगेन नष्टा भ्रष्टा च मर्दिता ।।'

अर्थात् लेखनी (कलम), पुस्तक और स्त्री दूसरे के हाथ में चली गईं तो गंवाई गई ही समझें। यदि दैवयोग से वापस लौट भी आईं तो उनकी दशा नष्ट, भ्रष्ट और मर्दित रूप में ही होती है।

इसी प्रकार राजा का बल मन्त्री होता है। मन्त्री राजा को सन्मार्ग में प्रवृत्त एवं कुमार्ग से हटाता है। उसका न होना राजा के लिए घातक है। इसलिए राजा के पास मन्त्री भी होना चाहिए।

व्यक्ति का बल–

बलं विद्या च विप्राणां राज्ञः सैन्यं बलं तथा ।
बलं वित्तं च वैश्यानां शूद्राणां च कनिष्ठता ।।१६।।

आचार्य चाणक्य का यहाँ कथन है कि विद्या ही ब्राह्मणों का बल है। राजा का बल सेना है। वैश्यों का बल धन है तथा सेवा करना शूद्रों का बल है।

अभिप्राय यह है कि ज्ञान–विद्या ही ब्राह्मण का बल माना गया है। अध्ययन–स्वाध्याय ही उसका मुख्य कर्म–क्षेत्र है उसी में उसे निपुण होना चाहिए तभी यह आदरणीय होगा। राजाओं का बल उनकी सेना होती है। क्योंकि सैन्य–शक्ति के बल पर ही वह अपने राज्य की सीमाएँ सुरक्षित रख सकता है। इसी प्रकार धन वैश्यों का बल तथा सेवा करना शूद्रों का बल है। यही उनके कार्य–क्षेत्र का वैशिष्ट्य है।

दुनिया की रीति–

निर्धनं पुरुषं वेश्यां प्रजा भग्नं नृपं त्यजेत् ।
खगाः वीतफलं वृक्षं भुक्त चाभ्यागतो गृहम् ।।१७।।

आचार्य चाणक्य यहाँ प्राप्ति के बाद वस्तु के प्रति उपयोगिता ह्रास के नियम को लगाते हुए कहते हैं कि यह प्रकृति का नियम है कि पुरुष के निर्धन हो जाने पर वेश्या पुरुष को त्याग देती है। प्रजा शक्तिहीन राजा को और पक्षी फलहीन वृक्ष को त्याग देते हैं। इसी प्रकार भोजन कर लेने पर अतिथि घर को छोड़ देता है।

अभिप्राय यह है कि वेश्या अपने पुराने ग्राहक को भी उसके गरीब पड़ जाने पर छोड़ देती है। राजा जब बुरे समय में शक्तिहीन हो

जाता है, तो उसकी प्रजा भी उसका साथ छोड़ देती है। वृक्ष के फल समाप्त हो जाने पर पक्षी उस वृक्ष को त्याग देते हैं। घर में भोजन की इच्छा से आया हुआ कोई राहगीर भोजन कर लेने के बाद घर को छोड़कर चला जाता है। अपना उल्लू सीधा होने तक ही लोग मतलब रखते हैं। यहीं प्रकृति की उपयोगिता समाप्त हो जाने के बाद वस्तु के प्रति बदले दृष्टिकोण का संकेत है।

इस संदर्भ में यहाँ आचार्य चाणक्य ने कुछ उदाहरण से व्यक्ति के कर्त्तव्य–पालन पर बल दिया है। धन के कारण वेश्या जिसे अपना प्रेमी कहती है, निर्धन होने पर उससे मुँह मोड़ लेती है। इसी प्रकार अपमानित राजा को प्रजा त्याग देती है ओर सूखे ठूंठ वृक्ष से पक्षी उड़ जाते हैं। इसी प्रकार अतिथि को चाहिए कि वह भोजन करने के उपरान्त गृहस्थ का साधुवाद करके घर को त्याग दे। वहाँ डेरा डालने की न सोचे, नहीं तो ऐसा हो सकता है कि संकोच का त्याग करके उसे जाने के लिए कहना पड़ें उसे यह समझना चाहिए कि सम्मान की रक्षा इसी में है कि वह भोजन करने के पश्चात् स्वयं जाने के लिए आज्ञा मांग ले। यही उचित भी है।

गृहीत्वा दक्षिणां विप्रास्त्यजन्ति यजमानकम् ।
प्राप्तविद्या गुरुं शिष्याः दग्धारण्यं मृगास्तथा ।।१८।।

यहाँ आचार्य चाणक्य जग की रीति पर चर्चा करते हुए कहते हैं कि दक्षिणा ले लेने पर ब्राह्मण यजमान को छोड़ देते हैं, विद्या प्राप्त कर लेने पर शिष्य गुरु को छोड़ देते हैं और वन में आग लग जाने पर वन के पशु वन को त्याग देते है।।

अभिप्राय यह है कि ब्राह्मण दक्षिणा लेने तक ही यजमान के पास रहता है। दक्षिणा मिल जाने पर वह यजमान को छोड़ देता है और अन्यत्र की सोचने लगता है। शिष्य अध्ययन करने तक ही गुरु के पास रहते हैं। विद्याएं प्राप्त कर लेने पर वे गुरु को छोड़कर चले जाते हैं और जीवन कार्य के प्रति विचार करते हुए अगली योजना में लग

जाते हैं। इसी प्रकार हिरण आदि वन के पशु वन में तभी तक रहते हैं, जब तक वह हरा–भरा रहता है। यदि वन में आग लग जाए, तो पक्षी वहाँ रहने की संभावनाएं समाप्त जानकर अन्यत्र डेरा जमाने के विचार से उड़ जाते हैं या दौड़ लगा जाते हैं। अर्थात् व्यक्ति किसी आश्रय या उपलब्धि–स्रोत पर तभी तक निर्भर करता है जब तक उसे वहाँ अपना लक्ष्य पूर्ण होता दिखाई पड़ता है। लक्ष्य पूर्ण होने पर उपयोगिता–ह्रास का नियम लागू हो जाता है।

दुष्कर्मों से सचेत रहें–

दुराचारी च दुर्दृष्टिर्दुराऽऽवासी च दुर्जनः ।
यन्मैत्री क्रियते पुम्भिर्नरः शीघ्र विनश्यति ।।१६।।

यहाँ आचार्य चाणक्य दुष्कर्म के परिणाम के प्रति सचेत करते हुए कह रहे हैं कि दुराचारी, दुष्ट स्वभाव वाला, बिना किसी कारण दूसरों को हानि पहुँचाने वाला तथा दुष्ट व्यक्ति से मित्रता रखने वाला श्रेष्ठ पुरुष भी शीघ्र ही नष्ट हो जाता है क्योंकि संगति का प्रभाव बिना पड़े नहीं रहता है।

यह उक्ति तो प्रसिद्ध है ही कि खरबूजे को देखकर खरबूजा रंग बदलता है। इसी प्रकार यदि कोई व्यक्ति दुष्ट व्यक्तियों के साथ रहता है तो उनकी संगति का प्रभाव उस पर अवश्य पड़ेगा। दुर्जनों के संग में रहने वाला व्यक्ति अवश्य दुःखी होगा। इसी बात को ध्यान में रखकर तुलसीदासजी ने भी कहा है–"दुष्ट संग न देह विधाता। इससे भलो नरक का वासा।।' इसलिए व्यक्ति को चाहिए कि वह कुसंगति से बचे।

मित्रता बराबर की–

समाने शोभते प्रीती राज्ञि सेवा च शोभते ।
वाणिज्यं व्यवहारेषु स्त्री दिव्या शोभते गृहे ।।२०।।

यहाँ आचार्य मित्रता व व्यवहार में समानता के स्तर पर शोभा का महत्त्व प्रतिपादित करते हुए कह रहे हैं कि समान स्तरवालों से ही मित्रता शोभा देती है। सेवा राजा की शोभा देती है। वैश्यों को व्यापार करना शोभा देता है शुभ स्त्री घर की शोभा है।

अभिप्राय यह है कि मित्रता बराबर वालों से ही करनी चाहिए। सेवा राजा की ही करनी चाहिए। ऐसा करना ही इन कार्यों की शोभा है। वैश्यों की शोभा व्यापार करना है तथा घर की शोभा शुभ लक्षणों वाली पत्नी है क्योंकि कहा गया है कि 'जाही का काम वाही को साजे और करे तो डण्डा बाजे' यानि जिसका जो कार्य है वही करे तो ठीक वरना परिणाम सही नहीं रहता।

तृतीय अध्याय

दोष कहाँ नहीं है?

कस्य दोषः कुले नास्ति व्याधिना को न पीडितः ।
व्यसनं केन न प्राप्तं कस्य सौख्यं निरन्तरम् ।।१।।

यहाँ आचार्य चाणक्य का कथन है कि दोष कहाँ नहीं है? इसी आशय से उनका कहना है कि किसके कुल में दोष नहीं होता? रोग किसे दुःखी नहीं करते? दुःख किसे नहीं मिलता और निरंतर सुखी कौन रहता है अर्थात् कुछ–न–कुछ कमी तो सब जगह है और यह एक कड़वी सच्चाई है। दुनिया में कोई भी ऐसा व्यक्ति नहीं है, जो कभी बीमार न पड़ा हो और जिसे कभी कोई दुःख न हुआ हो या जो सदा सुखी ही रहा हो। तो फिर संकोच या दुःख किस बात का?

इसलिए व्यक्ति को अपनी कमियों को लेकर अधिक चिन्ता नहीं करनी चाहिए बल्कि कमियों के रहते भी आचरण पर ध्यान देते हुए उसे अन्य मानवीय गुणों से सम्पन्न करना चाहिए ताकि व्यक्तित्व को पूर्णता प्राप्त हो सके। क्योंकि निरन्तर सुख तो संसार में किसी को भी प्राप्त नहीं होतां आज दुःख है तो कल सुख भी होगा। आज सुख है तो कल दुःख भी होगा। यही जग की रीति है।

लक्षणों से आचरण का पता लगता है-

आचारः कुलमाख्याति देशमाख्याति भाषणम् ।
सम्भ्रमः स्नेहमाख्यति वपुराख्याति भोजनम् ।।२।।

आचार्य चाणक्य लक्षणों से प्राप्त संकेतों की चर्चा करते हुए कहते हैं कि आचरण से व्यक्ति के कुल का परिचय मिलता है। बोली से देश का पता लगता है। आदर–सत्कार से प्रेम का तथा शरीर को देखकर व्यक्ति के भोजन का पता चलता है।

अभिप्राय यह है कि उच्च वंश का व्यक्ति शालीन होगा तथा शान्त और अच्छे स्वभाव का होगा और नीच वंश का आदमी उद्धत, बातूनी और मान–मार्यादा का खयाल न रखने वाला होगा। इस बात से तो प्रायः सभी परिचित हैं कि व्यक्ति अपनी बोली और उच्चारण से पहचाना जाता है कि वह किस प्रदेश का रहने वाला है। यों तो बोली थोड़ी–थोड़ी दूरी पर थोड़ा बदल जाती है, परन्तु काफी बड़े क्षेत्र में मुख्य स्वर (लहजा) एक ही रहता है, बोलचाल की मूल भाषा एक जैसी रहती है। इसलिए यह पहचानने में दिक्कत नहीं होती कि व्यक्ति कहाँ का रहने वाला है। इसी प्रकार व्यक्ति के हाव–भाव और क्रियाओं से उसके मन के विचारों का पता चल जाता है कि उसका स्नेह–आचरण वास्तविक है या बनावटी, क्योंकि मन की भावनाओं के अनुरूप ही व्यक्ति कार्य करता है। मन की भावनाओं की झलक उसके कार्यों में अवश्य मिलती है। उसके व्यवहार से ही पता चल जाता है कि उसका स्नेह दिखावटी है या असली। अधिक देर तक कोई भी व्यक्ति अपनी भावनाओं को छिपाये नहीं रख सकता। आचार्य चाणक्य का यह कथन सही है कि व्यक्ति की देह से उसकी खुराक का अनुमान लगाया जा सकता है। चाणक्य ने यहाँ सामान्यतया लागू होने वाली बातें ही कहीं हैं और ये संकेत व्यक्ति की सामान्य झलक से ही मिल जाते हैं।

व्यवहार कुशल बनें–

सुकुले योजयेत्कन्या पुत्रं विद्यासु योजयेत् ।
व्यसने योजयेच्छत्रुं मित्रं धर्मे नियोजयेत् ।।३।।

यहाँ आचार्य चाणक्य व्यावहारिकता की चर्चा करते हुए कहते हैं कि कन्या का विवाह किसी अच्छे घर में करना चाहिए, पुत्र को पढ़ाई–लिखाई में लगा देना चाहिए, मित्र को अच्छे कार्यों में तथा शत्रु को बुराइयों में लगा देना चाहिए। यही व्यावहारिकता है और समय की मांग भी।

आशय यह है कि कुशल व्यक्ति वही है, जो बेटी के विवाह योग्य होते ही उसका विवाह देख–भालकर किसी अच्छे खानदान में कर दे और बेटे को अधिक–से–अधिक शिक्षा दे। ताकि वह अपने जीवन में आजीविका की दृष्टि से आत्मनिर्भर बन सके। मित्र को मेहनत–परिश्रम, ईमानदारी की सीख दे ताकि सद्परामर्श से वह अपना जीवन सुधार सके और किसी अच्छे काम में लग जाए, किन्तु दुश्मन को बुरी आदतों का शिकार बना दे ताकि वह उसमें उलझकर आपको अनावश्यक रूप से तंग न करे।

दुष्ट से बचें–

दुर्जनेषु च सर्पेषु वरं सर्पो न दुर्जनः ।
सर्पो दंशति कालेन दुर्जनस्तु पदे–पदे ।।४।।

आचार्य चाणक्य यहाँ दुष्टता की दृष्टि से तुलना करते हुए उस पक्ष को रख रहे हैं जहाँ दुष्टता का दुष्प्रभाव कम–से–कम पड़े। उनका मानना है कि दुष्ट और साँप, इन दोनों में साँप अच्छा है, न कि दुष्ट। साँप तो एक ही बार डसता है, किन्तु दुष्ट तो पग–पग पर डसता रहता है। इसलिए दुष्ट से बचकर रहना चाहिए।

अभिप्राय यह है कि यदि यह पूछा जाए कि दुष्ट और साँप में कौन अच्छा है? तो इसका उत्तर है–साँप दुष्ट से हजार गुना अच्छा

है, क्योंकि साँप तो कभी–कभार किसी विशेष कारण पर ही मनुष्य को डसता है, किन्तु दुष्ट तो पग–पग पर डसता रहता है। दुष्ट का कोई भरोसा नहीं कि कब क्या कर बैठे और यह भी तथ्य है कि साँप तभी काटता है, जब उस पर पांव पड़ जाए या वह किसी कारण भयभीत हो जाए लेकिन दुर्जन (दुष्ट) तो अकारण ही दुःख पहुँचाने का यत्न करता है।

संगति कुलीनों की करें–

एतदर्थ कुलीनानां नृपाः कुर्वन्ति संग्रहम् ।
आदिमध्यावसानेषु न त्यजन्ति च ते नृपम ।।५।।

आचार्य चाणक्य यहाँ कुलीनता का वैशिष्ट्य बताते हुए कहते हैं कि कुलीन लोग आरम्भ से अन्त तक साथ नही छोड़ते। वे वास्तव में संगति का धर्म निभाते हैं। इसलिए राजा लोग कुलीनों का संग्रह करते हैं ताकि समय–समय पर सत्परामर्श मिल सके।

अभिप्राय यह है कि अच्छे खानदानी व्यक्ति जिसके साथ मित्रता करते हैं, उसे जीवन भर निभाते हैं, वे शुरू से अन्त तक सुख और दुःख दोनों दशाओं में कभी साथ नहीं छोड़ते। इसीलिए राजा लोग ऐसे कुलीनों को अपने पास रखते हैं। इसलिए राजा लोग और राजपुरुष महत्त्वपूर्ण एवं विशिष्ट राजकीय सेवाओं में कुलीन पुरुषों की नियुक्ति उनके उच्च संस्कारों और परम्परागत शिक्षा–दीक्षा के कारण ही करते हैं। वे कभी नीच अथवा ओछे हथकण्डे अपनाकर अपने स्वामी के साथ छल या धोखा नहीं करते।

सज्जनों का सम्मान करें–

प्रलये भिन्नमर्यादा भवन्ति किल सागराः ।
सागरा भेदमिच्छन्ति प्रलयेऽपि न साधवः ।।६।।

यहाँ आचार्य चाणक्य परिस्थितवश आचरण में आने वाले परिवर्तन के स्तर और स्थिति को इंगित करते हुए धीर गंभीर व्यक्ति की श्रेष्ठता प्रतिपादित करते हुए कहते हैं कि सागर की तुलना में धीर–गम्भीर पुरुष को श्रेष्ठतर माना जाना चाहिए क्योंकि जिस सागर को लोग इतना गम्भीर समझते हैं, प्रलय आने पर वह भी अपनी मर्यादा भूल जाता है और किनारों को तोड़कर जल–थल एक कर देता है; परन्तु साधु अथवा श्रेष्ठ व्यक्ति संकटों का पहाड़ टूटने पर भी श्रेष्ठ मर्यादाओं का उल्लंघन नहीं करता। अतः साधु पुरुष सागर से भी महान् होता है। यूँ तो मर्यादा पालन के लिए सागर आदर्श माना जाता है, वर्षा में उफनती नदियों को अपने में समेटता हुआ भी सागर अपनी सीमा नहीं तोड़ता, परन्तु प्रलय आने पर उसी सागर का जल किनारों को तोड़ता हुआ सारी धरती को ही जलमय कर देता है। सागर प्रलयकाल में अपनी मर्यादा को सुरक्षित नहीं रख पाता; किन्तु इसके विपरीत साधु पुरुष प्राणों का संकट उपस्थित होने पर भी अपने चरित्र की उदारता का परित्याग नहीं करते। वे प्रत्येक अवस्था में अपनी मर्यादा की रक्षा करते हैं। इसीलिए सन्त पुरुष समुद्र से भी अधिक गम्भीर माने जाते हैं और उनका सम्मान ही करना चाहिए।

मूर्खों का त्याग करें–

मूर्खस्तु परिहर्तव्यः प्रत्यक्षो द्विपदः पशुः ।
भिनत्ति वाक्यशूलेन अदृश्यं कण्टकं यथा ।।७।।

आचार्य चाणक्य यहाँ नरपशु की चर्चा करते हुए कहते हैं कि मूर्ख व्यक्ति को दो पैरोंवाला पशु समझकर त्याग देना चाहिए क्योंकि वह अपने शब्दों से शूल के समान उसी तरह भेदता रहता है, जैसे अदृश्य कांटा चुभ जाता है।

आशय यह है कि मूर्ख व्यक्ति मनुष्य होते हुए भी पशु ही है। जैसे पाँव में चुभा हुआ कांटा दिखाई तो नहीं पड़ता पर उसका दर्द सहन नहीं किया जा सकता। इसी प्रकार मूर्ख व्यक्ति के शब्द दिखाई

नहीं देते, किन्तु हृदय में शूल की तरह चुभ जाते हैं। मूर्ख को त्याग देना ही उचित रहता है।

विद्या का महत्त्व पहचानें–

रूपयौवनसम्पन्ना विशालकुलसंभवाः ।
विद्याहीना न शोभन्ते निर्गन्धा इव किंशुकाः ।।८।।

आचार्य चाणक्य विद्या का महत्त्व प्रतिपादित करते हुए कहते हैं कि रूप और यौवन से सम्पन्न, उच्च कुल में उत्पन्न होकर भी विद्याहीन मनुष्य सुगन्धहीन फूल के समान होते हैं और शोभा नहीं देते।

आशय यह है कि मनुष्य चाहे कितना ही सुन्दर हो, जवान और धनी घराने में पैदा हुआ हो किन्तु यदि वह विद्याहीन है, मूर्ख है, तो उसे सम्मान नहीं मिलता। विद्या मनुष्य की सुगन्ध के समान है। जैसे सुगन्ध न होने पर किंशुक पुष्प को कोई पसन्द नहीं करता, इसी तरह अशिक्षित व्यक्ति की भी समाज में कोई इज्जत नहीं होती। अतः विद्या व्यक्ति को वास्तव में गुणी मनुष्य बनाती है।

सूरत से सीरत भलीः

कोकिलानां स्वरो रूपं नारी रूपं पतिव्रतम् ।
विद्या रूपं कुरूपाणां क्षमा रूपं तपस्विनाम् ।।९।।

आचार्य चाणक्य रूप–चर्चा करते हुए सूरत की अपेक्षा सीरत को महत्त्व देते हैं और कहते हैं कि कोयलों का रूप उनका स्वर है। पतिव्रता होना ही स्त्रियों की सुन्दरता है। कुरूप लोगों का ज्ञान ही उनका रूप है तथा तपस्वियों का क्षमा–भाव ही उनका रूप है।

आशय है कि कोयलों की सुरीली आवाज ही उनकी सुन्दरता है। इसी से वे अपने प्रति आकर्षण पैदा करती हैं। स्त्रियों की सच्ची सुन्दरता उनका पतिव्रत धर्म है। इसी में स्त्री धर्म की सार्थकता निहित है। कुरूप व्यक्ति की सुन्दरता उसकी विद्या है क्योंकि ज्ञान से ही वह

स्वयं का आत्म परिष्कार करके जग को प्रकाशित कर सकता है। तथा तपस्वियों की सुन्दरता सबको क्षमा करना है क्योंकि तप से क्रोध पर विजय प्राप्त की जाती है। शालीनता आने पर सहज ही क्षमा–भाव जागृत होने लगता है।

श्रेष्ठता को बचाएं–

त्यजेदेकं कुलस्यार्थे ग्रामस्यार्थे कुलं त्यजेत् ।
ग्रामं जनपदस्यार्थे आत्मार्थे पृथिवीं त्यजेत् ।।१०।।

आचार्य चाणक्य यहाँ क्रम से श्रेष्ठता को प्रतिपादित करते हुए कहते हैं कि व्यक्ति को चाहिए कि कुल के लिए एक व्यक्ति को त्याग दे। ग्राम के लिए कुल को त्याग देना चाहिए। राज्य की रक्षा के लिए ग्राम को तथा आत्मरक्षा के लिए संसार को भी त्याग देना चाहिए।

आशय यह है कि यदि किसी एक व्यक्ति को त्याग देने से पूरे कुल–खानदान का भला हो रहा हो, तो उस व्यक्ति को त्याग देने में कोई बुराई नहीं है। यदि कुल को त्यागने से गाँव भर का भला होता हो, तो कुल को भी त्याग देना चाहिए। इसी प्रकार यदि गाँव को त्यागने पर देश का भला हो, तो गाँव को भी त्याग देना चाहिए। किन्तु अपना जीवन सबसे बड़ा है। यदि अपनी रक्षा के लिए सारे संसार का भी त्याग करना पड़े, तो संसार का त्याग कर देना चाहिए। जान है, तो जहान है यही उत्तम कर्त्तव्य है।

परिश्रम से ही फल मिलता है–

उद्योगे नास्ति दारिद्र्यं जपतो नास्ति पातकम् ।
मौनेन कलहो नास्ति जागृतस्य च न भयम् ।।११।।

यहाँ आचार्य चाणक्य आचरण की चर्चा करते हुए कहते हें कि उद्यम से दरिद्रता तथा जप से पाप दूर होता है। मौन रहने से कलह और जागते रहने से भय नहीं होता।

आशय है कि परिश्रम–उद्यम करने से गरीबी नष्ट होती है। अतः व्यक्ति को श्रम करना चाहिए ताकि जीवन सम्पन्न हो सके। भगवान का नाम जपने से पाप दूर होते हैं, मन और आत्मा शुद्ध होती है शुद्ध कर्म की प्रेरणा मिलती है, व्यक्ति दुष्कर्म से दूर होता है। चुप रहने से झगड़ा नहीं बढ़ता और अप्रिय स्थितियाँ टल जाती हैं तथा जागते रहने से किसी चीज का डर नहीं रहता क्योंकि सजगता से व्यक्ति चीजों को खतरे से पूर्व ही संभाल सकता है।

अति का त्याग करें-

अति रूपेण वै सीता चातिगर्वेण रावणः ।
अतिदानाद् बलिर्बद्धो ह्यति सर्वत्र वर्जयेत् ।।१२।।

यहाँ आचार्य चाणक्य 'अति सर्वत्र वर्जयेत' के सिद्धान्त का प्रतिपादन करते हुए कहते हैं कि अधिक सुन्दरता के कारण ही सीता का हरण हुआ था, अति घमंडी हो जाने पर रावण मारा गया तथा अत्यन्त दानी होने से राजा बलि को छला गया। इसलिए अति सभी जगह वर्जित है।

आशय यह है कि सीताजी अत्यन्त सुन्दरी थीं, इसलिए रावण उन्हें उठा ले गया। रावण को अत्यधिक घमण्ड हो गया था, अतः उसका नाश हो गया और राजा बलि अति दानी थे इसी कारण भगवान् के हाथों ठगे गए। भलाई में भी और बुराई में भी, अति दोनों में ही बुरी है।

वाणी में मधुरता लाएं-

को हि भारः समर्थानां किं दूर व्यवसायिनाम् ।
को विदेश सुविद्यानां को परः प्रियवादिनाम् ।।१३।।

आचार्य चाणक्य यहाँ मधुरभाषिता को व्यक्तित्व का महत्त्वपूर्ण गुण बताते हुए कहते हैं कि सामर्थ्यवान व्यक्ति को कोई वस्तु भारी नहीं

होती। व्यापारियों के लिए कोई जगह दूर नहीं होती। विद्वान के लिए कहीं विदेश नहीं होता। मधुर बोलने वाला का कोई पराया नहीं होता।

अभिप्राय यह है कि समर्थ व्यक्ति के लिए कौन-सी वस्तु भारी होती है? वह अपनी सामर्थ्य के बल पर कुछ भी कर सकता है। व्यापारियों के लिए दूरी क्या? वह वस्तु-व्यापार के लिए कहीं भी जा सकता है। विद्वान के लिए कोई-सा देश विदेश नहीं क्योंकि अपने ज्ञान से वह सभी जगह अपने लिए वातावरण बना लेगा। मधुर बोलने वाले व्यक्ति के लिए कोई पराया नहीं क्योंकि मधुरभाषिता से वह सबको अपना बना लेता है।

गुणवान एक भी पर्याप्त है–

एकेनापि सुवर्ण पुष्पितेन सुगन्धिना ।
वसितं तद्वनं सर्वं सुपुत्रेण कुलं यथा ।।१४।।

आचार्य चाणक्य कहते हैं कि गुणवान एक भी अपने गुणों का विस्तार करके नाम कमा लेता है। उनका कहना है कि वन में सुन्दर खिले फूलों वाला एक ही वृक्ष अपनी सुगन्ध से सारे वन को सुगन्धित कर देता है। इसी प्रकार एक ही सुपुत्र सारे कुल का नाम ऊँचा कर देता है।

आशय यह है कि यदि वन में कहीं पर एक ही वृक्ष में भी सुन्दर फूल खिले हों, तो उसकी सुगन्ध से सारा वन महक उठता है। इसी तरह एक ही सपूत सारे वंश का नाम अपने गुणों से उज्जवल कर देता है। क्योंकि कोई भी वंश गुणी पुत्रों से ही ऊँचा उठता है इसलिए अनेक गुणहीन पुत्रों की अपेक्षा एक गुणवान पुत्र ही पर्याप्त है इसीलिए आज के परिवार नियोजन के सन्दर्भ में अनेक बच्चों की जगह एक ही अच्छे बच्चे का होना अधिक सुखकर माना जाता है।

एकेन शुष्कवृक्षेण दह्यमानेन वह्निना ।
दह्यते तद्वनं सर्वं कुपुत्रेण कुलं यथा ।।१५।।

आचार्य चाणक्य गुणवत्ता को प्रतिपादित करते हुए कहते हैं कि एक ही सूखे वृक्ष में आग लगने पर सारा वन जल जाता है। इसी प्रकार एक ही कुपुत्र सारे कुल को बदनाम कर देता है।

आशय यह है कि वन में यदि एक भी वृक्ष सूखा हुआ हो, तो उसमें शीघ्र आग लग जाती है और उस वृक्ष की आग से वह सारा वन जलकर राख हो जाता है। ठीक इसी तरह यदि कुल में एक भी कपूत पैदा हो जाता है, तो वह सारे कुल को बदनाम कर देता है। अतः सद्गृहस्थ को चाहिए कि सन्तान को मर्यादा में रखे और उनमें सद्गुण और पैदा करने का प्रयास करे।

एकेनापि सुपुत्रेण विद्यायुक्ते च साधुना ।
आह्लादितं कुलं सर्वं यथा चन्द्रेण शर्वरी ।।१६।।

यहाँ भी आचार्य चाणक्य गुणवान के अकेले होने पर भी बहुसंख्य की अपेक्षा कमतरों की सार्थकता प्रतिपादित करते हुए कहते हैं कि जिस प्रकार अकेला चन्द्रमा रात की शोभा बढ़ा देता है, ठीक उसी प्रकार एक ही विद्वान्–सज्जन पुत्र कुल को आह्लादित करता है।

अभिप्राय यह है कि एक अकेला चन्द्रमा रात के सारे अँधेरे को दूर करके सारी दुनिया को अपने प्रकाश से जगमगा देता है। इसी तरह पुत्र एक ही हो, किन्तु गुणवान हो तो सारे कुल के नाम को रोशन कर देता है। इसलिए अच्छे स्वभाव का एक पुत्र सारे वंश का नाम रोशन कर देता है और परिवार के सदस्यों को आनन्दित कर देता है, क्योंकि उसके कारण वे अपने वंश पर गर्व और गौरव अनुभव करने लगते हैं। अंधियारी रात किसी को नहीं सुहाती, इसी प्रकार कुपुत्र भी कुल को नहीं सुहाता। वह कुल का नाम डुबाने वाला होता है।

किं जातैर्बहुभिः पुत्रैः शोकसन्तापकारकैः ।
वरमेकः कुलावलम्बो यत्र विश्राम्यते कुलम् ।।१७।।

यहाँ भी आचार्य चाणक्य गुणवान एक ही पुत्र की पर्याप्तता प्रतिपादित करते हुए कहते हैं कि शोक और सन्ताप उत्पन्न करने

वाले अनेक पुत्रों के पैदा होने से क्या लाभ! कुल को सहारा देने वाला एक ही पुत्र श्रेष्ठ है, जिसके सहारे सारा कुल विश्राम करता है।

आशय है कि अनेक अवगुणी पुत्रों के होने से कोई लाभ नहीं। उनके पैदा होने से सबको दुःख होता है, किन्तु कुल को सहारा देने वाला, उसका नाम ऊँचा करने वाला एक ही पुत्र अच्छा है। ऐसे पुत्र से कुल अपने को धन्य समझता है।

माता-पिता भी दायित्व समझें-

लालयेत् पंचवर्षाणि दशवर्षाणि ताडयेत् ।
प्राप्ते तु षोडशे वर्षे पुत्रं मित्रवदाचरेत् ।।१८।।

यहाँ आचार्य चाणक्य पुत्र–पालन में माता–पिता के दायित्व को प्रतिपादित करते हुए कहते हैं कि पुत्र का पाँच वर्ष तक लालन करे। दस वर्ष तक ताड़न करे। सोलहवां वर्ष लग जाने पर उसके साथ मित्र के समान व्यवहार करना चाहिए।

आशय यह है कि पाँच वर्ष की अवस्था तक ही पुत्र के साथ लाड़–प्यार करना चाहिए, इसके बाद दस वर्षों तक, अर्थात् पन्द्रह वर्ष की अवस्था तक उसे कठोर अनुशासन में रखना चाहिए। किन्तु जब पुत्र पन्द्रह वर्ष की अवस्था पूरी करके सोलहवें में प्रवेश कर जाए, तो वह वयस्क हो जाता है। फिर उसके साथ एक मित्र की तरह सम्मान का व्यवहार करना चाहिए।

समय की सूझ-

उपसर्गेऽन्यचक्रे च दुर्भिक्षे च भयावहे ।
असाधुजनसम्पर्के पलायति स जीवति ।।१९।।

आचार्य चाणक्य यहाँ समय की सूझ की चर्चा करते हुए कहते हैं–उपद्रव या लड़ाई हो जाने पर, भयंकर अकाल पड़ जाने पर दुष्टों का साथ मिलने पर भाग जाने वाला व्यक्ति ही जीता है।

आशय यह है कि कहीं पर भी अन्य लोगों के बीच में लड़ाई–झगड़ा, दंगा–फसाद हो जाने पर, भयंकर अकाल पड़ जाने पर और दुष्ट लोगों के सम्पर्क में आ जाने पर उस स्थान को छोड़कर भाग खड़ा होने वाला व्यक्ति अपने को बचा लेता है। ऐसी जगहों से भाग जाना ही सबसे बड़ी समझदारी है।

जीवन की निष्फलता–

धर्मार्थकाममोक्षेषु यस्यैकोऽपि न विद्यते ।
जन्म जन्मानि मर्त्येषु मरणं तस्य केवलम् ।।२०।।

यहाँ आचार्य चाणक्य जीवन की निरर्थकता की चर्चा करते हुए कहते हैं कि जिस मनुष्य को धर्म, धन, काम–भोग, मोक्ष में से एक भी वस्तु नहीं मिल पाती, उसका जन्म केवल मरने के लिए ही होता है।

आशय यह है कि धर्म, धन, काम (भोग) तथा मोक्ष पाना मनुष्य–जीवन के चार कार्य हैं। जो व्यक्ति न तो अच्छे काम करके धर्म का संचय करता है, न धन ही कमाता है, न काम–भोग आदि इच्छओं को ही पूरा कर पाता है और न मोक्ष ही प्राप्त करता है, उसका जीना या मरना एक समान है। वह जैसा इस दुनिया में आता है, वैसा ही यहाँ से चला जाता है। उसका जीवन निरर्थक है।

लक्ष्मी का वास–

मूर्खाः यत्र न पूज्यन्ते धान्यं यत्र सुसंचितम् ।
दाम्पत्योः कलहो नास्ति तत्र श्री स्वयमागता ।।२१।।

आचार्य चाणक्य यहाँ विद्वानों एवं स्त्री के सम्मान में खुशहाली एवं शांति की स्थिति का प्रतिपादन करते हुए कहते हैं कि जहाँ मूर्खों का सम्मान नहीं होता, अन्न का भण्डार भरा रहता है और पति–पत्नी में कलह नहीं हो, वहाँ लक्ष्मी स्वयं आती है।

आशय यह है कि जिन घरों में कोई भी व्यक्ति मूर्ख नहीं होता, अनाज–खाद्य पदार्थ आदि के भण्डार भरे रहते हैं तथा पति–पत्नी में आपस में कभी लड़ाई–झगड़ा, मनमुटाव नहीं रहता। ऐसे घरों में सुख–शान्ति, धन–सम्पत्ति आदि सदा बनी रहती है। इसीलिए यह कहा जा सकता है कि यदि देश की समृद्धि और देशवासियों की सन्तुष्टि अभीष्ट है तो मूर्खों के स्थान पर गुणवान् व्यक्तियों को आदर देना चाहिए। बुरे दिनों के लिए अन्न का भण्डारण करना चाहिए तथा घर–गृहस्थ में वाद–विवाद का वातावरण नहीं बनने देना चाहिए। जब विद्वानों का आदर और मूर्खों का तिरस्कार होगा, अन्न की प्रचुरता होगी तथा पति–पत्नी में सद्भाव होगा तो गृहस्थों के घरों अथवा देश में सम्पत्ति उत्तरोत्तर बढ़ती ही जाएगी–इसमें सन्देह नहीं हो सकता और यही आचरण व्यक्ति और देश को समुन्नत करने में सहायक होगा।

चतुर्थ अध्याय

कुछ चीजें भाग्य से मिलती हैं

आयुः कर्म वित्तञ्च विद्या निधनमेव च ।
पञ्चैतानि हि सृज्यन्ते गर्भस्थस्यैव देहिनः ।।१।।

आचार्य चाणक्य यहाँ भाग्य को लक्ष्य करके मानव जीवन के प्रारम्भ में उसके लेखन को प्रतिपादित करते हुए कहते हैं कि आयु, कर्म, वित्त, विद्या, निधन, ये पाँचों चीजें प्राणी के भाग्य में तभी लिख दी जाती हैं, जब वह गर्भ में ही होता है।

अभिप्राय यह है कि प्राणी जब माँ के गर्भ में ही होता है, तभी पाँच चीजें उसके भाग्य में लिख दी जाती है—आयु, कर्म, धन–सम्पत्ति, विद्या और मृत्यु।

इनमें बाद में कोई भी परिवर्तन नहीं हो सकता। उसकी जितनी उम्र होती है उससे एक पल भी पहले उसे कोई नहीं मार सकता। वह जो भी कर्म करता हे, उसे जो भी धन–सम्पदा और विद्या मिलती है, वह सब पहले से ही तय होता है। जब उसकी मृत्यु का समय आ जाता है, तो एक क्षण के लिए भी फिर उसे कोई नहीं बचा सकता।

सन्तों की सेवा से फल मिलता है-

साधुभ्यस्ते निवर्तन्ते पुत्रः मित्राणि बान्धवाः ।
ये च तैः सह गन्तारस्तद्धर्मात्सुकृतं कुलम् ।।२।।

आचार्य चाणक्य यहाँ सन्तों की सेवा को महत्त्व देते हुए कहते हैं कि संसार अधिकतर पुत्र, मित्र और भाई साधु–महात्माओं, विद्वानों आदि की संगति से दूर रहते हैं। लोग सत्संगति करते हैं, वे अपने कुल को पवित्र कर देते हैं।

आशय यह है कि लगभग सभी लोग सत्संग से दूर रहते हैं। किन्तु जो व्यकित सच्चे ज्ञानी महात्माओं का साथ करते हैं, वे अपने कुल को पवित्र करके उसका तारण करते हैं।

वे इस सदाचरण से अपने पूरे परिवार को उज्जवल बना देते हैं। उनके इस कार्य पर परिवार को गर्व करना चाहिए। उसे अपना आदर्श मानना चाहिए और उससे प्रेरणा लेनी चाहिए। मनुष्य जानता है कि शरीर नश्वर है, परन्तु वह यह यथार्थ जानते हुए भी सांसारिक कर्मों में लिप्त रहता है जबकि उसे निर्लिप्त रहकर कार्य करना चाहिए।

दर्शनध्यानसंस्पर्शैर्मत्स्यी कूर्मी च पक्षिणी ।
शिशु पालयते नित्यं तथा सज्जनसंगतिः ।।३।।

आचार्य चाणक्य यहाँ सत्संगति की चर्चा करते हुए कहते हैं कि जैसे मछली, मादा कछुवा और चिड़िया अपने बच्चों का पालन क्रमशः देखकर, ध्यान देकर तथा स्पर्श से करती हैं, उसी प्रकार सत्संगति भी हर स्थिति में मनुष्यों का पालन करती है।

आशय यह है कि मछली अपने बच्चों का पालन उन्हें बार–बार देखकर करती है, मादा कछुआ ध्यान लगाकर बच्चों को देखती है और मादा पक्षी बच्चों को पंखों से ढककर उनका पालन करते हैं। सज्जनों का साथ भी मनुष्य की इसी तरह देख–रेख करता है।

जहाँ तक हो पुण्य कर्म करें–

यावत्स्वस्थो ह्ययं देहः तावन्मृत्युश्च दूरतः ।
तावदात्महितं कुर्यात् प्राणान्ते किं करिष्यति ।।४।।

आचार्य चाणक्य यहाँ इन पंक्तियों में आत्मकल्याण का मार्ग प्रशस्त करते हुए प्रबोधित कर रहे हैं कि जब तक शरीर स्वस्थ है, तभी तक मृत्यु भी दूर रहती है। अतः तभी आत्मा का कल्याण कर लेना चाहिए। प्राणों का अन्त हो जाने पर क्या करेगा? केवल पश्चात्ताप ही शेष रहेगा।

यहाँ आशय यह है कि जब तक शरीर स्वस्थ रहता है, तब तक मृत्यु का भी भय नहीं रहता। अतः इसी समय में आत्मा और परमात्मा को पहचानकर आत्मकल्याण कर लेना चाहिए। मृत्यु हो जाने पर कुछ भी नहीं किया जा सकता।

आचार्य चाणक्य का कहना हे कि समय गुजरता रहता है और न जाने कब व्यक्ति को रोग घेर ले और कब मृत्यु का संदेश ले यमराज के दूत द्वार पर आ खड़े हों, इसलिए मानव को चाहिए कि वह जीवन में अधिक–से–अधिक पुण्य कर्म करे क्योंकि समय का क्या भरोसा? जो कुछ करना है समय पर ही कर लेना चाहिए।

विद्या कामधेनु के समान होती है–

कामधेनुगुणा विद्या ह्ययकाले फलदायिनी ।
प्रवासे मातृसदृशी विद्या गुप्तं धनं स्मृतम् ।।५।।

आचार्य चाणक्य यहाँ विद्या के महत्त्व को प्रतिपादित करते हुए उसके प्रयोजन और उपयोग की चर्चा कर रहे हैं। उनका कहना है कि विद्या कामधेनु के समान गुणों वाली है, बुरे समय में भी फल देने वाली है, प्रवास काल में माँ के समान है तथा गुप्त धन है।

आशय यह है कि विद्या कामधेनु के समान सभी इच्छाओं को पूरा करने वाली है। बुरे–से–बुरे समय में भी यह साथ नहीं छोड़ती। घर

से कहीं बाहर चले जाने पर भी यह माँ के समान रक्षा करती है। यह एक गुप्त धन है, इस धन को कोई नहीं देख सकता।

आचार्य चाणक्य मानते हैं कि विद्या एक गुप्त धन है अर्थात् एक ऐसा धन है जो दिखाई नहीं देता पर वह है और अनुभव की वस्तु है। जिसका हरण तथा विभाजन नहीं हो सकता, अतः वह सब प्रकार से सुरक्षित और विश्वसनीय भी है। वही समय पड़ने पर आदमी के काम आता है।

इस प्रकार विद्या संकट में कामधेनु के समान और परदेश में माँ के समान है। सबसे बड़ी बात यह है कि यह प्रच्छन्न और सुरक्षित धन है। सोने के आभूषणों के समान इसे न कोई छीन सकता है, न चुरा सकता है।

गुणवान पुत्र एक ही पर्याप्त है–

एकोऽपि गुणवान् पुत्रो निर्गुणैश्च शतैर्वरः ।
एकश्चन्द्रस्तमो हन्ति न च ताराः सहस्त्रशः ।।६।।

आचार्य चाणक्य यहाँ उपादेयता, गुण योग्यता के आधार पर पुत्र के महत्त्व को प्रतिपादित करते हुए कहते हैं कि केवल एक गुणवान् और विद्वान बेटा सैकड़ों गुणहीन, निकम्मे बेटों से अच्छा होता है। जिस प्रकार एक चाँद ही रात्रि के अन्धकार को दूर करता है, असंख्य तारे मिलकर भी रात्रि के गहन अन्धकार को दूर नहीं कर सकते, उसी प्रकार एक गुणी पुत्र ही अपने कुल का नाम रोशन करता है, उसे ऊँचा उठाता है; ख्याति दिलाता है। सैकड़ों निकम्मे पुत्र मिलकर भी कुल की प्रतिष्ठा को ऊँचा नहीं उठा सकते। निकम्मे गुणहीन पुत्र उलटे अपने बुरे कामों से कुल को कलंकित करते हैं। उनका होना भी किसी काम का नहीं। वे तो अनर्थकारी ही होते हैं।

मूर्ख पुत्र किस काम का–

मूर्खश्चिरायुर्जातोऽपि तस्माज्जातमृतो वरः ।
मृतः स चाल्पदुःखाय यावज्जीवं जडो दहेत् ।।७।।

आचार्य चाणक्य यहाँ इस श्लोक में मूर्ख पुत्र की निरर्थकता पर टिप्पणी करते हुए कहते हैं कि मूर्ख पुत्र का चिरायु होने से मर जाना अच्छा है, क्योंकि ऐसे पुत्र के मरने पर एक ही बार दुःख होता है, जिन्दा रहने पर वह जीवन भर जलाता रहता है।

यहाँ आशय यह है कि मूर्ख पुत्र को लम्बी उम्र मिलने से उसका शीघ्र मर जाना अच्छा है। क्योंकि मूर्ख के मर जाने पर एक ही बार कुछ समय के लिए दुःख होता है, किन्तु जीवित रहने पर वह जीवन भर माँ–बाप को दुःखी करता रहता है।

और संसार में ऐसे अनेक उदाहरण हैं कि मूर्ख पुत्रों ने विरासत में पाए विशाल साम्राज्य को धूल में मिला दिया। पिता की अतुल सम्पत्ति को नष्ट–भ्रष्ट कर दिया। मानव तो स्वभावतः अपनी सन्तान से प्रेम करता है परन्तु उसके साथ ही वह यदि वास्तविकता से भी आँखें मूंद ले तो फिर क्या हो सकता है? आचार्य चाणक्य यहाँ इसी प्रवृत्ति के प्रति सचेत कर रहे हैं।

इनसे सदा बचें–

कुग्रामवासः कुलहीन सेवा
कुभोजन क्रोधमुखी च भार्या ।
पुत्रश्च मूर्खो विधवा च कन्या
विनाग्निमेते प्रदहन्ति कायम् ।।८।।

आचार्य चाणक्य यहाँ उन चीजों के बारे में उल्लेख कर रहे हैं जिनसे व्यक्ति को सदैव हानि ही होती है। उनका कहना है कि दुष्टों के गाँव में रहना, कुलहीन की सेवा, कुभोजन, कर्कशा पत्नी,

मूर्ख पुत्र तथा विधवा पुत्री, ये सब व्यक्ति को बिना आग के जला डालते हैं।

आशय यह है कि ये सब बातें व्यक्ति को भारी दुःख देती हैं–यदि दुष्टों (लम्पटों) के बीच में रहना पड़ें, नीच खानदान वाले की सेवा करनी पड़े, घर में झगड़ालू–कर्कशा पत्नी हो, पुत्र मूर्ख हो, पढ़े–लिखे नहीं, बेटी विधवा हो जाए–ये सारे दुःख बिना आग के ही व्यक्ति को अन्दर–ही–अन्दर से जला डालते हैं।

जिनका उपयोग नहीं उनका होना क्या–

किं तया क्रियते धेन्वा या न दोग्ध्री न गर्भिणी ।
कोऽर्थः पुत्रेण जातेन यो न विद्वान्न भक्तिमान् ।।९।।

यहाँ आचार्य चाणक्य इस श्लोक में वस्तु की उपयोगिता की चर्चा करते हुए कहते हैं कि उस गाय से क्या करना, जो न तो दूध देती है और न गाभिन होती है। इसी तरह उस पुत्र के जन्म लेने से क्या लाभ, जो न विद्वान हो और न ईश्वर का भक्त हो।

आशय यह है कि जो गाय न तो दूध देती है और न गाभिन ही होती है, ऐसी गाय का होना या न होना बराबर ही है। ऐसी गाय को पालना बेकार ही होता है। इसी तरह जो पुत्र न तो विद्वान् हो और न भक्त हो, उस पुत्र का होना या न होना बराबर है।

इनसे सुख मिलता है–

संसारातपदग्धानां त्रयो विश्रान्तिहेतवः ।
अपत्यं च कलत्रं च सतां संगतिरेव च ।।१०।।

यहाँ आचार्य चाणक्य व्यक्ति को दुःखों में शांतिदायी वस्तुओं की चर्चा करते हुए कहते हैं कि सांसारिक ताप से जलते हुए लोगों को तीन ही चीजें आराम दे सकती हैं–सन्तान, पत्नी तथा सज्जनों की संगति।

आशय यह है कि अपने बच्चे, पत्नी तथा अच्छे लोगों का साथ, ये तीन चीजें बड़े काम की हैं। व्यक्ति जब काम–काज से थककर निढाल हो जाता है, तब ये ही तीन चीजें उसे शान्ति देती हैं। क्योंकि प्रायः देखा जाता है कि आदमी बाहर के संघर्षों से जूझता हुआ, दिन–भर के परिश्रम से थका–मांदा जब शाम को घर लौटता है तो अपनी संतान को देखते ही सारी थकावट, पीड़ा और मानसिक व्यथा को भूलकर स्वस्थ, शान्त और सन्तुलित हो जाता है। इसी प्रकार पति के घर आने पर जब मुस्काती हुई पत्नी उसका स्वागत करती है, अपनी सुमधुर वाणी से उसका हाल पूछती है, जलपान से उसको तृप्त एवं सन्तुष्ट करती है तो आदमी अपनी सारी परेशानी भूल जाता है। और इसी तरह जब कोई महापुरुष किसी असह्य दुःख से सन्तप्त व्यक्ति को ज्ञानोपदेश देता है तो उसके प्रभाव से वह भी शान्त और संयत हो जाता है। इस प्रकार आज्ञाकारी सन्तान, पतिव्रता स्त्री और साधु संग मनुष्य को सुख देने वाले साधन हैं। व्यक्ति के जीवन में इनका बड़ा महत्त्व है।

ये बातें एक बार ही होती हैं–

सकृज्जल्पन्ति राजानः सकृज्जल्पन्ति पण्डिताः ।
सकृत्कन्याः प्रदीयन्ते त्रीण्येतानि सकृत्सकृत् ।।११।।

आचार्य चाणक्य यहाँ संयत और एक ही बार कार्य करने के सन्दर्भ में कहते हैं कि राजा लोग एक ही बार बोलते हैं: पण्डित भी एक ही बार बोलते हैं तथा कन्यादान भी एक ही बार होता है। ये तीनों कार्य एक–एक बार ही होते हैं।

आशय यह है कि राजा का आदेश एक ही बार होता है।

विद्वान लोग भी एक बात को एक ही बार कहते हैं।

कन्यादान भी जीवन में एक ही बार किया जाता है।

इस प्रकार चाहे राजा हो या विद्वान् या फिर कन्याओं के विवाह–सम्बन्ध आदि के लिए माता–पिता का वचन अटल होता है।

तीनों—राजा, पण्डित तथा माता—पिता द्वारा बोले वचन लौटाए नहीं जाते, अपितु निभाए जाते हैं। उनके निभाने या पूरा करने में ही उनकी महानता होती है। अर्थात् जिसे जो अच्छा काम करना होता है, वह करता है, उसे बार—बार कहने की आवश्यकता नहीं होती। यही बड़े व्यक्तियों का आदर्श रूप है।

कब अकेले कब साथ रहें—

एकाकिना तपो द्वाभ्यां पठनं गायनं त्रिभिः ।
चतुर्भिगमन क्षेत्रं पञ्चभिर्बहुभि रणम् ।।१२।।

आचार्य चाणक्य यहाँ एकान्त में मन के एकाग्रचित्त होने के पक्ष को प्रतिपादित करते हुए कहते हैं कि तप अकेले में करना उचित होता है, पढ़ने में दो, गाने में तीन, जाते समय चार, खेत में पाँच व्यक्ति तथा युद्ध में अनेक व्यक्ति होने चाहिए।

आशय यह है कि तपस्या करने में व्यक्ति को अकेला रहना चाहिए। पढ़ते समय दो लोगों का एक साथ पढ़ना उचित है। गाना गाते समय तीन का साथ अच्छा रहता है। कहीं जाते समय यदि पैदल जा रहे हों, तो चार लोग अच्छे रहते हैं। खेत में काम करते समय पाँच लोग अच्छी तरह करते हैं। किन्तु युद्ध में जितने अधिक लोग (सेना) हों, उतना ही अच्छा है।

पतिव्रता ही पत्नी है—

सा भार्या या शुचिदक्षा सा भार्या या पतिव्रता ।
सा भार्या या पतिप्रीता सा भार्या सत्यवादिनी ।।१३।।

यहाँ आचार्य चाणक्य पत्नी के स्वरूप की चर्चा करते हुए कहते हैं कि वही पत्नी है, जो पवित्र और कुशल हो। वही पत्नी है, जो पतिव्रता हो। वही पत्नी है, जिसे अपने पति से प्रीति हो। वही पत्नी है, जो पति से सत्य बोले।

आशय यही है कि जिसका आचरण पवित्र हो, कुशल गृहिणी हो, जो पतिव्रता हो, जो अपने पति से सच्चा प्रेम करे और उससे कभी झूठ न बोले, वही स्त्री पत्नी कहलाने योग्य है। जिस स्त्री में ये गुण नहीं होते, उसे पत्नी नहीं कहा जा सकता।

अर्थात् आदर्श पत्नी वही है जो मन, वचन तथा कर्म से पवित्र हो, उसके गुणों का गहन विवेचन करते हुए बताया गया है कि शरीर और अन्तःकरण से शुद्ध, आचार-विचार स्वच्छ, गृहकार्यों यथा भोजन, पीसना, कातना, धोना, सीना-पिरोना और साज-सज्जा आदि में निपुण, मन, वचन और शरीर से पति में अनुरक्त और पति को प्रसन्न करना ही अपना कर्त्तव्य-कर्म माननेवाली, निरन्तर सत्य बोलने वाली; कभी हंसी-मजाक में भी ऐसी कोई बात नहीं करने वाली जिससे थोड़ा भी संदेह पैदा होता हो, वही घर स्वर्ग होगा वरना समझिए कि इन गुणों के अभाव में घर नहीं नरक है।

निर्धनता अभिशाप है-

अपुत्रस्य गृहं शून्यं दिशः शून्यास्त्वबान्धवाः ।
मूर्खस्य हृदयं शून्यं सर्वशून्यं दरिद्रता ।।१४।।

निर्धनता को अभिशाप मानते हुए आचार्य चाणक्य यहाँ इस श्लोक के माध्यम से कहते हैं कि पुत्रहीन के लिए घर सूना हो जाता है, जिसके भाई न हों उसके लिए दिशाएं सूनी हो जाती हैं, मूर्ख का हृदय सूना होता हे, किन्तु निर्धन का सब कुछ सूना हो जाता है। अर्थात् जिस व्यक्ति का एक भी पुत्र न हो, उसे अपना घर एकदम सूना लगता है। जिसका कोई भाई न हो उसे सारी दिशाएं सूनी लगती हैं। मूर्ख व्यक्ति को भले-बुरे का कोई ज्ञान नहीं होता; उसके पास हृदय नाम की कोई चीज नहीं होती। किन्तु एक गरीब के लिए तो घर, दिशाएं, हृदय, सारा संसार ही सूना हो जाता है। गरीबी एक अभिशाप है।

ज्ञान का अभ्यास भी करें–

अनभ्यासे विषं शास्त्रमजीर्णे भोजनं विषम् ।
दरिद्रस्य विषं गोष्ठी वृद्धस्य तरुणी विषम् ।।१५।।

आचार्य चाणक्य या ज्ञान को चिरस्थायी व उपयोगी बनाए
रखने के लिए अभ्यास पर जोर देते हुए कहते हैं कि जिस प्रकार
बढ़िया–से–बढ़िया भोजन बदहजमी में लाभ करने के स्थान पर हानि
पहुँचाता है और विष का काम करता है, उसी प्रकार निरन्तर अभ्यास
न रखने से शास्त्रज्ञान भी मनुष्य के लिए घातक विष के समान हो
जाता है। यों कहने को तो वह पण्डित होता है, परन्तु अभ्यास न
होने के कारण वह शास्त्र का भली प्रकार विश्लेषण–विवेचन नहीं कर
पाता तथा उपहास और अपमान का पात्र बनता है। ऐसी स्थिति में
सम्मानित व्यक्ति को अपना अपमान मृत्यु से भी अधिक दुःख देता है।
जो व्यक्ति निर्धन व दरिद्र है उसके लिए किसी भी प्रकार की सभाएँ,
उत्सव विष के समान हैं। इन गोष्ठियों, उल्लास के आयोजनों में
तो केवल धनवान् व्यक्ति ही जा सकते हैं। यदि कोई दरिद्र भूल से
अथवा मूर्खतावश इस प्रकार के आयोजनों में जाने की धृष्टता करता
भी है तो उसे वहाँ से अपमानित होकर निकलना पड़ता है, अतः
निर्धन व्यक्ति के लिए सभाओं, गोष्ठियों, खेलों व मेलों–ठेलों में जाना
प्रतिष्ठा के भाव से अपमानित करने वाला ही सिद्ध होता है। उसे वहाँ
नहीं जाना चाहिए।

इनका त्याग देना ही अच्छा–

त्यजेद्धर्मं दयाहीनं विद्याहीनं गुरुं त्यजेत् ।
त्यजेत्क्रोधमुखी भार्या निःस्नेहान्बान्धवांस्यजेत् ।।१६।।

आचार्य चाणक्य यहाँ त्यागने योग्य धर्म का उल्लेख करते हुए
कहते हैं कि धर्म में यदि दया न हो तो उसे त्याग देना चाहिए।
विद्याहीन गुरु को, क्रोधी पत्नी को तथा स्नेहहीन बान्धवों को भी त्याग

देना चाहिए। अर्थात् जिस धर्म में दया न हो, उस धर्म को छोड़ देना चाहिए। जो गुरु विद्वान न हो, उसे त्याग देना चाहिए। गुस्सैल पत्नी का भी त्याग कर देना चाहिए। जो भाई–बन्धु, सगे–संबंधी प्रेम न रखते हों, उनसे सम्बन्ध नहीं रखना चाहिए अर्थात् दयाहीन धर्म को, विद्याहीन गुरु को, गुस्सैल पत्नी को और स्नेहहीन भाई–बन्धुओं को त्याग देना ही अच्छा है।

बुढ़ापे के लक्षण–

अध्वाजरं मनुष्याणां वाजिना बन्धनं जरा ।
अमैथुनं जरा स्त्रीणां वस्त्राणामातपं जरा ।।१७।।

यहाँ इन पंक्तियों में आचार्य चाणक्य वृद्धावस्था पर टिप्पणी करते हुए कहते हैं कि रास्ता मनुष्य का, बांधा जाना घोड़े का, मैथुन न करना स्त्री का तथा धूप में सूखना वस्त्र का बुढ़ापा है। अर्थात् राह में चलते रहने से थककर मनुष्य अपने को बूढ़ा अनुभव करने लगता है। घोड़ा बंधा रहने पर बूढ़ा हो जाता है। सम्भोग के अभाव में स्त्री अपने को बुढ़िया अनुभव करने लगती है। धूप में सुखाए जाने पर कपड़े शीघ्र फट जाते हैं तथा उनका रंग फीका पड़ जाता है।

काम से पहले विचार कर लें–

कः कालः कानि मित्राणि को देशः को व्ययागमोः ।
कस्याहं का च मे शक्तिरिति चिन्त्यं मुहुर्मुहुः ।।१८।।

आचार्य चाणक्य जीवन में व्यवहार्य वस्तु की पूरी पहचान कर ही उन्हें बरतने की बात प्रतिपादित करते हुए कहते हैं कि कैसा समय है? कौन मित्र है? कैसा स्थान है? आय–व्यय क्या है? मैं किसकी और मेरी क्या शक्ति है? इसे बार–बार सोचना चाहिए।

अर्थात् व्यक्ति को किसी भी कार्य को शुरू करते समय इन बातों पर अच्छी तरह से विचार कर लेना चाहिए–क्या यह समय इस काम

को करने के लिए उचित रहेगा? मेरे सच्चे साथी कौन–कौन हैं, जो मेरी मदद करेंगे? क्या इस स्थान पर इस काम को करने से लाभ होगा? इस काम में कितना खर्च होगा और इससे कितनी आय होगी? मैंने किसकी मदद की है? तथा मेरे पास कितनी शक्ति है?

इन प्रश्नों पर विचार करते हुए मनुष्य को अपना जीवन बिताना चाहिए तथा आत्मकल्याण के लिए सदा प्रयत्नशील रहना चाहिए। जो व्यक्ति इन बातों पर विचार नहीं करता, वह पत्थर के समान निर्जीव होता है और सदा लोगों के पाँवों में पड़ा ठोकरें खाता रहता है। मनुष्य को समझदारी से काम लेकर जीवन बिताना चाहिए।

माता-पिता के भिन्न रूप (पिता)

जनिता चोपनेता च यस्तु विद्यां प्रयच्छति ।
अन्नदाता भयत्राता पञ्चैता पितरः स्मृताः ।।१९।।

यहाँ इस श्लोक में आचार्य चाणक्य संस्कार की दृष्टि से पाँच प्रकार के पिता को गिनाते हुए कहते हैं—जन्म देने वाला, उपनयन संस्कार करने वाला, विद्या देने वाला, अन्नदाता तथा भय से रक्षा करने वाला, ये पाँच प्रकार के पिता होते हैं।

अर्थात् स्वयं अपना पिता जो जन्म देता है, उपनयन (यज्ञोपवीत) संस्कार करने वाला गुरु, अन्न-भोजन देने वाला तथा किसी कठिन समय में प्राणों की रक्षा करने वाला इन पाँच व्यक्तियों को पिता माना गया है। किन्तु व्यवहार में पिता का अर्थ जन्म देने वाला ही लिया जाता है।

माता-

राजपत्नी गुरोः पत्नी मित्रपत्नी तथैव च ।
पत्नीमाता स्वमाता च पञ्चैताः मातरः स्मृताः ।।२०।।

यहाँ इस श्लोक में आचार्य चाणक्य माँ के बारे में चर्चा करते हुए कहते हैं कि राजा की पत्नी, गुरु की पत्नी, मित्र की पत्नी, पत्नी की माँ तथा अपनी माँ–ये पाँच प्रकार की माँएं होती हैं।

अर्थात् अपने देश के राजा की पत्नी, गुरु की पत्नी, मित्र की पत्नी, अपनी पत्नी की माँ, अर्थात् सास और जन्म देने वाली अपनी माँ इन पाँचों का माँ माना जाता है।

वस्तुतः देखा जाए तो माता ममता और करुणा की प्रतिमूर्ति होती है। जहाँ से ममता और करुणा का प्रवाह पुत्र के लिए होता है, उसे माता मान लिया गया है। अतः इन पाँच स्थानों से भावनामयी, करुणामयी हृदय से भावमय प्रवाह प्रवाहित होता है। इसलिए इन पाँच को माता माना जाता है। इसीलिए इनका व्यक्ति के जीवन में माँ के समान ही महत्त्व है।

पंचम अध्याय

अभ्यागत श्रेष्ठ होता है–

गुरुरग्निर्द्विजातीनां वर्णानां ब्राह्मणों गुरुः ।
पतिरेव गुरुः स्त्रीणां सर्वस्याभ्यगतो गुरुः ।।१।।

आचार्य चाणक्य यहाँ गुरु की व्याख्या–विवेचना एवं स्वरूप की व्याख्या करते हुए कह रहे हैं कि ब्राह्मण, क्षत्रिय और वैश्य, इन तीन वर्णों का गुरु अग्नि है। ब्राह्मण अपने अतिरिक्त सभी वर्णों का गुरु है। स्त्रियों का गुरु पति है। घर में आया हुआ अतिथि सभी का गुरु होता है।

उनका कथन है कि अग्नि को ब्राह्मणों, क्षत्रियों एवं वैश्यों का गुरु माना जाता है। ब्राह्मण को क्षत्रिय, वैश्य और शूद्रों का गुरु समझना चाहिए। स्त्रियों का गुरु उनका पति होता है। घर में आया अतिथि सारे घर का गुरु माना गया है अर्थात् अभ्यागत वह होता है जो अतिथि रूप में गृहस्थ के यहाँ अकस्मात् आ जाता है। उसका कोई स्वार्थ नहीं होता। वह तो अपने आतिथेय का ही कल्याण चाहता है। इसीलिए आचार्य चाणक्य ने अभ्यागत को श्रेष्ठ व्यक्ति माना है।

पुरुष की परख गुणों से होती है–

यथा चतुर्भिः कनकं परीक्ष्यते
निर्घषणच्छेदन तापताडनैः ।
तथा चतुर्भिः पुरुषः परीक्ष्यते
त्यागेन शीलेन गुणेन कर्मणा ।।२।।

आचार्य चाणक्य यहाँ गुण कर्मों से पुरुष की परीक्षा की चर्चा करते हुए कहते हैं कि घिसने, काटने, तपाने और पीटने, इन चार प्रकारों से जैसे सोने का परीक्षण होता है, इसी प्रकार त्याग, शील, गुण एवं कर्मों से पुरुष की परीक्षा होती है।

अर्थात् सोना खरा है या खोटा, यह जानने के लिए पहले उसे कसौटी पर घिसा जाता है, फिर काटा जाता है, फिर आग में गलाया जाता है तथा अन्त में उसे पीटा जाता है। इसी प्रकार कुलीन व्यक्ति की परीक्षा भी उसके त्याग से, स्वभाव से, गुणों से तथा कार्यों से ली जाती है। कुलीन व्यक्ति त्याग करने वाला सुशील, विद्या आदि गुणोंवाला तथा सदा अच्छे कार्य करने वाला होता है।

संकट का सामना करें–

तावद् भयेषु भेतव्यं यावद्भयमनागतम् ।
आगतं तु भयं दृष्ट्वा प्रहर्तव्यमशङ्कया ।।३।।

आचार्य चाणक्य यहाँ सिर पर आए संकट से निपटने के संदर्भ में कहते हैं कि आपत्तियों और संकटों से तभी तक डरना चाहिए जब तक वे दूर हैं, परन्तु वह संकट सिर पर आ जाए तो उस पर शंकारहित होकर प्रहार करना चाहिए, उन्हें दूर करने का उपाय करना चाहिए।

अर्थात् जब तक भय दूर है तभी तक व्यक्ति को उससे डरना चाहिए अर्थात् किसी प्रकार का ऐसा कार्य नहीं करना चाहिए जिससे भय आ जाए, लेकिन भय आ जाने पर डरने से भी कार्य नहीं चलेगा।

उस समय उसका निदान ढूँढ़ना चाहिए, उसका डटकर मुकाबला करना चाहिए। अन्यथा संसार में भय से पलायन करने के लिए कोई स्थान इस प्रकार का नहीं मिलेगा जहाँ भय न हो और भयभीत व्यक्ति कोई कार्य कहीं भी नहीं कर सकता है। भय से जीवन भी नहीं चलता। इसलिए भय से मुक्ति पाने के लिए उसका हल ढूँढ़ना ही श्रेयस्कर मार्ग है। वीर एवं सहासी पुरुषों का यही धर्म है।

दो लोगों का स्वभाव एक सा नहीं होता–

एकोदरसमुद्भूता एक नक्षत्र जातका ।
न भवन्ति समा शीले यथा बदरिकण्टकाः ।।४।।

यहाँ आचार्य चाणक्य कहते हैं कि एक ही उदर से, एक ही नक्षत्र में जन्म लेने पर भी दो लोगों का स्वभाव एक समान नहीं होता। उदाहरण के लिए बेर और कांटों को देखा जा सकता है।

अर्थात् जैसे बेर और कांटे एक ही वृक्ष में एक साथ उत्पन्न होते हैं, किन्तु उनका स्वभाव अलग–अलग होता है। इसी प्रकार एक ही माँ से एक ही नक्षत्र में जन्में दो जुड़वां बच्चों का भी स्वभाव एवं आचरण समान नहीं होता।

स्पष्टवादी बनें–

निस्पृहो नाधिकारी स्यान्न कामी भण्डनप्रिया ।
नो विदग्धः प्रियं ब्रूयात् स्पष्ट वक्ता न वंचकः ।।५।।

आचार्य चाणक्य स्पष्टवक्ता के गुणों की चर्चा करते हुए कहते हैं कि विरक्त व्यक्ति किसी विषय का अधिकारी नहीं होता, जो व्यक्ति कामी नहीं होता, उसे बनाव–श्रृंगार की आवश्यकता नहीं होती। विद्वान् व्यक्ति प्रिय नहीं बोलता तथा स्पष्ट बोलने वाला ठग नहीं होता।

अर्थात् जिस व्यक्ति को दुनियादारी से वैराग्य हो जाता है, उसे कोई कार्य नहीं सौंपना चाहिए। बनने–संवरने वाला व्यक्ति कामी

होता है। क्योंकि दूसरों का ध्यान आकृष्ट करने के लिए ही श्रृंगार किया जाता है। अतः जो व्यक्ति कामी नहीं होता उसे श्रृंगार से प्रेम नहीं होता। प्रकाण्ड विद्वान व्यक्ति सदा सत्य बात कहता है। वह प्रिय नहीं बोलता। साफ–साफ बातें करने वाला व्यक्ति कपटी नहीं होता।

इनमें द्वेष भावना होती है–

मूर्खाणां पण्डिता द्वेष्या अधनानां महाधना ।
वारांगना कुलीनानां सुभगानां च दुर्भगा ।।६।।

आचार्य चाणक्य यहाँ द्वेष करने वालों की चर्चा करते हुए कहते हैं कि मूर्ख, पण्डितों से, निर्धन, धनियों से, वेश्याएं कुलवधुओं से तथा विधवाएं सुहागिनों से द्वेष करती हैं।

अर्थात् मूर्ख व्यक्ति पण्डित को देखकर जलता है, विद्वान व्यक्तियों से द्वेष करता है। इसी प्रकार निर्धन–गरीब व्यक्ति सेठों से द्वेष रखते हैं क्योंकि उनकी सम्पन्नता उसे खलती है। वेश्याएं अच्छे घरों की बहू–बेटियों से जलती हैं क्योंकि वेश्याओं की कुलीन वधुओं के समान भावनात्मक स्नेह नहीं मिल पाता, केवल शरीर का शोषण ही होता है तथा विधवा स्त्रियां सुहागिनों को देखकर मन–ही–मन अपने भाग्य पर रोती हैं कि उनका सौभाग्य–सुख दैव ने उससे छीन लिया। पति विहीना होना उनके लिए अभिशाप ही तो है!

इनसे ये चीजें नष्ट हो जाती हैं–

आलस्योपहता विद्या परहस्तं गतं धनम् ।
अल्पबीजहतं क्षेत्रं हतं सैन्यमनायकम् ।।७।।

यहाँ आचार्य चाणक्य कौन किससे नष्ट होता है–की चर्चा करते हुए कहते हैं कि आलस्य से विद्या नष्ट हो जाती है। दूसरे के हाथ में जाने से धन नष्ट हो जाता है। कम बीज से खेत तथा बिना सेनापतिवाली सेना नष्ट हो जाती है।

अभिप्राय यह है कि आलसी व्यक्ति विद्या की रक्षा नहीं कर सकता, वह स्वाध्याय–मनन से दूर होता है। दूसरे के हाथ में गया धन आवश्यकता के समय मिल नहीं पाता क्योंकि दूसरा व्यक्ति समय पर लौटा नहीं पाता। खेत में थोड़ा बीज डालने से फसल भरपूर नहीं होती क्योंकि जितना बीज डाला जाएगा उसी अनुपात में तो फसल होगी। और सेनापति के बिना सेना रणनीति निर्धारित नहीं कर पाती। स्पष्ट है कि विद्या के लिए परिश्रम अपेक्षित है, धन वही है जो अपने अधिकार में हो, अपने पास हो। फसल तभी अच्छी होगी जब बीज उत्तम और पर्याप्त मात्रा में डाला जाएगा और सेना वही जीतेगी, जिसका संचालन कुशल सेनापति के हाथों में होगा। ये बातें ध्यान देने योग्य हैं।

इनसे गुणों की पहचान होती है–

अभ्यासाद्धार्यते विद्या कुलं शीलेन धार्यते ।
गुणेन ज्ञायते त्वार्य कोपो नेत्रेण गम्यते ।।८।।

आचार्य चाणक्य यहाँ विद्या, कुल–श्रेष्ठता और क्रोध की पहचान करानेवाले तत्वों की चर्चा करते हुए कहते हें कि अभ्यास से विद्या का, शील–स्वभाव से कुल का, गुणों से श्रेष्ठता का तथा आँखों से क्रोध का पता लग जाता है।

अर्थात् व्यक्ति के साथ रहने पर उसके परिश्रम, बोलने के ढंग आदि से उसकी विद्या का तथा उसके आचरण से उसके कुल–खानदान का पता लग जाता है। व्यक्ति के अच्छे गुण ही बता देते हैं कि वह एक श्रेष्ठ मनुष्य है। व्यक्ति चाहे मुँह से कुछ न कहे, किन्तु उसकी आँखें ही उसकी नाराजगी को बता देती हैं।

कौन किसकी रक्षा करता है–

वित्तेन रक्ष्यते धर्मो विद्या योगेन रक्ष्यते ।
मृदुना रक्ष्यते भूपः सत्स्त्रिया रक्ष्यते गृहम् ।।९।।

आचार्य चाणक्य धर्म, विद्या, राजा और घर के रक्षाकारक तत्त्वों से परिचित कराते हुए कहते हैं कि धन से धर्म की, योग से विद्या की, मृदुता से राजा की तथा अच्छी स्त्री से घर की रक्षा होती है।

अर्थात् धन से ही मनुष्य अपने धर्म–कर्तव्य का सही पालन कर सकता है। सदाचार, संयम आदि से विद्या की रक्षा होती है। राजा का मधुर स्वभाव ही उसकी रक्षा करता है तथा अच्छे आचरणवाली स्त्री से ही घर की रक्षा होती है।

स्पष्ट है कि धर्म–पालन के लिए धन की, विद्या के गौरव की रक्षा के लिए कर्म–कुशलता की, राजा की लोकप्रियता बनाए रखने के लिए कोमल व्यवहार की तथा परिवार के सम्मान को सुरक्षित रखने के लिए स्त्री की सच्चरित्रता की आवश्यकता होती है।

मूर्ख का त्याग करें–

अन्यथा वेदपाण्डित्यं शास्त्रमाचारमन्यथा ।
अन्यथा वदतः शान्तं लोकाः क्लिश्यन्ति चान्यथा ।।१०।।

आचार्य चाणक्य महत्त्वपूर्ण स्थापित को निरर्थक और बेकार कहने वालों के प्रति विचार व्यक्त करते हुए कहते हैं कि जो लोग वेदों को, पाण्डित्य को, शास्त्रों को, सदाचार को तथा शान्त मनुष्य को बदनाम करते हैं, वे बेकार कष्ट करते हैं।

अर्थात् यदि कोई वेदों, शास्त्रों, बुद्धिमान, सदाचारी तथा शान्त व्यक्ति की बुराई करता है, तो वह मूर्ख है। ऐसा करने से इनका महत्त्व कम नहीं होता। क्योंकि अनेक ऋषि–मुनियों ने वर्षों की साधना के पश्चात् जिस तत्त्वज्ञान को प्राप्त किया और उसका प्रकाश व्यावहारिक वेद–शास्त्रों के रूप में किया तथा जनसाधारण के कल्याण के लिए जिन नियमों का विधान किया, उस तत्त्वज्ञान तथा आचार–परम्परा का विरोध करना एवं उन महान्, तपोधर्मा, परोपकारी धर्मात्मा महात्माओं के प्रति अवज्ञा का भाव दिखाना जहाँ व्यक्ति की मूर्खता की पराकाष्ठा है, वहाँ परम्परागत एवं

लोकप्रतिष्ठित धर्माचरण की उपेक्षा कर समाज को अधर्म के गहरे
गर्त में धकेलना भी है। इसे कभी लोकहित की भावना से प्रेरित कर्म
नहीं माना जा सकता। अतः वेद–शास्त्र एवं महात्माविरोधी व्यक्ति
त्याज्य व निन्दनीय हैं। समाज के व्यापक हितों की दृष्टि से ऐसे
व्यक्ति हर प्रकार से दुःखदायी ही होते हैं, अतः इनका त्याग करने
में समाज का हित है।

दारिद्रयनाशनं दानं शीलं दुर्गतिनाशनम् ।
अज्ञानतानाशिनी प्रज्ञा भावना भयनाशिनी ।।११।।

आचार्य चाणक्य उस आचरण के संदर्भ में विचार व्यक्त कर रहे
हैं जिसके प्रयोग से व्यक्ति बड़ी उपलब्धि पाता है। उनका कहना है
कि दान दरिद्रता को नष्ट कर देता है। शील स्वभाव से दुःखों का
नाश हो जाता है। बुद्धि अज्ञान को नष्ट कर देती है तथा भावना से
भय का नाश हो जाता है।

अर्थात् सामर्थ्य के अनुसार दान देना चाहिए, इससे अपनी ही
दरिद्रता दूर हो जाती है। सदाचार से व्यक्ति के दुःख नष्ट हो जाते
हैं। भले–बुरे की पहचान करने वाली बुद्धि व्यक्ति के अज्ञान को दूर
कर देती है तथा साहस करके दृढ़ भावना करने से सभी प्रकार के
भय दूर हो जाते हैं।

आत्मा को पहचानें–

नास्ति कामसमो व्याधिर्नास्ति मोहसमो रिपुः ।
नास्ति कोप समो वह्निर्नास्ति ज्ञानात्परं सुखम् ।।१२।।

यहाँ आचार्य परम सुख का महत्त्व प्रतिपादित करते हुए सुख का
ही बखान करते हुए कहते हैं कि 'काम' के समान व्याधि नहीं है,
मोह–अज्ञान के समान कोई शत्रु नहीं है, क्रोध के समान कोई आग
नहीं है तथा ज्ञान के समान कोई सुख नहीं है।

अर्थात् काम–वासना मनुष्य का सबसे बड़ा रोग है, मोहमाया या अज्ञान सबसे बड़ा शत्रु है, क्रोध के समान कोई आग नहीं है तथा ज्ञान के समान कोई सुख नहीं है।

यहाँ मोह और ज्ञान वेदान्त दर्शन के पारिभाषिक शब्द हैं, माया के भ्रम में जीव आत्मा को भूल जाता है, इसी को मोह, अज्ञान या माया कहा जाता है। आत्मा को जानना ही ज्ञान कहा जाता है।

मनुष्य अकेला होता है–

जन्ममृत्युर्नियत्येको भुनक्त्येकः शुभाशुभम् ।
नरकेषु पतत्येकः एको याति परां गतिम् ।।१३।।

यहाँ आचार्य चाणक्य एकाकी भाव को स्पष्ट करते हुए कहते हैं कि व्यक्ति संसार में अकेला ही जन्म लेता है, अकेला ही मृत्यु को प्राप्त करता है, अकेला ही शुभ–अशुभ कर्मों का भोग करता है, अकेला ही नरक में पड़ता है तथा अकेला ही परमगति को भी प्राप्त करता है।

आशय यह है कि मनुष्य भले ही एक समाज में रहने वाला प्राणी है। समाज के अनेक कार्यों को वह अन्य लोगों के साथ मिल–जुलकर करता है, किन्तु इन कामों को उसे अकेले ही करना पड़ता है क्योंकि

मनुष्य अकेला ही जन्म लेता है।

अकेला ही भाग्य के शुभ–अशुभ कर्मों को भोगता है।

अकेला ही नरक में गिरता है और अकेला ही परमपद (मोक्ष) भी प्राप्त करता है।

इन सभी कार्यों में उसके साथ किसी की साझेदारी नहीं होती।

संसार को तिनका समझें–

तृणं ब्रह्मविद् स्वर्गं तृणं शूरस्य जीवनम् ।
जिमाक्षस्य तृणं नारी निःस्पृहस्य तृणं जगत् ।।१४।।

यहाँ आचार्य चाणक्य सांसारिकता को तिनके के समान बताते हुए कहते हैं कि ब्रह्मज्ञानी को स्वर्ग, वीर को अपना जीवन, संयमी को स्त्री तथा निस्पृह को सारा संसार तिनके के समान लगता है।

आशय यह है कि जो व्यक्ति ब्रह्म को जान लेता है, उसे स्वर्ग की कोई इच्छा नहीं रहती, क्योंकि स्वर्ग के सुखों को भोगने के बाद फिर जन्म लेना पड़ता है। ब्रह्मज्ञानी ब्रह्म में मिल जाता है। अतः उसके लिए स्वर्ग का कोई महत्त्व ही नहीं रह जाता। युद्धभूमि में वीरता दिखाने वाला योद्धा अपने जीवन की परवाह नहीं करता। जो व्यक्ति अपनी इन्द्रियों को जीत लेता है, उसके लिए स्त्री तिनके के समान मामूली वस्तु हो जाती है। जिस योगी की सभी इच्छाएं समाप्त हो जाती हैं वह सारे संसार को तिनके के समान समझने लगता है।

मित्र के भिन्न रूप-

विद्या मित्रं प्रवासेषु भार्या मित्रं गृहेषु च ।
व्याधितस्यौषधं मित्रं धर्मो मित्रं मृतस्य च ।।१५।।

यहाँ आचार्य चाणक्य मित्र की चर्चा करते हुए कहते हैं कि घर से बाहर विदेश में रहने पर विद्या मित्र होती है, घर में पत्नी मित्र होती है, रोगी के लिए दवा मित्र होती है तथा मृत्यु के बाद व्यक्ति का धर्म ही उसका मित्र होता है। इस प्रकार हर प्रकार से मित्र की परवाह करनी चाहिए और समयानुसार मित्र-विचार करना ही श्रेयस्कर है।

कौन कब केकार है-

वृथा वृष्टिः समुद्रेषु वृथा तृप्तेषु भोजनम् ।
वृथा दानं धनाढ्येषु वृथा दीपो दिवापि च ।।१६।।

आचार्य चाणक्य वृथा पर विचार करते हुए कहते हें कि समुद्र में वर्षा व्यर्थ है। तृप्त को भोजन कराना व्यर्थ है। धनी को दान देना व्यर्थ है और दिन में दीपक व्यर्थ है।

अर्थात् समुद्र में वर्षा से क्या लाभ! जिसका पेट भरा हो उसे भोजन कराना, धनी व्यक्ति को दान देना या दिन में दीपक जलाना व्यर्थ है। कोई भी काम स्थान, व्यक्ति तथा समय देखकर ही करना उचित होता है।

प्रिय वस्तुएँ-

नास्ति मेघसमं तोयं नास्ति चात्मसमं बलम् ।
नास्ति चक्षुसमं तेजो नास्ति चान्नसमं प्रियम् ।।१७।।

यहाँ आचार्य चाणक्य सबसे प्रिय वस्तु की चर्चा करते हुए कहते हैं कि बादल के समान कोई जल नहीं होता। अपने बल के समान कोई बल नहीं होता। आँखों के समान कोई ज्योति नहीं होती और अन्न के समान कोई प्रिय वस्तु नहीं होती।

अर्थात् बादल का जल ही सबसे अधिक उपयोगी होता है। अपना बल ही सबसे बड़ा बल होता है; इसके बराबर अन्य किसी भी बल का भरोसा नहीं किया जा सकता। आँखों की रोशनी ही सबसे बड़ी रोशनी है तथा भोजन प्रत्येक प्राणी की सबसे अधिक प्रिय वस्तु है।

जो सामने न हो उससे क्या लगाव-

अधना धनमिच्छन्ति वाचं चैव चतुष्पदाः ।
मानवाः स्वर्गमिच्छन्ति मोक्षमिच्छन्ति देवताः ।।१८।।

यहाँ आचार्य चाणक्य अप्राप्त वस्तु के प्रति व्यक्तिमात्र की आसक्ति की प्रवृत्ति पर टिप्पणी करते हुए कहते हैं कि निर्धन व्यक्ति धन की कामना करते हैं और चौपाये अर्थात् पशु बोलने की शक्ति चाहते हैं। मनुष्य स्वर्ग की इच्छा करता है और स्वर्ग में रहने वाले देवता मोक्ष-प्राप्ति की इच्छा करते हैं और इस प्रकार जो प्राप्त है सभी उससे आगे की कामना करते हैं।

वस्तुतः देखा जाए तो इस संसार में यह एक सरल–सा सत्य है कि जिस व्यक्ति के पास जिस वस्तु का अभाव होता है, वह उसे ही प्राप्त करना चाहता है, उसी की लालसा करता है, उसी को अधिक महत्त्व देता है। जैसे निर्धन व्यक्ति सबसे अधिक महत्त्व धन को देता है। वह उसकी प्राप्ति के लिए हमेशा व्याकुल रहता है। पशुओं के लिए सबसे बड़ा अभाव वाणी है। वे उसे पाने की लालसा रखते हैं। मनुष्य इस लोक की अपेक्षा स्वर्ग के स्वप्नों की कामना करता है और स्वर्ग में रहने वाले देवता मोक्ष–प्राप्ति की इच्छा करते हैं।

आचार्य चाणक्य के इस श्लोक का मूल भाव यही है कि इस संसार में सभी प्राणी किसी–न–किसी प्रकार के अभाव से पीड़ित हैं। जो कुछ उन्हें प्राप्त है वे उसको महत्त्व न देकर सदा अप्राप्त वस्तु की कामना करते रहते हैं।

सत्येन धार्यते पृथ्वी सत्येन तपते रविः ।
सत्येन वाति वायुश्च सर्वं सत्ये प्रतिष्ठितम ।।१६।।

यहाँ आचार्य चाणक्य सत्य की प्रतिष्ठा करते हुए कहते हैं कि सत्य ही पृथ्वी को धारण करता है। सत्य से ही सूर्य तपता है। सत्य से ही वायु बहती है। सब कुछ सत्य में ही प्रतिष्ठित है।

अर्थात् परमात्मा को ही सत्य कहा जाता है। सत्य से ही पृथ्वी टिकी हुई है। सत्य के कारण ही सूर्य और वायु अपना कार्य करते हैं और यह सारा संसार सत्य के कारण ही काम करता है। सत्य ही इसका आधार है।

धर्म ही अटल है–

चला लक्ष्मीश्चलाः प्राणाश्चले जीवितमन्दिरे ।
चलाचले च संसारे धर्म एको हि निश्चलः ।।२०।।

यहाँ आचार्य चाणक्य धर्म–चर्चा करते हुए कहते हैं कि लक्ष्मी चंचल है, प्राण, जीवन, शरीर सब कुछ चंचल और नाशवान है। संसार में केवल धर्म ही निश्चल है।

अभिप्राय यह है कि लक्ष्मी–धन–सम्पत्ति सब चंचल हैं, ये कभी एक के पास रहती हैं, तो कभी दूसरे के पास चली जाती हैं। इनका विश्वास नहीं करना चाहिए और न ही इन पर घमण्ड करना चाहिए। प्राण, जीवन, शरीर और यह सारा संसार भी सदा नहीं रहता। ये सब एक–न–एक दिन अवश्य नष्ट हो जाते हैं। संसार में केवल अकेला धर्म ही ऐसी चीज है, जो कभी नष्ट नहीं होता। यही व्यक्ति का सच्चा साथी है, सबसे बड़ी सम्पत्ति है, जो जीवन में भी काम आता है तथा जीवन के बाद भी। अतः इसका सदा संचय करना चाहिए। धन–सम्पत्ति, प्राण, शरीर आदि का मोह अधिक नहीं करना चाहिए।

इन्हें धूर्त मानें–

नराणां नापितो धूर्तः पक्षिणां चैव वायसः ।
चतुष्पदां शृगालस्तु स्त्रीणां धूर्ता च मालिनी ।।२१।।

यहाँ आचार्य चाणक्य धूर्तों की चर्चा करते हुए कहते हैं कि पुरुषों में नाई, पक्षियों में कौआ, चौपायों में सियार तथा स्त्रियों में मालिन धूर्त होती है।

आशय यह है कि पुरुषों में नाई धूर्त होता है। पक्षियों में कौआ धूर्त माना जाता है। चौपाये पशुओं में सियार को तथा स्त्रियों में मालिन को धूर्त समझा जाता है।

षष्ठ अध्याय

सुनना भी चाहिए-

श्रुत्वा धर्मं विजानाति श्रुत्वा त्यजति दुर्मतिम् ।
श्रुत्वा ज्ञानमवाप्नोति श्रुत्वा मोक्षमवाप्नुयात् ।।१।।

आचार्य चाणक्य यहाँ सुनकर ज्ञान प्राप्त करने की प्रक्रिया स्पष्ट करते हुए कहते हैं कि सुनकर ही मनुष्य को अपने धर्म का ज्ञान होता है, सुनकर ही वह दुर्बुद्धि का त्याग करता है। सुनकर ही उसे ज्ञान प्राप्त होता है और सुनकर ही मोक्ष मिलता है।

अभिप्राय यह है कि अपने पूज्य लोगों या महापुरुषों के मुँह से सुनकर ही मनुष्य को अपने धर्म, अर्थात् कर्त्तव्य का ज्ञान होता है, जिससे वह पतन के मार्ग पर ले जाने वाले कार्य को त्याग देता है। सुनकर ही ज्ञान तथा मोक्ष भी मिलता है। अतः स्पष्ट है कि बात को पढ़कर समझने की अपेक्षा उसे किसी ज्ञानी गुरु के मुख से सुनकर अधिक ग्राह्य माना जाता है। ऐसे अनेक महापुरुष हुए हैं जिन्होंने श्रवण मात्र से बहुत कुछ जाना। अतः मनुष्य का कर्तव्य है कि यदि वह स्वयं शास्त्र न पढ़ सके तो धर्मोपदेश को सुनकर ग्रहण करे तो भी उसे पूरा लाभ मिलेगा।

चाण्डाल प्रकृति

पक्षिणां काकश्चाण्डाल पशूनां चैव कुक्कुरः ।
मुनीनां पापश्चाण्डालः सर्वेषु निन्दकः ।।२।।

यहाँ आचार्य चाणक्य चांडाल के बारे में बताते हुए कहते हैं कि पक्षियों में कौआ पशुओं में कुत्ता, मुनियों में पापी तथा निन्दक सभी प्राणियों में चाण्डाल होता है।

भाव यह है कि पक्षियों में कौए को चाण्डाल समझना चाहिए। पशुओं में कुत्ते को तथा मुनियों में पापी को चाण्डाल मानना चाहिए। दूसरों की बुराई करने वाला व्यक्ति पक्षियों, पशुओं तथा मनुष्यों में सबसे बड़ा चाण्डाल माना जाता है। अर्थात् निन्दक चाण्डालों का भी चाण्डाल होता है क्योंकि जिस व्यक्ति की परोक्ष रूप में निन्दा की जाती है उसकी अनुपस्थिति में निन्दक को ही उसका पाप भुगतना पड़ता है। अतः अच्छा है कि निंदा की प्रवृत्ति से बचें। मनुष्य की यह सबसे बड़ी कमजोरी है कि वह निन्दा में अधिक रस लेता है इसमें समय नष्ट होने के अतिरिक्त कुछ हाथ नहीं आता।

इनसे शुद्धि होती है–

भस्मना शुद्धयते कांस्यं ताम्रमम्लेन शुद्धयति ।
राजसा शुद्धयते नारी नदी वेगेन शुद्धयति ।।३।।

यहाँ आचार्य शुद्धि की चर्चा करते हुए कहते हैं कि कांसा भस्म से शुद्ध होता है, तांबा अम्ल से, नारी रजस्वला होने से तथा नदी अपने वेग से शुद्ध होती है।

भाव यह है कि राख से साफ किए जाने पर कांसा चमक उठता है। तांबा तेजाब से साफ हो जाता है। हर माह होनेवाले मासिक धर्म से स्त्रियां अपने आप शुद्ध हो जाती हैं और बहते रहने से नदी शुद्ध हो जाती है।

कहा जा सकता है कि जो नदियां धीरे–धीरे बहती हैं उनका पानी गंदा और सदैव अशुद्ध रहता है जबकि वेग से बहनेवाली नदी का जल शुद्ध और स्वच्छ रहता है। इसी प्रकार स्त्री की शुद्धि उसके रजस्वला होने के बाद ही होती है। उसके बाद ही वह गर्भधारण के योग्य हो पाती है। रजोधर्म हीन स्त्री बन्ध्या होती है।

भ्रमण आवश्यक है–

भ्रमन्सम्पूज्यते राजा भ्रमन्सम्पूज्यते द्विजः ।
भ्रमन्सम्पूज्यते योगी स्त्री भ्रमन्ती विनश्यति ।।४।।

यहाँ आचार्य चाणक्य भ्रमण के महत्त्व को प्रतिपादित करते हुए कहते हैं कि भ्रमण करता हुआ राजा पूजा जाता है, भ्रमण करता हुआ ब्राह्मण पूजा जाता है, भ्रमण करता हुआ योगी पूजा जाता है और भ्रमण करती हुई स्त्री नष्ट हो जाती है।

भाव यह है कि एक स्थान से दूसरे स्थान पर सदा घूमते रहने वाले राजा, विद्वान् तथा योगी तो पूजे जाते हैं, किन्तु ऐसा करने वाली स्त्री नष्ट हो जाती है। भ्रमण करना राजा, विद्वान् तथा योगी, इन तीनों को ही शोभा देता है, स्त्री को नहीं।

धन का प्रभाव–

यस्यार्थास्तस्य मित्राणि यस्यार्थास्तस्य बान्धवाः ।
यस्यार्थाः स पुमांल्लोके यस्यार्थाः स च पण्डितः ।।५।।

यहाँ आचार्य चाणक्य धनवान होने से उपजी गुणवत्ता की चर्चा करते हुए कहते हैं कि जिस व्यक्ति के पास पैसा है लोग स्वतः ही उसके मित्र बन जाते हैं। बन्धु–बान्धव भी इसे आ घेरते हैं। जो धनवान् है उसी को आज के युग में विद्वान और सम्मानित व्यक्ति माना जाता है। धनवान् व्यक्ति को ही विद्वान् और ज्ञानवान् भी समझा जाता है।

वस्तुतः सैकड़ों वर्ष पूर्व आचार्य चाणक्य द्वारा कही गई यह बात आज के युग में पूरी तरह सत्य सिद्ध हो रही है। यह देखा गया है कि जिसके पास धन नहीं होता, मित्र–बन्धुगण उससे मुँह मोड़ लेते हैं, बन्धु–बान्धव और परिवार वाले उसका परित्याग कर देते हैं। यहाँ तक कि निर्धन व्यक्ति को इंसान समझने में भी कठिनाई अनुभव की जाती है। ऐसे व्यक्ति को कोई आदमी ही नहीं समझता। अनेक गुणों वाला निर्धन व्यक्ति आज के युग में उपेक्षित रहता है। यही धन की महत्ता का लौकिक प्रभाव है।

बुद्धि भाग्य की अनुगामी होती है–

तादृशी जायते बुद्धिर्व्यवसायोऽपि तादृशः ।
सहायास्तादृशा एवं यादृशी भवितव्यता ।।६।।

आचार्य चाणक्य यहाँ भाग्य को महत्त्व देते हुए बुद्धि के भाग्य के अनुगामी होने को प्रतिपादित करते हुए कहते हैं कि मनुष्य जैसा भाग्य लेकर आत है उसकी बुद्धि भी उसी के समान बन जाती है, कार्य–व्यापार भी उसी के अनुरूप मिलता है। उसके सहयोगी, संगी–साथी भी उसके भाग्य के अनुरूप ही होते हैं। सारा क्रियाकलाप भाग्यानुसार ही संचालित होता है।

कहने का अभिप्राय यह है कि मनुष्य की होनी प्रबल है। जो होना है वह होकर रहेगा इसलिए कई बार मनुष्य द्वारा सोची हुई बातें, उसकी कुशलता और उसके प्रयास सब बेकार हो जाते हैं। शास्त्रों में यह लिखा भी है कि विपत्ति के आने पर मनुष्य की निर्मल बुद्धि भी मलीन हो जाती है यानी विनाश काले विपरीत बुद्धि हो जाती है। इतिहास में भी ऐसे अनेक उदाहरण मिलेंगे कि अनेक महापुरुषों ने भावी के इस चक्र में पड़कर भयंकर भूलें कीं। उदाहरण के लिए श्रीराम को ही देखें, मर्यादा पुरुषोत्तम होकर भी वे मायावी स्वर्ण मृग के पीछे भाग पड़े और सीताहरण की महान् घटना घटी। इससे सब अच्छी तरह परिचित हैं। किन्तु इसका यह अभिप्राय भी नहीं कि मनुष्य होनहार के भरोसे अपने

उद्यम का परित्याग कर दे। उसे कर्मफल की इच्छा न रखकर कर्म करते रहना चाहिए। कर्म भाग्य को भी बदलने की क्षमता रखता है।

काल प्रबल होता है-

> कालः पचति भूतानि कालः संहरते प्रजाः ।
> कालः सुप्तेषु जागर्ति कालो हि दुरतिक्रमः ।।७।।

आचार्य चाणक्य यहाँ काल के प्रभाव की चर्चा करते हुए कहते हैं कि काल ही प्राणियों को निगल जाता है। काल सृष्टि का विनाश कर देता है। यह प्राणियों के सो जाने पर भी उनमें विद्यमान रहता है। इसका कोई भी अतिक्रमण नहीं कर सकता।

भाव यह है कि काल या समय सबसे बलवान है। समय धीरे-धीरे सभी प्राणियों और सारे संसार को भी निगल जाता है। प्राणियों के सो जाने पर भी समय चलता रहता है। प्रतिपल उनकी उम्र कम होती रहती है। इसे कोई नहीं टाल सकता क्योंकि काल के प्रभाव से बचना व्यक्ति के लिए संभव नहीं है। चाहे योग-साधन किए जाएँ अथवा वैज्ञानिक उपायों का सहारा लिया जाए तो भी काल के प्रभाव को हटाया नहीं जा सकता। समय का प्रभाव तो हर वस्तु पर पड़ता ही है। शरीर निर्बल हो जाता है, वस्तुएँ जीर्ण और क्षरित हो जाती हैं। सभी देखते हैं और जानते हैं कि व्यक्ति यौवन में जिस प्रकार साहसपूर्ण कार्य कर सकता था वृद्धावस्था में ऐसा कुछ नहीं कर पाता। बुढ़ापे के चिन्ह व्यक्ति के शरीर पर काल के पग-चिन्ह ही तो हैं। काल को मोड़कर पीछे नहीं घुमाया जा सकता, यानि गया समय कभी नहीं लौटता। यह बात बिलकुल सत्य है कि काल की गति को रोकना देवताओं के लिए भी संभव नहीं। अनेक कवियों ने भी काल की महिमा का वर्णन किया है। भर्तृहरि ने भी कहा है कि काल समाप्त नहीं होता वरन् मनुष्य का शरीर ही काल का ग्रास बन जाता है। यही प्रकृति का नियम है। अतः समय के महत्त्व को जानकर आचरण करना चाहिए।

जब कुछ दिखाई नहीं देता–

नैव पश्यति जन्मान्धः कामान्धो नैव पश्यति ।
मदोन्मत्ता न पश्यन्ति अर्थी दोषं न पश्यति ।।८।।

आचार्य चाणक्य यहाँ व्यक्ति की दृष्टि–क्षमता के बारे में विचार प्रकट करते हैं कि जन्मान्ध कुछ नहीं देख सकता। ऐसे ही कामान्ध और नशे में पागल बना व्यक्ति भी कुछ नहीं देखतां स्वार्थी व्यक्ति भी किसी में कोई दोष नहीं देखता।

भाव यह है कि जन्म से अन्धा व्यक्ति दुनिया की कोई भी चीज नहीं देख सकता।

काम–वासना का भूत सवार होने पर कामी व्यक्ति भी लोक–लाज, समाज–व्यवहार की कोई चिन्ता नहीं करता। इस प्रकार स्पष्ट है कि काम से पीड़ित, मदिरा और नशीली वस्तुओं से प्रभावित और अपनी आवश्यकता को पूरा करने के लोभ में पड़ा हुआ व्यक्ति अन्धा अर्थात् विवेकहीन हो जाता है।

कर्म का प्रभाव–

स्वयं कर्म कोत्यात्मा स्वयं तत्फलमश्नुते ।
स्वयं भ्रमति संसारे स्वयं तस्माद्विमुच्यते ।।६।।

आचार्य चाणक्य यहाँ कर्म–फल के प्रभाव को स्पष्ट करते हुए कहते हैं कि प्राणी स्वयं कर्म करता है और स्वयं उसका फल भोगता है। स्वयं संसार में भटकता है और स्वयं इससे मुक्त हो जाता है।

भाव यह है कि मनुष्य स्वयं कर्म करता है। कर्मों के ही आधार पर उसे अच्छा या बुरा फल मिलता है। इन फलों के आधार पर ही संसार में उसका बार–बार जन्म होता है और बार–बार मृत्यु होती है। अच्छे कर्म होने पर दूसरे जन्म में सुख तथा बुरे कर्म होने पर दुःख मिलते हैं। बार–बार जन्म–मृत्यु का यह चक्कर ही संसार में भटकना है। इन सबका सामना प्राणी को स्वयं करना पड़ता है। जब

कभी जाकर उसे ज्ञान होता है तो वह स्वयं ही इस चक्कर से मुक्त होकर मोक्ष प्राप्त करता है।

राजा राष्ट्रकृतं पापं राज्ञः पापं पुरोहितः ।
भर्ता च स्त्रीकृतं पापं शिष्य पाप गुरुस्तथा ।।१०।।

आचार्य चाणक्य यहाँ कर्म के दूरगामी प्रभाव की चर्चा करते हुए कहते हैं कि राष्ट्र द्वारा किए गए पाप को राजा भोगता है। राजा के पाप को उसका पुरोहित, पत्नी के पाप को पति तथा शिष्य के पाप को गुरु भोगता है।

भाव यह है कि प्रजा का पाप राजा को, राजा का पाप उसके पुरोहित को, स्त्री का पाप उसके पति को तथा शिष्य का पाप उसके गुरु को भुगतना पड़ता है। क्योंकि देखा जाय तो इसका सीधा सम्बन्ध राजा द्वारा अपने कर्तव्यपालन न करने से है। राजा यदि अपने राज्य में कर्तव्यपालन नहीं करता और उदासीन रहता है तो वहाँ पाप–वृत्तियां बढ़ती हैं, अराजकता आ जाती है, उसका दोष राजा को ही जाता है। पुरोहित का कर्तव्य है कि राजा को अच्छी सलाह दे, उसे सन्मार्ग की ओर प्रवृत्त करे, उसे सच्ची और खरी बात बताये ओर अनुचित कर्म करने से रोके। यदि पुरोहित अपने कर्तव्य का पालन नहीं करता और उसके कारण राजा पापकर्म में प्रवृत्त होता है तो उसका फल उसके पुरोहित अथवा मंत्री को भुगतना पड़ता है क्योंकि राजा को नियंत्रित रखने का दायित्व उन्हीं का है। इसी प्रकार पति का कर्तव्य है कि पत्नी को पापकर्म की ओर प्रेरित न होने दे, उसे अपने नियन्त्रण में रखे। पत्नी यदि कोई गलत काम करती है तो उसका फल अथवा परिणाम पति को ही भोगना पड़ता है। इसी प्रकार गुरु का कर्तव्य है कि शिष्य का सही मार्गदर्शन करे, उसे सत्कर्मों की ओर प्रेरित करे। यदि वह अपने इस कर्तव्य के प्रति सावधान नहीं रहता और शिष्य पापकर्म में प्रवृत्त होता है तो उसका दोष गुरु के सिर पर मढ़ा जाता है। राजा, पुरोहित और पति का कर्तव्य है कि वे प्रजा, राजा, पत्नी व शिष्य को सन्मार्ग की ओर प्रेरित करें।

शत्रु कौन-

ऋणकर्ता पिता शत्रुर्माता च व्यभिचारिणी ।
भार्या रूपवती शत्रुः पुत्र शत्रुर्नपंडितः ।।११।।

आचार्य चाणक्य यहाँ शत्रु के स्वरूप की चर्चा करते हुए कहते हैं कि ऋण करने वाला पिता शत्रु होता है। व्यभिचारिणी माँ भी शत्रु होती है। रूपवती पत्नी शत्रु होती है तथा मूर्ख पुत्र शत्रु होता है।

भाव यह है कि पुत्र के लिए कर्जा छोड़ जाने वाला पिता शत्रु के समान होता है। बुरे चाल–चलनवाली माँ भी सन्तान के लिए शत्रु के समान होती है। अधिक सुन्दर पत्नी को भी शत्रु के समान समझना चाहिए तथा मूर्ख पुत्र भी माँ–बाप के लिए शत्रु के ही समान होता है।

वस्तुतः कर्जा लेकर घर का खर्च चलाने वाला पिता शत्रु होता है, क्योंकि उसे मर जाने पर उस कर्ज की अदायगी सन्तान को करनी पड़ेगी। व्याभिचारिणी माँ भी शत्रु के रूप में निन्दनीय ओर त्याज्य है, क्योंकि वह अपने धर्म से गिरकर पिता और पति के कुल को कलंकित करती है। ऐसी माँ के पुत्र को सामाजिक अपमान सहना पड़ता है। इसी प्रकार जो स्त्री अपने सौन्दर्य का अभिमान करके पति की उपेक्षा करती है, उसे भी शत्रु ही मानना चाहिए। क्योंकि वह कर्तव्यविमुख हो जाती है। मूर्ख पुत्र भी कुल का कलंक होता है। वह भी त्याज्य है। इसीलिए अपने उद्यम से परिवार का निर्वाह करने वाला पिता, पतिव्रता माता और अपने रूप और सौन्दर्य के प्रति अहंकार न रखनेवाली स्त्री और विद्वान पुत्र ही हितकारी होते हैं।

इन्हें वश में करें-

लुब्धमर्थेन गृहणीयात्स्तब्धमंजलिकर्मणा ।
मूर्खश्छन्दानुरोधेन यथार्थवादेन पण्डितम् ।।१२।।

यहाँ आचार्य चाणक्य वशीकरण के सम्बन्ध में बताते हैं कि लालची को धन देकर, अहंकारी को हाथ जोड़कर, मूर्ख को उपदेश देकर तथा पण्डित को यथार्थ बात बताकर वश में करना चाहिए।

भाव यह है कि लालची व्यक्ति को धन देकर कोई भी काम कराया जा सकता है। घमण्डी व्यक्ति से कोई काम कराना हो तो उसके सामने हाथ जोड़कर, झुककर चलना चाहिए। मूर्ख व्यक्ति को केवल समझा–बुझाकर ही वश में किया जा सकता है। विद्वान् व्यक्ति से सत्य बात कहनी चाहिए, उन्हें स्पष्ट बोलकर ही वश में किया जा सकता है।

दुष्टों से बचें-

कुराजराज्येन कुतः प्रजासुखं
कुमित्रमित्रेण कुतोऽभिनिवृत्तिः ।
कुदारदारैश्च कुतो गृहे रतिः
कुशिष्यमध्यापयतः कुतो यशः ।।१३।।

यहाँ आचार्य चाणक्य दुष्टों के प्रभाव को प्रतिपादित करते हुए कहते हैं कि दुष्ट राजा के राज्य में प्रजा सुखी कैसे रह सकती है! दुष्ट मित्र से आनन्द कैसे मिल सकता है! दुष्ट पत्नी से घर में सुख कैसे हो सकता है! तथा दुष्ट–मूर्ख शिष्य को पढ़ाने से यश कैसे मिल सकता है!

भाव यह है कि दुष्ट–निकम्मे राजा के राज्य में प्रजा सदा दुःखी रहती है। दुष्ट मित्र सदा दुःखी ही करता है। दुष्ट पत्नी घर की सुख–शांति को समाप्त कर देती है तथा दुष्ट शिष्य को पढ़ाने से कोई यश नहीं मिलता। अतः दुष्ट राजा, दुष्ट मित्र, दुष्ट पत्नी तथा दुष्ट शिष्य के होने से इनका न होना ही बेहतर है। इसीलिए सुखी रहने के लिए अच्छे राजा के राज्य में रहना चाहिए, संकट से बचाव के लिए अच्छे व्यक्ति को मित्र बनाना चाहिए, रतिभोग के सुख के लिए कुलीन कन्या से विवाह करना चाहिए तथा यश व कीर्तिलाभ के लिए योग्य पुरुष को शिष्य बनाना चाहिए।

सीख किसी से भी ले लें–

सिंहादेकं बकादेकं शिक्षेच्चत्वारि कुक्कुटात् ।
वायसात्पंच शिक्षेच्च षट् शुनस्त्रीणि गर्दभात् ।।१४।।

यहाँ आचार्य चाणक्य सीखने की बात किसी भी पात्र से सीखने का पक्ष रखते हुए कहते हैं कि सिंह से एक, बगुले से एक, मुर्गे से चार, कौए से पाँच, कुत्ते से छः तथा गधे से सात बातें सीखनी चाहिए।

चाणक्य ने बताया है कि सीखने को तो किसी से भी मनुष्य कुछ भी सीख सकता है पर इसमें भी मनुष्य जिनसे कुछ गुण सीख सकता है उनमें उसे शेर और बगुले से एक–एक, गधे से तीन, मूर्गे से चार, कौए से पाँच और कुत्ते से छः गुण सीखने चाहिए।

इसका मूल भाव यह है कि व्यक्ति को जहाँ से भी कोई अच्छी बात मिले, सीखने में संकोच नहीं करना चाहिए। यदि नीच व्यक्ति के पास भी कोई गुण है तो उसे ग्रहण करने का यत्न करना चाहिए।

अगले चार श्लोकों में इन गुणों का वर्णन विस्तार से किया गया है।

शेर से–

प्रभूतं कार्यमपि वा तत्परः प्रकर्तुमिच्छति ।
सर्वारम्भेण तत्कार्यं सिंहदेकं प्रचक्षते ।।१५।।

यहाँ आचार्य चाणक्य शेर से ली जाने वाली सीख के बारे में बता रहे हैं कि छोटा हो या बड़ा, जो भी काम चाहें, उसे अपनी पूरी शक्ति लगाकर करें? यह गुण हमें शेर से सीखना चाहिए।

भाव यह है कि शेर जो भी काम करता है, उसमें अपनी पूरी शक्ति लगा देता है। अतः जो भी काम करना हो तो उसमें पूरे जी–जान से जुट जाना चाहिए।

बगुले से-

इन्द्रियाणि च संयम्य बकवत्पण्डितो नरः ।
देशकाल बलं ज्ञात्वा सर्वकार्याणि साधयेत् ।।१६।।

यहाँ आचार्य बगुले से सीख के बारे में बता रहे हैं। बगुले के समान इन्द्रियों को वश में करके देश, काल एवं बल को जानकर विद्वान अपना कार्य सफल करें।

भाव यह हे कि बगुला सब कुछ भूलकर एकटक मछली को ही देखता रहता है और मौका लगते ही उसे झपट लेता है। मनुष्य को भी काम करते समय अन्य सब बातों को भूलकर केवल देश, काल और बल का विचार करना चाहिए।

देश–इस स्थान इस काम को करने से क्या लाभ होगा? यहाँ इस वस्तु की कितनी मांग है? इत्यादि पर विचार करना देश–स्थान पर विचार करना है। काल–समय, कौन–सा समय किस काम के लिए अनुकूल होगा? तथा बल–शक्ति कितनी है, मेरे पास कितना पैसा या अन्य साधन कितने हैं? इन सब बातों पर काम आरम्भ करने से पहले विचार कर लेना चाहिए।

गधे से-

सुश्रान्तोऽपि वहेद् भारं शीतोष्णं न पश्यति ।
सन्तुष्टश्चरतो नित्यं त्रीणि शिक्षेच्च गर्दभात् ।।१७।।

यहाँ आचार्य चाणक्य गधे से सीखे जाने वाले गुणों की चर्चा करते हुए कहते हैं कि श्रेष्ठ और विद्वान व्यक्तियों को चाहिए कि वे गधे से तीन गुण सीखें। जिस प्रकार अत्यधिक थका होने पर भी वह बोझ ढोता रहता है, उसी प्रकार बुद्धिमान् व्यक्ति को भी आलस्य न करके अपने लक्ष्य की प्राप्ति और सिद्धि के लिए सदैव प्रयत्न करते रहना चाहिए, कर्तव्यपथ से कभी विमुख नहीं होना चाहिए। कार्यसिद्धि में ऋतुओं के सर्द और गर्म होने की भी चिन्ता नहीं करनी चाहिए।

और जिस प्रकार गधा सन्तुष्ट होकर जहाँ–तहाँ चर लेता है, उसी प्रकार बुद्धिमान व्यक्ति को भी सदा संतोष रखकर, फल की चिन्ता किए बिना, यथावत् कर्म में प्रवृत्त रहना चाहिए।

मुर्गे से–

प्रत्युत्थानं च युद्धं च संविभागश्च बन्धुषु ।
स्वयमाक्रम्य भोक्तं च शिक्षेच्चत्वारि कुक्कुटात् ।।१८।।

यहाँ आचार्य चाणक्य मुर्गे से सीखने योग्य चार महत्त्वपूर्ण बातों की चर्चा करते हुए कह रहे हैं कि समय पर जागना, लड़ना, भाइयों को भगा देना और उनका हिस्सा स्वयं झपटकर खा जाना, ये चार बातें मुर्गे से सीखें।

उनका कहना है कि मुर्गे की चार विशेषताएं हैं–तड़के उठ जाना, अन्य मुर्गों से लड़ना, उन्हें झपटकर भगा देना तथा उनका हिस्सा स्वयं खा जाना। मुर्गे से यही चार बातें सीखनी चाहिए और व्यक्ति के जीवन में इनका महत्त्व मानवीय दृष्टि से मूल्यवान है।

काग से–

गूढ़ मैथुनकारित्वं काले काले च संग्रहम् ।
अप्रमत्तवचनमविश्वासं पंच शिक्षेच्च वायसात् ।।१९।।

काग से सीख योग्य बातों की चर्चा करते हुए आचार्य कहते हैं कि छिपकर मैथुन करना, समय–समय पर संग्रह करना, सावधान रहना, किसी पर विश्वास न करना और आवाज देकर औरों को भी इक्ट्ठा कर लेना, ये पाँच गुण कौए से सीखें।

आशय यह है कि व्यक्ति को भी कुछ कार्य कौए के समान करने चाहिए। जैसे कौआ सदा छिपकर मैथुन करता है क्योंकि यह क्रिया नितान्त व्यक्तिगत होती है, छोटी–मोटी चीजें अपने घोंसले में एकत्रित करता रहता है ताकि समय पर दूसरे का मुँह न ताकना पड़े। सदा

चौकन्ना रहता है। कांव–कांव करता हुआ अपने अन्य साथियों को भी आवश्यकता पड़ने पर बुला लेता है। कभी किसी पर विश्वास नहीं करता क्योंकि जाँच–परखकर विश्वास से छल की संभावना नहीं रहती। इन गुणों को कौए से सीखना चाहिए।

कुत्ते से–

वह्वशी स्वल्पसन्तुष्टः सुनिद्रो लघुचेतनः ।
स्वामिभक्तश्च शूरश्च षडेते श्वानतो गुणाः ।।२०।।

आचार्य चाणक्य यहाँ सन्तोष, सतर्कता और स्वामिभक्ति की चर्चा करते हुए कुत्ते के सन्दर्भ में इन गुणों का बखान करते हुए इनकी आवश्यकता की दृष्टि से कहते हैं कि अधिक भूखा होने पर भी थोड़े में ही सन्तोष कर लेना, गहरी नींद में होने पर भी सतर्क रहना, स्वामिभक्त होना और वीरता–कुत्ते से ये छः गुण सीखने चाहिए।

आशय यह है कि कुत्ता कितना ही भूखा क्यों न हो, उसे जितना मिल जाए, उसी में सन्तोष कर लेता है। साथ ही उसे जितना खिला दो, वह सब खा जाता है। थोड़ी ही देर में उसे गहरी नींद आ जाती है। किन्तु गहरी नींद में भी वह थोड़ी–सी आहट पाते ही जाग जाता है। मालिक के साथ वफादारी और बहादुरी से किसी पर झपट पड़ना भी कुत्ते की आदत है। कुत्ते से इन्हीं छः गुणों को सीखना चाहिए।

शिक्षा संबल बनाती है–

य एतान् विंशतिगुणानाचरिष्यति मानवः ।
कार्याऽवस्थासु सर्वासु अजेयः स भविष्यति ।।२१।।

यहाँ आचार्य चाणक्य पूर्वोक्त साधनों से प्राप्त गुणों से युक्त व्यक्ति के सफल काम होने की चर्चा करते हुए कहते हैं कि जो मनुष्य इन बीस गुणों को अपने जीवन में धारण करेगा, वह सब कार्यों और सब अवस्थाओं में विजयी होगा।

भाव यह है कि इन बीस गुणों को उन—उन पशुओं से सीखने का अभिप्राय मनुष्य को साहसी, अभिमान रहित और दृढ़निश्चयी बनाता है। साथ ही जीवन में अच्छे गुणों का आदान करता है तथा दुर्गुणों को छोड़कर सत्संकल्प ओर सत्समाज के निर्माण में योगदान देता है। अतः इसमें पशु—पक्षी भी हमारे लिए दृष्टान्त हैं। इसलिए पं. विष्णुशर्मा ने पञ्चतंत्र में सभी पशु—पक्षियों को कथानक का पात्र बनाकर मानव के लक्ष्य—सिद्धि में सहायक कथाओं का निर्माण किया है। जिसका उद्देश्य राजा के मूर्ख चार पुत्रों को भी छह महीने के अन्दर ही राजनीति में कुशल और विद्वान बनाना था।

इस प्रकार जो व्यक्ति इन ऊपर बताए गए गुणों को धारण करने का प्रयत्न करता है, उन्हें अपना लेता है, वह जीवन में कभी भी किसी भी, स्थिति में पराजित नहीं होता। उसे जीवन में सर्वत्र विजय प्राप्त होती है। ऐसे व्यक्ति में स्वाभिमान जागृत होता है और वह अपने प्रत्येक कार्य को निष्ठा और लगन से पूरा करके उन्नति को प्राप्त करता है। वही सफल व्यक्ति कहलाता है।

आचार्य चाणक्य यहाँ सन्तोष के महत्त्व को प्रतिपादित करते हुए कहते हैं कि सन्तोष के अमृत से तृप्त व्यक्तियों को जो सुख और शान्ति मिलती है, वह सुख–शान्ति धन के पीछे इधर–उधर भागने वालों को नहीं मिलती।

भाव यह है कि सन्तोष सबसे बड़ा सुख है। जो व्यक्ति सन्तोषी होता है उसे परम सुख और शान्ति प्राप्त होती है, धन की चाह में इधर–उधर दौड़–भाग करने वालों को ऐसी सुख–शान्ति कभी नहीं मिलती।

वस्तुतः चाणक्य का मत है कि मनुष्य की तृष्णाओं का कोई अन्त नहीं। व्यक्ति की कामनाएं व इच्छाएं निरन्तर बढ़ती रहती हैं। इस तरह इच्छाओं के बढ़ने से व्यक्ति के जीवन में एक प्रकार का भटकाव बना रहता हैं जो व्यक्ति, जितना प्राप्त हो जाए उसमें सन्तोष कर लेता है, उसे ही सुख प्राप्ति होती है क्योंकि सन्तोष का बड़ा महत्त्व होता है।

सन्तोषस्त्रिषु कर्तव्यः स्वदारे भोजने धने ।
त्रिषु चैव न कर्तव्योऽध्ययने जपदानयोः ।।४।।

यहाँ आचार्य चाणक्य सन्तोष के महत्त्व को प्रतिपादित करते हुए कहते हैं कि व्यक्ति को अपनी ही स्त्री से सन्तोष करना चाहिए चाहे वह रूपवती हो अथवा साधारण, वह सुशिक्षित हो अथवा निरक्षर–उसकी पत्नी है यही बड़ी बात है। इसी प्रकार व्यक्ति को जो भोजन प्राप्त हो जाए उसी से सन्तोष करना चाहिए, अपनी रूखी भी भली होती है। आजीविका से प्राप्त धन के सम्बन्ध में भी चाणक्य के विचार हैं कि व्यक्ति को असन्तोष में खेद या दुःख नहीं करना चाहिए। इससे उसकी मानसिक शान्ति नष्ट नहीं होती। यदि ऐसा नहीं करता तो वह अपने–आपको निरन्तर दुःखी पाता है। इसके विपरीत चाणक्य का यह भी कहना है कि शास्त्रों के अध्ययन, प्रभु के नाम का स्मरण और दान–कार्य में कभी सन्तोष नहीं करना चाहिए। ये तीनों बातें अधिक–से–अधिक करने की इच्छा करनी चाहिए। इनसे मानसिक शांति व आत्मिक सुख मिलता है।

वस्तुतः प्रायः ऐसा समझा जाता है कि जो व्यक्ति अपने भाग्य में लिखाकर आया है, उसे प्रयत्न करने पर भी नहीं बदला जा सकता। इसलिए यदि वह इन बातों के सम्बन्ध में सन्तोषपूर्वक जीवन बिताएगा तो उसे हानि नहीं होगी। क्योंकि मनुष्य का जीवन पानी के बुलबुले के समान है। जो आज है, हो सकता है वह कल न रहे। अतः चाणक्य कहते हैं कि मनुष्य को चाहिए कि वह सदैव शुभ कार्यों में ही लगा रहे।

इनसे बचें-

विप्रयोर्विप्रवह्नयोश्च दम्पत्योः स्वामिभृत्ययोः ।
अन्तरेण न गन्तव्यं हलस्य वृषभस्य च ।।५।।

आचार्य चाणक्य यहाँ मार्ग में अपनाई जाने वाली वर्जना की चर्चा करते हुए कहते हैं कि दो ब्राह्मणों के बीच से, ब्राह्मण और आग के बीच से, मालिक और नौकर के बीच से, पति और पत्नी के बीच से तथा हल और बैलों के बीच से नहीं गुजरना चाहिए।

क्योंकि ऐसा माना जाता है कि जहाँ दो व्यक्ति खड़े हों अथवा बैठे हुए बात कर रहे हों, वहाँ किसी को उनके बीच में से न निकलकर एक ओर से निकलना चाहिए। यदि दो ब्राह्मण खड़े हों तो उनके बीच में से न गुजरने का भाव यह है कि हो सकता है कि वे किसी शास्त्र–चर्चा में लगे हों। इसी तरह आग के बीच से नहीं गुजरना चाहिए। पति और पत्नी, स्वामी और सेवक जब कोई बात कर रहे हों तो उनके पास नहीं जाना चाहिए और न ही उनके मध्य में से गुजरना चाहिए। इसी प्रकार हल और बैल के बीच में से गुजरने की भी मनाही है, क्योंकि इससे चोट लगने की सम्भावना रहती है। और इस तरह देखें तो व्यक्ति को गुजरते समय आसपास का माहौल देखकर गुजरना चाहिए।

पादाभ्यां न स्पृशेदग्निं गुरुं ब्राह्मणमेव च ।
नैव गावं कुमारीं च न वृद्धं न शिशुं तथा ।।६।।

आचार्य चाणक्य कहते हैं कि आग, गुरु, ब्राह्मण, गाय, कुंआरी कन्या, बूढ़े लोग तथा बच्चों को पाँव से नहीं छूना चाहिए। ऐसा करना असभ्यता है। ऐसा करने से उनका अनादर तो है ही उपेक्षा भाव भी प्रकट करता है इनको पैर से छूना अपनी मूर्खता प्रकट करना है क्योंकि ये सभी आदरणीय, पूज्य और प्रिय होते हैं।

शकटं पञ्चहस्तेन दशहस्तेन वाजिनम् ।
हस्तिनं शतहस्तेन देशत्यागेन दुर्जनम् ।।७।।

आचार्य चाणक्य कहते हैं कि बैलगाड़ी से पाँच, घोड़े से दस हाथ और हाथी से सौ हाथ दूर रहना चाहिए, किन्तु दुष्ट व्यक्ति से बचने के लिए थोड़ा–बहुत अन्तर पर्याप्त नहीं है। उससे बचने के लिए तो आवश्यकता पड़ने पर देश भी छोड़ा जा सकता है।

इन वस्तुओं से दूर रहने का तात्पर्य यह है कि गाड़ी में जुते हुए बैल आदि से चोट लग सकती है, घोड़ों से दुलत्ती आदि का भय रहता है, इसी प्रकार हाथी से भी दूर रहना उचित है, परन्तु दुष्ट व्यक्ति से तो इस प्रकार बचना चाहिए कि उसकी सूरत भी देखने को न मिले। इसलिए चाणक्य के मत के अनुसार उससे बचने के लिए जहाँ वह रहता है उस स्थान को भी त्याग देना चाहिए।

हस्ती त्वंकुशमात्रेण बाजी हस्तेन तापते ।
शृंगीलकुटहस्तेन खड्गहस्तेन दुर्जनः ।।८।।

यहाँ आचार्य चाणक्य दुष्ट के साथ दुष्टता का पाठ पढ़ाते हुए भी सावधानी का महत्त्व प्रतिपादित करते हुए कहते हैं कि हाथी को अंकुश से, घोड़े को हाथ से, सींगोंवाले पशुओं को हाथ या लकड़ी से तथा दुष्ट को खड्ग हाथ में लेकर पीटा जाता है।

आशय यह है कि हाथी को अंकुश से पीटकर वश में किया जाता है। घोड़े को हाथ से पीटा जाता है। गाय, भैंस आदि सींगोंवाले पशुओं को हाथ से या लाठी से पीटा जाता है, किन्तु दुष्ट को पीटते समय

हाथ में खड्ग या कोई अन्य हथियार अवश्य होना चाहिए। दुष्ट को
हाथ में हथियार लेकर ही सीधा करना चाहिए। अच्छाई की भाषा
उसकी समझ में नहीं आती। या लातों के भूत बातों से नहीं मानते।

तुष्यन्ति भोजने विप्रा मयूरा घनगर्जिते ।
साधवः परसम्पत्तौ खलाः पर विपत्तिषुः ।।६।।

आचार्य चाणक्य दुष्टों की दूसरे के दुःख में सुख अनुभव करने
की दुष्प्रवृत्ति का बखान करते हुए कहते हैं कि ब्राह्मण तो भोजन से
प्रसन्न होते हैं। मोर बादलों के गरजने पर आनन्दित हो उठता है।
सज्जन दूसरों की सम्पन्नता से सुखी होते हैं, किन्तु दुष्ट तो दूसरे
की विपत्ति को देखकर खुश होते हैं। यह कितनी विचित्र बात है।

आशय यह है कि ब्राह्मण भोजन मिलने पर, मोर बादलों की
आवाज सुनकर तथा सज्जन दूसरों के सुख–आनन्द, धन–सम्पदा
आदि को देखकर प्रसन्न होते हैं, किन्तु दुष्ट को दूसरों की खुशी
देखकर दुःख होता है। वह दूसरों को दुःखी देखकर ही प्रसन्न
होता है।

अनुलोमेन बलिनं प्रतिलोमेन दुर्जनम् ।
आत्मतुल्यबलं शत्रुं विनयेन बलेन वा ।।१०।।

आचार्य चाणक्य व्यवहार धर्मिता समझाते हुए बता रहे हैं कि
बलवान शत्रु को उसके अनुकूल चलकर, दुष्ट को उसके प्रतिकूल
चलकर तथा समान बलवाले शत्रु को विनय से या बल से वश में
करना चाहिए।

आशय यह है कि यदि शत्रु अपने से अधिक बलवान हो, तो उसी
की इच्छा के अनुसार चलना चाहिए। यदि अपने समान ही बलवान
हो, तब या तो उसके साथ विनम्रता से रहना चाहिए या उसका
मुकाबला बल से ही करना चाहिए, किन्तु दुष्ट के साथ दुष्टता ही
करनी चाहिए।

यौवन ही स्त्रियों का बल है–

बाहुवीर्यं बलं राजा ब्राह्मणो ब्रह्मविद् बली ।
रूपयौवनमाधुर्यं स्त्रीणां बलमुत्तमम् ।।११।।

आचार्य चाणक्य स्त्रियों के गुणों की चर्चा करते हुए कहते हैं कि बाजुओं की शक्तिवाले राजा बलवान होते हैं। ब्रह्म को जानने वाला ब्राह्मण ही बलवान माना जाता है। सुन्दरता, यौवन और मधुरता ही स्त्रियों का श्रेष्ठ बल है।

आशय यह है कि जिस राजा की बाजुओं में शक्ति होती है वही राजा बलवान माना जाता है। ब्रह्म को जानने वाला ब्राह्मण ही बलवान है। ब्रह्म को जानना ही ब्राह्मण का बल है। सुन्दरता, जवानी तथा वाणी की मधुरता ही स्त्रियों का सबसे बड़ा बल है।

नात्यन्तं सरलेन भाव्यं गत्वा पश्य वनस्थलीम् ।
छिद्यन्ते सरलास्तत्र कुब्जास्तिष्ठन्ति पादपाः ।।१२।।

जीवन का सिद्धान्त है कि अति सर्वत्र वर्जित होती है फिर चाहे वह जीवन के संदर्भ में सादगी या सीधेपन के स्तर पर ही क्यों न हो। अतः आचार्य चाणक्य कहते हैं कि अधिक सीधा नहीं होना चाहिए। जंगल में जाकर देखने से पता लगता है कि सीधे वृक्ष काट लिए जाते हैं, जबकि टेढ़े–मेढ़े पेड़ छोड़ दिए जाते हैं।

अर्थात् व्यक्ति को अधिक सीधा, भोला–भाला नहीं होना चाहिए। अधिक सीधे व्यक्ति को सभी मूर्ख बनाने की कोशिश करते हैं। उसका जीना दूभर हो जाता है। जबकि अन्य गुसैल तथा टेढ़े किस्म के लोगों से कोई कुछ नहीं कहता। यह प्रकृति का ही नियम है। वन में जो पेड़ सीधा होता है, उसे काट लिया जाता है, जबकि टेढ़े–मेढ़े पेड़ खड़े रहते हैं।

हंस के समान न बरतें-

यत्रोदकं तत्र वसन्तिः हंसाः,
स्तथैव शुष्कं परिवर्जयन्ति ।
न हंसतुल्येन नरेणभाव्यम्,
पुनस्त्यजन्ते पुनराश्रयन्ते ।।१३।।

आचार्य चाणक्य यहाँ हंस के व्यवहार को आदर्श मानकर उपदेश दे रहे हैं कि जिस तालाब में पानी ज्यादा होता है हंस वहीं निवास करते हैं। यदि वहाँ का पानी सूख जाता है तो वे उसे छोड़कर दूसरे स्थान पर चले जाते हैं। जब कभी वर्षा अथवा नदी से उसमें पुनः जल भर जाता है तो वे फिर वहाँ लौट आते हैं। इस प्रकार हंस अपनी आवश्यकता के अनुरूप किसी जलाशय को छोड़ते अथवा उसका आश्रय लेते रहते हैं।

आचार्य चाणक्य का यहाँ आशय यह है कि मनुष्य को हंस के समान व्यवहार नहीं करना चाहिए। उसे चाहिए कि वह जिसका आश्रय एक बार ले उसे कभी नहीं छोड़े। और यदि किसी कारणवश छोड़ना भी पड़े तो फिर लौटकर वहाँ नहीं आना चाहिए। अपने आश्रयदाता को बार-बार छोड़ना और उसके पास लौटकर आना मानवता का लक्षण नहीं है। अतः नीति यही कहती है कि मैत्री या सम्बन्ध स्थापित करने के बाद उसे अकारण ही भंग करना उचित नहीं।

अर्जित धन का त्याग करते रहें-

उपार्जितानां वित्तानां त्याग एव हि रक्षणम् ।
तड़ागोदरसंस्थानां परिवाह इवाम्भसाम् ।।१४।।

यहाँ आचार्य चाणक्य अर्जित धन को सदुपयोग में व्यय करने के बारे में बताते हुए कहते हैं कि तालाब के जल को स्वच्छ रखने के लिए उसका बहते रहना आवश्यक है। इसी प्रकार अर्जित धन का त्याग करते रहना ही उसकी रक्षा है।

आशय यह है कि किसी तालाब के पानी को साफ रखने के लिए उसका बहते रहना ठीक है। रुक जाने पर वह गन्दा हो जाता है। इसी प्रकार धन का भी त्याग करते रहना चाहिए। ऐसा न करने पर व्यक्ति में अनेकों बुराइयाँ आ जाती हैं। धन को अच्छे कामों में खर्च करते रहना चाहिए। यही धन की सबसे बड़ी रक्षा है।

सत्कर्म में ही महानता है–

स्वर्गस्थितानामिह जीवलोके।

चत्वारि चिह्नानि वसन्ति देहे ।

दानप्रसंगो मधुरा च वाणी

देवार्चनं ब्राह्मणतर्पणं च ।।१५।।

सत्कर्म का आचरण करने वाले व्यक्ति को महात्मा रूप में व्यक्त करते हुए आचार्य चाणक्य कहते हैं कि दान देने में रुचि, मधुर वाणी, देवताओं की पूजा तथा ब्राह्मणों को सन्तुष्ट रखना, इन चार लक्षणों वाला व्यक्ति इस लोक में कोई स्वर्ग की आत्मा होता है।

आशय यह है कि दान देने की आदतवाला, सबसे प्रिय बोलने वाले देवताओं की पूजा करने वाला तथा विद्वानों–ब्राह्मणों का सम्मान करने वाला व्यक्ति दिव्य आत्मा होता है। जिस व्यक्ति में ये सभी गुण पाए जाते हैं, वह महान् पुरुष होता है। ऐसे व्यक्ति को किसी स्वर्ग की आत्मा का अवतार समझना चाहिए।

दुष्कर्मी नरक भोगते हैं–

अत्यन्तलेपः कटुता च वाणी

दरिद्रता च स्वजनेषु वैरम् ।

नीच प्रसंगः कुलहीनसेवा

चिह्नानि देहे नरकस्थितानाम् ।।१६।।

आचार्य चाणक्य दुष्ट या नीच कर्म करने वाले व्यक्ति को नरक का अधिकारी होने के सदंर्भ में कहते हैं कि अत्यन्त क्रोध, कटु वाणी, दरिद्रता, स्वजनों से वैर, नीच लोगों का साथ, कुलहीन की सेवा–नरक की आत्माओं के यही लक्षण होते हैं।

आशय यह है कि दुष्ट व्यक्ति अत्यन्त क्रोधी स्वभाव का होता है। उसकी वाणी कड़वी होती है, उसके मुँह से मीठे बोल निकल ही नहीं सकते। वह सदा दरिद्र–गरीब ही रहता है। औरों की बात ही छोड़िए, उसकी अपने परिवार वालों से भी शत्रुता ही रहती है। नीच लोगों का साथ और ऐसे लोगों की सेवा करना ही उसका काम होता है। जिस व्यक्ति में ये सब अवगुण दिखाई दें उसे किसी नरक की आत्मा का अवतार समझना चाहिए।

गम्यते यदि मृगेन्द्रमन्दिरे
लभ्यते करिकपोलमौक्तिकम् ।
जम्बुकाश्रयगतं च प्राप्यते
वत्सपुच्छखरचर्मखण्डम् ।।१७।।

संगति के प्रभाव को दर्शाते हुए आचार्य चाणक्य कहते हैं कि यदि कोई सिंह की गुफा में जाए, तो उसे वहाँ हाथी के कपोल का मोती प्राप्त होता है। यदि वही व्यक्ति गीदड़ की मांद में जाए, तो उसे बछड़े की पूंछ तथा गधे के चमड़े का टुकड़ा ही मिलेगा।

आशय यह है कि शेर की गुफा में जाने पर व्यक्ति को हाथी की खोपड़ी का मोती मिलता है, जबकि वही व्यक्ति गीदड़ की मांद में जाता है, तो वहाँ उसे केवल बछड़े की पूंछ या गधे के चमड़े का टुकड़ा ही मिल सकता है। कहने का आशय यह है कि यदि व्यक्ति महान् लोगों का साथ करता है, तो उसे ज्ञान की बातें सीखने को मिलती हैं, जबकि नीच–दुष्ट लोगों की संगति करने पर केवल दुष्टता ही सीखी जा सकती है। अतः सज्जनों का ही साथ करना चाहिए।

विद्या बिना जीवन बेकार है–

शुनः पुच्छमिव व्यर्थं जीवितं विद्यया विना ।
न गुह्यगोपने शक्तं न च दंशनिवारणे ।।१८।।

आचार्य चाणक्य कहते हैं कि जिस प्रकार कुत्ते की पूंछ से न तो उसके गुप्त अंग छिपते हैं और न वह मच्छरों को काटने से रोक सकती है, इसी प्रकार विद्या से रहित जीवन भी व्यर्थ है। क्योंकि विद्याविहीन मनुष्य मूर्ख होने के कारण न अपनी रक्षा कर सकता है न अपना भरण–पोषण। वह न अपने परिवार की दरिद्रता को दूर कर सकता है और न शत्रुओं के आक्रमण को ही रोकने में समर्थ हो सकता है। अतः विद्या का महत्त्व व्यक्ति के जीवन में अपेक्षणीय है।

सबसे बड़ी शुद्धता है–

वाचा च मनसः शौचं शौचमिन्द्रियनिग्रहः ।
सर्वभूतदया शौचमेतच्छौचं परमार्थिनाम् ।।१६।।

आचार्य चाणक्य कहते हैं कि मन, वाणी को पवित्र रखना, इन्द्रियों का निग्रह, सभी प्राणियों पर दया करना और दूसरों का उपकार करना सबसे बड़ी शुद्धता है।

आशय यह है कि मन में बुरे विचार न आने देना, मुँह से कोई गलत बात न कहना, अपनी सभी इन्द्रियों को वश में रखना, सभी प्राणियों पर दया करना तथा सबकी भलाई करना यही मनुष्य के लिए सबसे बड़ी पवित्रता है।

देह में आत्मा देखें–

पुष्पे गन्धं तिले तैलं काष्ठे वह्निः पयोघृतम् ।
इक्षौ गुडं तथा देहे पश्यात्मानं विवेकतः ।।२०।।

आचार्य चाणक्य आत्मा के संदर्भ में कहते हैं कि पुष्प में गंध, तिलों में तेल, काष्ठ में अग्नि, दूध में घी तथा गन्ने में गुड़ की तरह विवेक से देह में आत्मा को देखो।

आशय यह है कि जैसे फूल में सुंगध किसी एक स्थान पर नहीं रहती बल्कि सारे ही फूल में फैली हुई होती है, तिलों में तेल होता है, लकड़ी में आग, दूध में मक्खन तथा गन्ने में मिठास, ये सारे गुण पूरी वस्तु में होते हैं, न कि किसी एक जगह पर। इसी प्रकार परमात्मा भी मनुष्य के सारे शरीर में रहता है। आवश्यकता केवल इसे पहचानने की है। इसे हर कोई नहीं पहचान सकता; केवल ज्ञानी पुरुष ही पहचान सकते हैं।

अष्टम अध्याय

सम्मान ही महापुरुषों का धन है-

अधमा धनमिच्छन्ति धनं मानं च मध्यमाः।
उत्तमा मानमिच्छन्ति मानो हि महतां धनम् ।।१।।

महापुरुषों के धन की चर्चा करते हुए आचार्य चाणक्य कहते हैं कि अधम धन की इच्छा करते हैं, मध्यम धन और मान चाहते हैं, किन्तु उत्तम केवल मान ही चाहते हैं। महापुरुषों का धन मान ही है।

नीच लोगों के लिए धन ही सबकुछ होता है। इसे प्राप्त करने के लिए वे गलत-सही हर तरीका अपना सकते हैं। औसत आदमी धन तो चाहता है, किन्तु अपमान के साथ नहीं, बल्कि सम्मान के साथ। अर्थात् वह धन और सम्मान दोनों चाहता है। किन्तु महापुरुष धन की बिलकुल भी चाह नहीं करते। वे मान-सम्मान को ही महत्त्व देते हैं। मान-सम्मान ही उनका धन होता है।

दान का कोई समय नहीं-

इक्षुरापः पयोमूलं ताम्बूलं फलमौषधम् ।
भक्षयित्वापि कर्तव्या स्नानदानादिकाः क्रियाः ।।२।।

यहाँ आचार्य चाणक्य स्नान, दान के लिए किसी वर्जना या समय की बाध्यता न मानते हुए कहते हैं कि ईख, जल, दूध, मूल, पान, फल और औषधि को खा लेने के बाद भी स्नान, दान आदि कार्य किए जा सकते हैं।

आशय यह है कि गन्ना चूसने के बाद, पानी या दूध पी लेने के बाद, पान चबा लेने के बाद, कोई कन्द मूल, फल या दवा खा लेने के बाद भी स्नान, पूजा, दान आदि कार्य किए जा सकते हैं। जबकि अन्य चीजें खा–पी लेने पर ये कार्य नहीं किए जाते।

यथा अन्न तथा सन्तान–

दीपो भक्षयते ध्वान्तं कज्जलं च प्रसूयते ।
यदन्नं भक्षयते नित्यं जायते तादृशी प्रजा ।।३।।

यथा अन्न तथा मन की चर्चा करते हुए आचार्य कहते हैं कि दीपक अन्धकार को खाता है और काजल पैदा करता है। अतः जो नित्य जैसे अन्न खाता है, वह वैसी ही सन्तान को जन्म देता है।

व्यक्ति का भोजन जैसा होता है, वैसी ही उसकी सन्तान भी पैदा होती है। सात्विक भोजन करने से सन्तान भी योग्य और बुद्धिमान होगी तथा तामसी भोजन से मूर्ख सन्तान ही पैदा होगी। दीपक अन्धकार को खाता है, तो कालिमा ही पैदा करता है।

सबसे बड़ा नीच–

चाण्डालानां सहस्त्रैश्च सूरिभिस्तत्वदर्शिभिः ।
एको हि यवनः प्रोक्तो न नीचो चवनात्परः ।।४।।

यवन को निम्नतम कोटि का मानते हुए आचार्य चाणक्य कहते हैं कि तत्त्वदर्शी विद्वानों ने कहा है कि हजार चाण्डालों के बराबर एक यवन होता है। यवन से नीच कोई नहीं होता।

आशय यह है कि विद्वान् महापुरुषों के अनुसार एक हजार चाण्डालों के बराबर बुराइयाँ एक यवन में होती हैं। इसलिए यवन सबसे नीच मनुष्य माना जाता है। यवन से नीच कोई नहीं होता है।

धन का सदुपयोग-

वित्तं देहि गुणान्वितेषु मतिमान्नान्यत्र देहि क्वचित्,
प्राप्तं वारिनिधेर्जलं धनयुचां माधुर्ययुक्तं सदा ।
जीवाः स्थावर जंगमाश्च सकला संजीव्य भूमण्डलं
भूयं पश्य तदैव कोटिगुणितं गच्छन्त्यम्भोनिधिम् ॥५॥

धन की पात्रता बताते हुए आचार्य चाणक्य कहते हैं कि—हे बुद्धिमान! गुणी लोगों को ही धन दो, अगुणी लोगों को कभी नहीं। बादल सागर से पानी लेकर मधुर जल की वर्षा करता है। इससे पृथ्वी के चराचर प्राणी जीवित रहते हैं। फिर यही जल करोड़ों गुना अधिक होकर समुद्र में ही चला जाता है।

आशय यह है कि बादल समुद्र से ही जल लेता है और पृथ्वी पर वर्षा करता हैं। इसी वर्षा से पृथ्वी के मनुष्य, पशु—पक्षी, वृक्ष आदि जीवित रहते हैं। फिर यही जल कई गुना अधिक होकर नदियों से बहता हुआ समुद्र में ही चला जाता है। धनी लोगों को भी किसी योग्य व्यक्ति को ही कोई कारोबार करने के लिए धन से सहायता करनी चाहिए। इससे वह व्यक्ति कई लोगों का भला करता है और सहायता करने वाले व्यक्ति को भी लाभ होता है।

स्नान से शुद्धता-

तैलाभ्यंगे चिताधूमे मैथुने क्षौर कर्मणि ।
तावद्भवति चाण्डालो यावत्स्नानं न समाचरेत् ॥६॥

स्नान करके ही व्यक्ति पवित्र होता है वरना शूद्र है। इसी को स्पष्ट करते हुए आचार्य चाणक्य कहते हैं—तेल लगाने पर, चिता का

धुआं लगने पर, मैथुन करने पर तथा बाल कटाने पर जब तक मनुष्य स्नान नहीं कर लेता तब तक वह चाण्डाल होता है।

आशय यह है कि शरीर में तेल की मालिश करने के बाद, चिता का धुआं लग जाने पर संभोग करने के बाद तथा दाढ़ी–नाखून या बाल कटाने के बाद नहाना आवश्यक है। इन कामों को करने के बाद व्यक्ति जब तक नहा नहीं लेता, तब तक चाण्डाल माना जाता है।

पानी एक औषधि है–

अजीर्णे भेषजं वारि जीर्णे तद् बलप्रदम् ।
भोजने चामृतं वारि भोजनान्ते विषप्रदम् ।।७।।

जल की गुणवत्ता बताते हुए आचार्य कहते हैं कि भोजन न पचने पर जल औषधि के समान होता है। भोजन करते समय जल अमृत है तथा भोजन के बाद विष का काम करता है।

आशय यह है कि अपच की शिकायत होने पर जी भरकर, जितना पिया जा सके, पानी पीना चाहिए। यह दवा का काम करता है। खाना पच जाने पर पानी पीने से शरीर की शक्ति बढ़ती है। भोजन करते समय बीच–बीच में पानी पीते रहने से यह अमृत का काम करता है और यही पानी यदि भोजन के तुरन्त बाद पिया जाए तो यह विष का काम करता है। अतः भोजन के बीच–बीच में पानी पीते रहना चाहिए, तुरन्त बाद नहीं।

ज्ञान को व्यवहार में लाएँ–

हतं ज्ञानं क्रियाहीनं हतश्चाज्ञानतो नरः ।
हतं निर्णायकं सैन्यं स्त्रियों नष्टा ह्यभर्तृकाः ।।८।।

आचार्य चाणक्य कहते हैं कि जिस ज्ञान पर आचरण न किया जाए, वह ज्ञान नष्ट हो जाता है। अज्ञान से मनुष्य का नाश हो जाता है। सेनापति रहित सेना तथा बिना पति के स्त्री नष्ट हो जाती है।

आशय यह है कि ज्ञान को व्यवहार में लाना चाहिए। ऐसा न करने पर वह ज्ञान नष्ट हो जाता है। अज्ञानी मनुष्य, बिना सेनापति की सेना तथा पति के बिना स्त्री नष्ट हो जाती है।

इसे विडम्बना ही समझें-

वृद्धकाले मृता भार्या बन्धुहस्तगतं धनम् ।
भोजनं च पराधीनं तिस्त्रः पुंसां विडम्बना ।।९।।

आचार्य चाणक्य कहते हैं कि बुढ़ापे में पत्नी की मृत्यु, धन का भाइयों के हाथ में चला जाना, भोजन के लिए भी पराधीनता, इसे पुरुष के लिए विडम्बना ही समझे।

आशय यह है कि व्यक्ति के बुढ़ापे में पत्नी का मरना बड़े दुर्भाग्य की बात है। बुढ़ापे में पत्नी ही व्यक्ति की साथी होती है। धन पर भाइयों का कब्जा हो जाने पर व्यक्ति केवल कसमसाकर रह जाता है। और इस प्रकार की बेबसियां तो सही जा सकती हैं, किन्तु भोजन के लिए भी विवश होना, दूसरे का मुँह ताकना–इस मजबूरी को आप क्या कहेंगे? इन तीन दुःखों में व्यक्ति का जीना भी दूभर हो जाता है।

शुभ कर्म करें-

नाग्निहोत्रं विना वेदा न च दानं विना क्रिया ।
न भावेन विना सिद्धिस्तस्माद् भावो हि कारणम् ।।१०।।

आचार्य चाणक्य का कथन है कि अग्निहोत्र, यज्ञ–यज्ञादि के बिना वेदों का अध्ययन निरर्थक है तथा दान के बिना यज्ञ याज्ञादि शुभ कर्म सम्पन्न नहीं होते, जिसके बिना यज्ञ पूर्ण ही नहीं माना जाता, किन्तु यदि दान बिना श्रद्धा–भाव के केवल दिखलावे के लिए हो तो उससे कभी अभीष्ट कार्य की सिद्धि नहीं होती। अर्थात् मनुष्य की भावना की प्रधान होती है। शुद्ध भावना से किए गए यज्ञ–याज्ञादि से ही मनुष्य को निश्चित रूप से अभीष्ट लाभ होता है, अतः श्रद्धा–भाव से ही शुभकर्मों का सम्पादन करना चाहिए।

आचार्य चाणक्य यहाँ श्रेष्ठ मानव की महत्ता का प्रतिपादन करते हुए कहते हैं कि देवता का वास न लकड़ी में है और न ही पत्थर में। वस्तुतः देवता का निवास तो मनुष्य की भावना में होता है, उसके हृदय में होता है। यदि भावना है तो देवमूर्ति साक्षात् देव है, वरना तो साधारण लकड़ी–पत्थर के अतिरिक्त उसमें कुछ नहीं। इस प्रकार निश्चित है कि मूर्ति में देवता की प्रतिष्ठा का आधार भावना ही है। भावना ही प्रतिमा में देवबुद्धि उत्पन्न करती है, वही उसका मूल तत्त्व है।

भावना में ही भगवान है–

काष्ठपाषाण धातुनां कृत्वा भावेन सेवनम् ।
श्रद्धया च तथा सिद्धिस्तस्य विष्णोः प्रसादतः ।।११।।

आचार्य चाणक्य यहाँ भी भावना को भगवान् प्राप्ति का महत् साधन बताते हुए कहते हैं कि काष्ठ, पाषाण या धातु की मूर्तियों की भी भावना और श्रद्धा से उपासना करने पर भगवान की कृपा से सिद्धि मिल जाती है।

आशय यह है कि यद्यपि मूर्ति ईश्वर नहीं है, फिर भी यदि कोई सच्ची भावना और श्रद्धा से लकड़ी, पत्थर या किसी भी धातु की मूर्ति की ईश्वर के रूप में पूजा करता है, तो भगवान उस पर अवश्य प्रसन्न होते हैं। उसे अवश्य सफलता मिलती है।

न देवो विद्यते काष्ठे न पाषाणे न मृण्मये ।
भावे ही विद्यते देवस्तस्माद् भावो ही कारणम् ।।१२।।

आचार्य चाणक्य कहते हैं कि ईश्वर न काष्ठ में है, न मिट्टी में। वह केवल भावना में रहता है। अतः भावना ही मुख्य है।

अर्थात् ईश्वर वास्तव में लकड़ी, मिट्टी आदि की मूर्तियों में नहीं है। वह व्यकित की भावना में रहता है। व्यक्ति की जैसी भावना होती है, वह ईश्वर को उसी रूप में देखता है। अतः यह भावना ही सारे संसार का आधार हैं

शांति ही तप है–

शान्तितुल्यं तपो नास्ति न सन्तोषात्परं सुखम् ।
न तृष्णया परो व्याधिर्न च धर्मो दयापरः ।।१३।।

महत्त्वपूर्ण संसाधनों की चर्चा करते हुए आचार्य चाणक्य कहते हैं कि शान्ति के समान कोई तपस्या नहीं हैं, सन्तोष से बढ़कर कोई सुख नहीं है, तृष्णा से बढ़कर कोई व्याधि नहीं है और दया से बढ़कर कोई धर्म नहीं है।

अर्थात् अपने मन और इन्द्रियों को शान्त रखना ही सबसे बड़ी तपस्या है। सन्तोष ही सबसे बड़ा सुख है, मनुष्य की इच्छाएं सबसे बड़ा रोग हैं, जिनका कोई इलाज नहीं हो सकता और सब पर दया करना ही सबसे बड़ा धर्म है।

सन्तोष बड़ी चीज है–

क्रोधो वैवस्वतो राजा तृष्णा वैतरणी नदी ।
विद्या कामदुधा धेनुः संतोषा नन्दनं वनम् ।।१४।।

आचार्य चाणक्य यहाँ क्रोध, तृष्णा के सापेक्ष विद्या व सन्तोष की प्रतीकात्मक महत्ता प्रतिपादित करते हुए कहते हैं कि क्रोध यमराज है, तृष्णा वैतरणी नदी है, विद्या कामधेनु है और सन्तोष नन्दन वन है।

आशय यह है कि क्रोध मनुष्य का सबसे बड़ा शत्रु है, इसे यमराज के समान भयंकर समझना चाहिए। तृष्णा अर्थात् इच्छाएं वैतरणी नदी के समान हैं, इनसे छूट पाना बड़ा कठिन काम है। विद्या कामधेनु के समान सभी इच्छाओं को पूरा करने वाली है। सन्तोष परम सुख देने वाले नन्दन वन के समान है।

इनसे शोभा बढ़ती है–

गुणो भूषयते रूपं शीलं भूषयते कुलम् ।
सिद्धिर्भूषयते विद्यां भोगो भूषयते धनम् ।।१५।।

यहाँ आचार्य चाणक्य शोभाकारक तत्त्वों की चर्चा करते हुए कहते हैं कि गुण रूप की शोभा बढ़ाते हैं, शील–स्वभाव कुल की शोभा बढ़ाता है, सिद्धि विद्या की शोभा बढ़ाती है और भोग करना धन की शोभा बढ़ाता है।

अर्थात् गुणवान व्यक्ति के गुण ही उसकी सुन्दरता होते हैं। अच्छा आचरण कुल का नाम ऊँचा करके उसकी सुन्दरता बढ़ाता है। किसी भी विषय–विद्या में निपुणता प्राप्त करने पर ही विद्या सार्थक होती है। यही विद्या की शोभा है। धन का भोग करना ही धन की शोभा है।

दुर्गुण सद्गुणों को खा जाते है।–

निर्गुणस्य हतं रूपं दुःशीलस्य हतं कुलम् ।
असिद्धस्य हता विद्या अभोगस्य हत धनम् ।।१६।।

आचार्य चाणक्य दुर्गुणों के कारण सद्गुणों के नाश की चर्चा करते हुए कहते हैं कि गुणहीन का रूप, दुराचारी का कुल तथा अयोग्य व्यक्ति की विद्या नष्ट हो जाती है। धन का भोग न करने से धन नष्ट हो जाता है।

आशय यह है कि व्यक्ति कितना ही सुन्दर रूपवाला हो–यदि गुणवान न हो, तो उसे सुन्दर नहीं कहा जाता। बुरे चाल–चलनवाला व्यक्ति अपने खानदान को बदनाम कर देता है। अयोग्य व्यक्ति विद्या का सदुपयोग नहीं कर पाता। जो व्यक्ति अपने धन का कोई भी भोग नहीं करता उस धन को नष्ट ही समझना चाहिए। इसीलिए कहा गया है कि दुराचारी का कुल, मूर्ख का रूप, अयोग्य की विद्या तथा भोग न करने वाले का धन नष्ट हो जाता है।

इन्हें शुद्ध जानें–

शुद्धं भूमिगतं तोयं शुद्धा नारी पतिव्रता ।
शुचिः क्षेमकरो राजा सन्तोषी ब्राह्मण शुचिः ।।१७।।

आचार्य चाणक्य यहाँ शुद्धता की चर्चा करते हुए कहते हैं कि भूमिगत जल शुद्ध होता है, पतिव्रता स्त्री शुद्ध होती है, प्रजा का कल्याण करने वाला राजा शुद्ध होता है तथा सन्तोषी ब्राह्मण शुद्ध होता है।

आशय यह है कि भूमि के नीचे रहने वाला पानी, पतिव्रता स्त्री, प्रजा के सुख–दुःख का ध्यान रखने वाला राजा तथा सन्तोष करने वाला ब्राह्मण स्वयं शुद्ध माने जाते हैं।

दुर्गुणों का दुष्प्रभाव–

असन्तुष्टा द्विजा नष्टाः सनतुष्टाश्च महीपतिः ।
सलज्जा गणिका नष्टानिर्लज्जाश्च कुलांगनाः ।।१८।।

आचार्य चाणक्य यहाँ उन दुर्गुणों की चर्चा कर रहे हैं जो दुष्प्रभावी होते हैं। इस तरह देखें तो असन्तुष्ट ब्राह्मण तथा सन्तुष्ट राजा नष्ट हो जाते हैं। लज्जा करने वाली वेश्या तथा निर्लज्ज कुलीन घर की बहू नष्ट हो जाती है।

आशय यह है कि ब्राह्मण को सन्तोषी होना चाहिए, जो ब्राह्मण सन्तोषी नहीं होता उसका नाश हो जाता है। राजा को धन एवं राज्य से सन्तोष नहीं करना चाहिए। इनसे सन्तुष्ट होने वाला राजा नष्ट हो जाता है। वेश्या का पेशा ही निर्लज्जता का है, अतः लज्जा करने वाली वेश्या नष्ट हो जाती है। गृहिणियों–कुलवधुओं या किसी भी घर की बहू–बेटियों में लज्जा होना आवश्यक है। लज्जा उनका सबसे बड़ा आभूषण (गहना) माना गया है। निर्लज्ज गृहिणियाँ नष्ट हो जाती हैं।

विद्वान् सब जगह पूजा जाता है–

किं कुलेन विशालेन विद्याहीने च देहिनाम् ।
दुष्कुलं चापि विदुषो देवैरपि हि पूज्यते ।।१६।।

विद्वान की महत्ता बताते हुए आचार्य कहते हैं कि विद्याहीन होने पर विशाल कुल का क्या करना? विद्वान् नीच कुल का भी हो, तो देवताओं द्वारा भी पूजा जाता है।

आशय यह है कि विद्वान् का ही सम्मान होता है, खानदान का नहीं। नीच खानदान में जन्म लेने वाला व्यक्ति यदि विद्वान हो, तो उसका सभी सम्मान करते हैं।

विद्वान् प्रशस्यते लोके विद्वान् सर्वत्र गौरवम् ।
विद्यया लभते सर्वं विद्या सर्वत्र पूज्यते ।।२०।।

आचार्य चाणक्य विद्वान् की प्रशंसा करते हुए कहते हैं कि विद्वान् की लोक में प्रशंसा होती है, विद्वान् को सर्वत्र गौरव मिलता है, विद्या से सब कुछ प्राप्त होता है और विद्या की सर्वत्र पूजा होती है।

आशय यह है कि विद्या के कारण ही मनुष्य को समाज में आदर, प्रशंसा, मान–सम्मान तथा जो कुछ भी वह चाहे, सब मिल जाता है, क्योंकि विद्या का सभी सम्मान करते हैं।

मांसभक्ष्यैः सुरापानैमूर्खैश्छास्त्रवर्जितैः ।
पशुभिः पुरुषाकारैण्क्रांताऽस्ति च मेदिनी ।।२१।।

मनुष्य के दुर्गुणों में लिप्त होने पर उसकी स्थिति का प्रतिपादन करते हुए आचार्य कहते हैं कि मांसाहारी, शराबी तथा मूर्ख, पुरुष के रूप में पशु है। इनके भार से पृथ्वी दबी जा रही है।

आशय यह है कि मांस खानेवाले, शराबी तथा मूर्ख, इन तीनों को पशु समझना चाहिए। भले ही इनका शरीर मनुष्य का होता है। मनुष्य के आकारवाले ये पशु पृथ्वी के लिए भार जैसे हैं।

इनसे हानि ही होती है–

अन्नहीनो दहेद्राष्ट्रं मन्त्रहीनश्च ऋत्विजः ।
यजमानं दानहीनो नास्ति यज्ञसमो रिपुः ।।२२।।

आचार्य चाणक्य हानिप्रद कारणों की चर्चा करते हुए कहते हैं कि अन्नहीन राजा राष्ट्र को नष्ट कर देता है। मन्त्रहीन ऋत्विज तथा दान न देने वाला यजमान भी राष्ट्र को नष्ट करते हैं। इस प्रकार के ऋत्विजों से यज्ञ कराना और ऐसे यजमान का होना फिर इनका यज्ञ करना राष्ट्र के साथ शत्रुता है।

अर्थात् जिस राजा के राज्य में अन्न की कमी हो, जो ऋत्विज (यज्ञ के ब्राह्मण) यज्ञ के मन्त्र न जानते हों तथा जो यजमान यज्ञ में दान न देता हो, ऐसा राजा, ऋत्विज तथा यजमान तीनों ही राष्ट्र को नष्ट कर देते हैं। इनका यज्ञ करना राष्ट्र के साथ शत्रुता दिखाना है।

अनाज न होने पर यज्ञ किया जात है। यज्ञ के ब्राह्मण विद्वान होने चाहिए, उन्हें यज्ञ के मन्त्रों का पूरा ज्ञान हो। यज्ञ के बाद यजमान ब्राह्मणों को दक्षिणा देता है। यदि मन्त्रहीन ब्राह्मण और दक्षिणा न देने वाला यजमान यज्ञ कराए तो यह राष्ट्र का सबसे बड़ा शत्रु कहा गया है।

नवम अध्याय

मोक्ष-

मुक्तिमिच्छसि चेतात विषयान् विषवत् त्यज ।
क्षमाऽऽर्जवदयाशौचं सत्यं पीयूषवत् पिब ।।१।।

आचार्य चाणक्य यहाँ मोक्ष के लिए अपेक्षित स्थितियों की चर्चा करते हुए कहते हैं कि हे प्रिय! यदि तुम मुक्ति चाहते हो तो विषयों को विष समझकर इनका त्याग कर दो। क्षमा, आर्जव, दया, पवित्रता, सत्य आदि गुणों का अमृत के समान पान करो।

आशय यह है कि यदि कोई मनुष्य मोक्ष चाहता है, तो सबसे पहले उसे अपनी इन्द्रियों के विषयों को विष मानकर इनका त्याग कर देना चाहिए। अर्थात् उसे अपनी सारी इच्छाओं–बुराइयों को त्याग देना चाहिए। फिर क्षमा, दया आदि गुणों को अपनाना चाहिए तथा सच्चाई की राह पर चलते हुए अपनी आत्मा को पवित्र करना चाहिए। तभी मोक्ष मिल सकता है।

परस्परस्य मर्माणि ये भाषन्ते नराधमाः ।
ते एव विलयं यान्ति वल्मीकोदरसर्पवत् ।।२।।

आचार्य कहते हैं कि जो व्यक्ति परस्पर एक–दूसरे की बातों को अन्य लोगों को बता देते हैं वे बांबी के अन्दर के सांप के समान नष्ट हो जाते हैं।

अर्थात् जो दुष्ट पहले तो एक दूसरे को अपने भेद बता देते हैं और फिर उन भेदों को अन्य लोगों को बता देते हैं, ऐसे लोग उस सांप के समान नष्ट हो जाते हैं, जो अपने बिल के अन्दर ही मारा जाता है जिसे बचने का कोई अवसर ही नहीं मिलता।

विडम्बना–

गन्धं सुवर्णे फलमिक्षुदण्डे
नाकारिपुष्पं खलु चन्दनस्य ।
विद्वान धनी भूपतिदीर्घजीवी
धातु पुरा कोऽपि न बुद्धिदोऽभूत् ।।३।।

महत् गुणी वस्तु में प्रदर्शन का गुण नहीं होता इसकी चर्चा करते हुए आचार्य कहते हैं कि सोने में सुगंध, गन्ने में फल, चन्दन में फूल नहीं होते। विद्वान धनी नहीं होता और राजा दीर्घजीवी नहीं होते। क्या ब्रह्मा को पहले किसी ने यह बुद्धि नहीं दी?

आशय यह है कि सोना कीमती धातु है, किन्तु इसमें सुगन्ध नहीं होती। गन्ने में मिठास होती है, पर इसमें फल नहीं लगते। चन्दन में सुगन्ध है, पर फूल नहीं आते। विद्वान व्यक्ति निर्धन होते हैं और राजाओं को लम्बी उम्र नहीं होती। क्या सृष्टि बनाने वाले ब्रह्मा को इन सब बातों की सलाह पहले किसी ने न दी होगी?

सबसे बड़ा सुखः

सर्वौषधीनाममममृतं प्रधानं
सर्वेषु सौख्येष्वशनं प्रधानम् ।
सर्वेन्द्रियाणां नयनं प्रधानं
सर्वेषु गात्रेषु शिरः प्रधानम् ।।४।।

आचार्य चाणक्य यहाँ वस्तु की सामान्य में महत्ता प्रतिपादित करते हुए कहते हैं कि सभी औषधियों में अमृत (गिलोय) प्रधान है। सभी सुखों में भोजन प्रधान है। सभी इन्द्रियों में आँखें मुख्य हैं। सभी अंगों में सिर महत्त्वपूर्ण है।

आशय यह है कि औषधियों में गिलोय महत्त्वपूर्ण है। भोजन करने और उसे पचाने की शक्ति सदा बनी रहे यही सबसे बड़ा सुख है। हाथ, कान, नाक आदि सभी इन्द्रियों में आँखें सबसे आवश्यक हैं। सिर शरीर का सबसे महत्त्व वाला अंग है।

विद्या का सम्मान-

दूतो न सञ्चरित खे न चलेच्च वार्ता
    पूर्वं न जल्पितमिदं न च संगमोऽस्ति ।
व्योम्निस्मिं रविशशिग्रहणं प्रशस्तं
    जानाति यो द्विजवरः स कथं न विद्वान् ।।५।।

आचार्य चाणक्य का कहना है कि आकाश में न तो कोई दूत ही जा सकता है और न उससे कोई वार्ता ही हो सकती है, न तो पहले से किसी ने बताया है और न वहाँ किसी से मिल ही सकते हैं। फिर भी विद्वान् लोग सूर्य और चन्द्र-ग्रहण के विषय में पहले ही बता देते हैं। ऐसे लोगों को कौन विद्वान नहीं कहेगा।

आशय यह है कि विद्वान लोग पहले ही गणित-विद्या से सूर्य और चन्द्रमा के ग्रहणों के बारे में बता देते हैं। न तो आकाश में कोई आदमी भेजा जा सकता है, न वहाँ किसी के साथ बात की जा सकती है, न कोई सूर्य या चन्द्रमा से मिल सकता है और न किसी ने पहले से यह बताया ही है कि ये ग्रहण कब पड़ेंगे। इस प्रकार के ज्ञानी विद्वानों का कौन सम्मान नहीं करेगा।

इन्हें सोने न दें-

विद्यार्थी सेवकः पान्थः क्षुधार्तो भयकातरः ।
भाण्डारी च प्रतिहारी सप्तसुप्तान् प्रबोधयेत ।।६।।

आचार्य चाणक्य सोते से जगाने वाले पात्रों की चर्चा करते हुए कहते हैं कि विद्यार्थी, सेवक, पथिक, भूख से दुःखी, भयभीत, भाण्डारी, द्वारपाल–इन सातों को सोते हुए से जगा देना चाहिए।

आशय यह है कि विद्यार्थी को, नौकर को, रास्ते में सोये हुए राहगीर को, भूखे व्यक्ति को, किसी बात से अत्यन्त डरे हुए को, किसी गोदाम आदि के रक्षक–चौकीदार को तथा द्वारपाल (गेटकीपर) को सोने नहीं देना चाहिए। यदि ये सोये हुए हों, तो इन्हें जगा देना चाहिए।

इन्हें जगाएं नहीं-

अहिं नृपं च शार्दूलं वराटं बालकं तथा ।
परश्वानं च मूर्खं च सप्तसुप्तान्न बोधयेत् ।।७।।

यहाँ आचार्य चाणक्य का कहना है कि सांप, राजा, शेर, बर्र, बच्चा, दूसरे का कुत्ता तथा मूर्ख इनको सोए से नहीं जगाना चाहिए।

आशय यह है कि यदि सांप, राजा, शेर, बर्र (ततैया), बच्चा, किसी दूसरे व्यक्ति का कुत्ता और मूर्ख–ये सात सोए हुए हों, तो इन्हें सोए रहने दें। इन्हें उठाना अच्छा नहीं रहता।

इनसे कोई हानि नहीं-

अर्थाधीताश्च यैर्वेदास्तथा शूद्रान्नभोजिनः ।
ते द्विजाः किं करिष्यन्ति निर्विषा इव पन्नगाः ।।८।।

आचार्य चाणक्य का कहना है कि धन के लिए वेदों का अध्ययन करने वाला, शुद्रों का अन्न खाने वाला ब्राह्मण विषहीन सांप के समान है, ऐसे ब्राह्मण का क्या करेंगे।

आशय यह है कि वेदों का अध्ययन ज्ञान प्राप्त करने के लिए किया जाता है, किन्तु जो ब्राह्मण धन कमाने के लिए वेद पढ़ता है तथा शूद्रों का अन्न खाता है, वह ब्राह्मण विषहीन सांप के समान होता है। ऐसा ब्राह्मण अपने जीवन में कोई अच्छा काम नहीं कर सकता।

इनसे न डरें-

यस्मिन् रुष्टे भयं नास्ति तुष्टे नैव धनागमः ।
निग्रहोऽनुग्रहो नास्ति स रुष्टः किं करिष्यति ।।९।।

आचार्य चाणक्य यहाँ कहते हैं कि जिसके रुष्ट होने पर कोई भय नहीं होता और न प्रसन्न होने पर धन ही मिलता है, जो किसी को दण्ड नहीं दे सकता तथा न किसी पर कृपा कर सकता है, ऐसा व्यक्ति रुष्ट होने पर क्या लेगा?

आशय यह है कि जो व्यक्ति किसी ऊँचे पद पर न हो और धनवान भी न हो, ऐसा व्यक्ति रूठ जाने पर किसी का क्या बिगाड़ लेगा और प्रसन्न हो जाने पर किसी को क्या दे देगा? ऐसे व्यक्ति का रूठना या खुश हो जाना कोई माने नहीं रखता।

आडम्बर भी आवश्यक है-

निर्विषेणापि सर्पेण कर्तव्या महती फणा ।
विषमस्तु न वाप्यस्तु घटाटोपो भयंकरः ।।१०।।

यहाँ आचार्य चाणक्य आडम्बर की चर्चा करते हुए कहते हैं कि विषहीन सांप को भी अपने फन को फैलाना ही चाहिए। विष हो या न हो, इससे लोगों को भय तो होता ही है।

आशय यह है कि चाहे सांप में विष हो या न हो; इसे कौन जानता है, किन्तु फन उठाये हुए सांप को देखकर लोग डर अवश्य जाते हैं। विषहीन सांप को भी अपनी रक्षा के लिए फन फैलाना ही

पड़ता है। समाज में जीवित रहने के लिए व्यक्ति को कुछ दिखावा या क्रोध भी करना ही पड़ता है।

महापुरुषों का जीवन-

प्राप्त द्यूतप्रसंगेन मध्याह्ने स्त्रीप्रसंगतः ।
रात्रौ चौरप्रसंगेन कालो गच्छति धीमताम् ।।११।।

महापुरुषों की जीवन चर्या बताते हुए आचार्य कहते हैं कि विद्वानों का प्रातःकाल का समय जुए के प्रंसग (महाभारत की कथा) में बीतता है, दोपहर का समय स्त्री–प्रसंग (रामायण की कथा) में बीतता है, रात्रि में उनका समय चोर–प्रसंग (कृष्ण–कथा) में बीतता है। यही महान् पुरुषों की जीवनचर्या होती है।

आशय यह है कि विद्वान महापुरुष प्रातःकाल जुए की कथा (महाभारत) का अध्ययन करते हैं। इस कथा से जुआ, छल–कपट आदि की बुराइयों का ज्ञान होता है। दोपहर में वे स्त्री–कथा, अर्थात् रामायण का अध्ययन करते हैं। रामायण में रावण की स्त्री के प्रति आसक्ति का वर्णन है। यही आसक्ति रावण के विनाश का कारण बनी। इस कथा से शिक्षा मिलती है कि व्यक्ति को इन्द्रियों का दास नहीं बनना चाहिए। इन्द्रियों का दास बनकर परायी स्त्री पर बुरी नजर डालने से ही रावण का नाश हुआ था। रात्रि में महापुरुष भगवान् कृष्ण की कथा का अध्ययन करते हैं।

तात्पर्य यह है कि महापुरुषों की दिनचर्या एक नियमित समय–सारिणी के अनुसार चलती है। वे सदा ज्ञान प्राप्त करने में लगे रहते हैं।

सौंदर्य ह्रास-

स्वहस्तग्रथिता माला स्वहस्तघृष्टचन्दनम् ।
स्वहस्तलिखितंस्तोत्रं शक्रस्यापि श्रियं हरेत् ।।१२।।

यहाँ आचार्य चाणक्य का कहना है कि अपने हाथ से गुंथी माला, अपने हाथ से घिसा चन्दन तथा स्वयं अपने हाथों से लिखा स्तोत्र इन्द्र की शोभा को भी हर लेते हैं।

आशय यह है कि अपने हाथ से बनायी माला नहीं पहननी चाहिए और स्वयं घिसा हुआ चन्दन अपने शरीर में नहीं लगाना चाहिए। ऐसा करने पर किसी भी व्यक्ति की सुन्दरता घट जाती है। अपने हाथ से लिखे मन्त्र या पुस्तक से पूजा नहीं करनी चाहिए। ऐसा करने से पूजा का फल नहीं मिलता और हानि भी होती है।

मर्दन–

इक्षुदण्डास्तिलाः शूद्रा कान्ताकाञ्चनमेदिनी ।
चन्दनं दधि ताम्बूलं मर्दनं गुणवर्धनम् ।।१३।।

आचार्य चाणक्य यहाँ दबाए जाने की गुणवत्ता प्रतिपादित करते हुए कहते हैं कि ईख, तिल, शूद्र, पत्नी, सोना, पृथ्वी, चन्दन, दही तथा ताम्बूल (पान) इनके मर्दन से ही गुण बढ़ते हैं।

आशय यह है कि गन्ने को और तिलों को पेरे जाने से, शुद्र से सेवा कराने से, स्त्री से सम्भोग करने से, सोने को पीटे जाने से, पृथ्वी में परिश्रम करने से, चन्दन को घिसे जाने से, दही को मथे जाने से तथा पान को चबाने से ही इन सबके गुण बढ़ते हैं।

उपचार गुण–

दरिद्रता धीरतया विराजते।
कुवस्त्रता स्वच्छतया विराजते ।
कदन्नता चोष्णतया विराजते
कुरुपता शीलतया विराजते ।।१४।।

आचार्य चाणक्य यहाँ सापेक्ष गुण प्रभाव की चर्चा करते हुए कहते हैं कि धीरज से निर्धनता भी सुन्दर लगती है, साफ रहने पर मामूली

वस्त्र भी अच्छे लगते हैं, गर्म किए जाने पर बासी भोजन भी सुन्दर जान पड़ता है और शील–स्वभाव से कुरूपता भी सुन्दर लगती है।

आशय यह है कि धीर–गंभीर रहने पर व्यक्ति अपनी गरीबी में भी सुख से रह लेता है। स्वच्छता से पहने जाने पर साधारण कपड़े भी अच्छे लगते हैं। बासी भोजन गर्म किए जाने पर स्वादिष्ट लगता है। यदि कुरूप व्यक्ति अच्छे आचरण एवं स्वभाव वाला हो, तो सभी उससे प्रेम करते हैं। गुणों से, कमियों में भी निखार आ जाता है।

दशम् अध्याय

विद्या अर्थ से बड़ा धन–

धनहीनो न च हीनश्च धनिक स सुनिश्चयः ।
विद्या रत्नेन हीनो यः स हीनः सर्ववस्तुषु ।।१।।

आचार्य चाणक्य यहाँ विद्या को अर्थ से बड़ा धन प्रतिपादित करते हुए कहते हैं कि धनहीन व्यक्ति हीन नहीं कहा जाता। उसे धनी ही समझना चाहिए। जो विद्यारत्न से हीन है, वस्तुतः वह सभी वस्तुओं में हीन है।

आशय यह है कि विद्वान व्यक्ति यदि निर्धन है, तो उसे हीन नहीं माना जाता, बल्कि वह श्रेष्ठ ही माना जाता है। विद्याहीन मनुष्य सभी गुणों से हीन ही कहा जाता है। चाहे वह धनी ही क्यों न हो, क्योंकि विद्या से गुण अथवा हुनर से व्यक्ति अर्थोपार्जन कर सकता है। इसलिए व्यक्ति को चाहिए कि वह विद्या का उपार्जन करे, कोई हुनर सीखे जिससे उसे धन की प्राप्ति हो और वह अपने जीवन को अवश्यकतानुसार चला सके।

सोच विचार कर कर्म करें–

दृष्टिपूतं न्यसेत् पादं वस्त्रपूतं जलं पिबेत् ।
शास्त्रपूतं वदेद् वाक्यं मनःपूतं समाचरेत् ।।२।।

यहाँ आचार्य चाणक्य कर्म के प्रतिपादन की चर्चा करते हुए कहते हैं कि आँख से अच्छी तरह देख कर पाँव रखना चाहिए, जल वस्त्र से छानकर पीना चाहिए। शास्त्रों के अनुसार ही बात कहनी चाहिए तथा जिस काम को करने की मन आज्ञा दे, वही करना चाहिए।

आशय यह है कि अच्छी तरह देखकर ही कहीं पर पाँव रखना चाहिए, कपड़े से छना हुआ ही पानी पीना चाहिए, मुँह से कोई गलत बात नहीं निकालनी चाहिए और पवित्र मन जिस काम में गवाही दे वही करना चाहिए। देखने की बात यह है कि ध्यानपूर्वक (कर्म से पूर्व विचारकर) आचरण करने से सावधानीपूर्वक कर्म की प्रक्रिया पूरी होती है। इसमें सन्देह के लिए अवकाश ही नहीं रहता।

सुखार्थी चेत् त्यजेद्विद्यां विद्यार्थी चेत् त्यजेत्सुखम् ।
सुखार्थिनः कुतो विद्या कुतो विद्यार्थिनः सुखम् ।।३।।

आचार्य चाणक्य कहते हैं कि यदि सुखों की इच्छा है, तो विद्या त्याग दो और यदि विद्या की इच्छा है, तो सुखों का त्याग कर दो। सुख चाहने वाले को विद्या कहाँ तथा विद्या चाहने वाले को सुख कहाँ।

आशय यह है कि विद्या बड़ी मेहनत से प्राप्त होती है। विद्या प्राप्त करना तथा सुख प्राप्त करना, दोनों बातें एक साथ नहीं हो सकतीं। जो सुख–आराम चाहता है, उसे विद्या को छोड़ना पड़ता है और जो विद्या प्राप्त करना चाहता है, उसे सुख–आराम छोड़ना पड़ता है।

कवयः किं न पश्यन्ति किं न कुर्वन्ति योषितः ।
मद्यपा किं न जल्पन्ति किं न खादन्ति वायसाः ।।४।।

आचार्य चाणक्य व्यक्ति की अपेक्षा (सीमा) से अधिक कल्पना व कर्म की चर्चा करते हुए कहते हैं कि कवि क्या नहीं देखते? स्त्रियाँ क्या नहीं करतीं? शराबी क्या नहीं बकते? तथा कौए क्या नहीं खाते?

आशय यह है कि अपनी कल्पना से कवि लोग सूर्य से भी आगे पहुँच जाते हैं। वे जो न सोचें, वही कम है। स्त्रियाँ हर अच्छा–बुरा

काम कर सकती हैं। शराबी नशे में जो न बके वही कम है; वह कुछ भी बक सकता है। कौए हर अच्छी–गन्दी वस्तु खा जाते हैं।

भाग्य–

रंकं करोति राजानं राजानं रंकमेव च ।
धनिनं निर्धनं चैव निर्धनं धनिनं विधिः ।।५।।

आचार्य चाणक्य यहाँ भाग्य की चर्चा करते हुए कहते हैं कि भाग्य रंक को राजा तथा राजा को रंक बना देता है। धनी को निर्धन तथा निर्धन को धनी बना देता है।

आशय यह है कि भाग्य बड़ा बलवान होता है। यह एक भिखारी को पल भर में राजा बना देता है तथा एक ही पल में राजा को रंक भी बना देता है। भाग्य के विपरीत हो जाने पर एक सम्पन्न व्यक्ति को निर्धन बनने में कभी देरी नहीं लगती और भाग्य अच्छा होने पर मामूली–सा इन्सान भी पलक झपकते ही धन्ना सेठ बन जाता है। और यह सब भाग्य का खेल है। कर्म के बाद फल काफी कुछ भाग्य पर निर्भर करता है।

लोभी से कुछ न माँगें–

लुब्धानां याचकः शत्रुर्मूर्खाणां बोधकः रिपुः ।
जारस्त्रीणां पतिः शत्रुश्चौराणां चन्द्रमा रिपुः ।।६।।

आचार्य चाणक्य कहते हैं कि लोभी व्यक्तियों के लिए भीख, चन्दा तथा दान मांगने वाले व्यक्ति शत्रु रूप होते हैं, क्योंकि मांगने वाले को देने के लिए उन्हें अपनी गांठ के धन को छोड़ना पड़ता है। इसी प्रकार मूर्खों को भी समझाने–बुझाने वाला व्यक्ति अपना दुश्मन लगता है, क्योंकि वह उनकी मूर्खता का समर्थन नहीं करता। दुराचारिणी स्त्रियों के लिए पति ही उनका शत्रु होता है, क्योंकि उसके कारण उनकी आजादी और स्वच्छन्दता में बाधा पड़ती है। चोर चन्द्रमा को

अपना शत्रु समझते हैं, क्योंकि उन्हें अंधेरे में छिपना सरल होता है, चाँद की चाँदनी में नहीं।

बन्दर और बया की कहानी भी मूर्खों की सीख देने का परिणाम बताती है कि मूर्खों से हानि ही होती है लाभ नहीं। इसलिए मूर्ख को सीख देने और लोभी से कुछ मांगने की भूल कभी नहीं करनी चाहिए वरना दुःख एवं निराशा ही हाथ लगेगी।

गुणहीन नर पशु समान–

येषां न विद्या न तपो न दानं
न चापि शीलं न गुणो न धर्मः ।
ते मर्त्यलोके भुवि भारभूता
मनुष्यरूपेण मृगाश्चरन्ति ।।७।।

आचार्य चाणक्य यहाँ विद्या, दान, शील आदि गुणों से हीन व्यक्ति की निरर्थकता की चर्चा करते हुए कहते हैं कि जिनमें विद्या, तपस्या, दान देना, शील, गुण तथा धर्म में से कुछ भी नहीं है, वे मनुष्य पृथ्वी पर भार हैं। वे मनुष्य के रूप में पशु हैं, जो मनुष्यों के बीच में घूमते रहते हैं।

आशय यह है कि जो मनुष्य विद्या का अध्ययन नहीं करता अर्थात् जो मूर्ख हैं, जो तपस्या नहीं करता; जो किसी को कभी कुछ नहीं देता, जिसका आचरण और स्वभाव अच्छा नहीं है, जिसमें कोई भी सद्गुण नहीं हैं तथा जो पुण्य–धर्म नहीं करता–जिसमें इनमें से एक भी अच्छाई नहीं हो, ऐसे लोग बेकार ही पृथ्वी का भार बढ़ाते हैं। ऐसे लोगों को मनुष्य के रूप में घूमने वाला पशु ही समझना चाहिए।

उपदेश सुपात्र को ही दें–

अन्तःसार विहीनानामुपदेशो न जायते ।
मलयाचलसंसर्गात् न वेणुश्चन्दनायते ।।८।।

आचार्य चाणक्य यहाँ उपदेश देने के लिए सुपात्र की महत्ता की चर्चा करते हुए कहते हैं कि जो व्यक्ति अन्दर से खोखले हैं और उनके भीतर समझने की शक्ति नहीं है, ऐसे व्यक्तियों को उपदेश देने का कोई लाभ नहीं, क्योंकि वे बेचारे समझने की शक्ति के अभाव के कारण शायद चाहते हुए भी कुछ समझ नहीं पाते। जैसे मलयाचल पर उगने पर भी तथा चन्दन का साथ रहने पर भी बांस सुगन्धित नहीं हो जाते, ऐसे ही विवेकहीन व्यक्तियों पर भी सज्जनों के संग का कोई प्रभाव नहीं पड़ता।

वस्तुतः प्रभाव तो उन लोगों पर पड़ता है जिनमें कुछ सोचने–समझने या ग्रहण करने की शक्ति होती है। जिसके पास स्वयं सोचते–समझने की बुद्धि नहीं, वह किसी दूसरे के गुणों को क्या ग्रहण करेगा।

यस्य नास्ति स्वयं प्रज्ञा शास्त्रं तस्य करोति किम् ।
लोचनाभ्यां विहीनस्य दर्पणः किं करिष्यति ।।९।।

आचार्य चाणक्य कहते हैं कि जो लोग शास्त्र को समझने की बुद्धि नहीं रखते, शास्त्र उनका कैसे और क्या कल्याण कर सकता है? जैसे जिसके दोनों नेत्रों में ज्योति ही नहीं है, जो जन्म से अन्धा है, वह दर्पण में अपना मुख किस प्रकार देख सकता है? अतः जिस प्रकार दर्पण अन्धे व्यक्ति के लिए किसी काम का नहीं तो इसमें दर्पण को कोई दोष नहीं दिया जा सकता।

इसी प्रकार बुद्धिहीन व्यक्ति के लिए शास्त्र है। शास्त्र बुद्धिहीन व्यक्ति का किसी भी प्रकार उद्धार नहीं कर सकता। शास्त्र अथवा शिक्षा भी उसी को लाभ पहुँचा सकती है जो अपनी बुद्धि के प्रयोग से उन्हें समझ सके।

दुर्जनं सज्जनं कर्तुमुपायो न हि भूतले ।
अपानं शतधा धौतं न श्रेष्ठमिन्द्रियं भवेत् ।।१०।।

आचार्य चाणक्य कहते हैं कि मल का त्याग करने वाली इन्द्रिय को चाहे जितनी बार भी स्वच्छ किया जाए, साबुन–पानी से सैकड़ों

बार धोया जाए फिर भी वह स्पर्श करने योग्य नहीं बन पाती, उसी प्रकार दुर्जन को समझाया–बुझाया जाए, वह सज्जन नहीं बन सकता।

आशय यह है कि इस संसार में दुर्जन को सुधारने का प्रयास निरर्थक ही है, क्योंकि ऐसा कोई साधन नहीं, जिससे उसे सुधारा जा सके। यह बात बिलकुल ऐसी ही प्रतीत होती है कि कुत्ते के पूंछ को कितने ही दिन कांच की नली में दबाकर रखा जाए, परन्तु बाहर निकलने पर वह टेढ़ी ही रहेगी। मूर्ख को कितना ही समझाया जाय, वह मूर्ख ही रहेगा।

आप्तद्वेषाद् भवेन्मृत्युः परद्वेषात्तु धनक्षयः ।
राजद्वेषाद् भवेन्नाशो ब्रह्मद्वेषात्कुलक्षयः ।।११।।

आचार्य चाणक्य कहते हैं कि साधुओं–महात्माओं से शत्रुता करने पर मृत्यु होती है। शत्रु से द्वेष करने पर धन का नाश होता है। राजा से द्वेष–शत्रुता करने पर सर्वनाश हो जाता है और ब्राह्मण से द्वेष करने पर कुल का नाश होता है।

आशय यह है कि साधुओं–महात्माओं, ऋषियों, मुनियों, पूज्य लोगों से द्वेष भावना–शत्रुता रखने से व्यक्ति की मृत्यु हो जाती है। शत्रु से द्वेष करने पर लड़ाई–झगड़े बढ़ते हैं और इससे धन का नाश होता है। राजा से शत्रुता करने पर व्यक्ति का सबकुछ नाश हो जाता है तथा ब्रह्मज्ञानी व्यक्ति से द्वेष करना अपने कुल पर कलंक लगाने के समान है।

निर्धनता अभिशाप है–

वरं वनं व्याघ्रगजेन्द्रसेवितं,
द्रुमालयः पत्रफलाम्बु सेवनम् ।
तृणेषु शय्या शतजीर्णवल्कलं,
न बन्धुमध्ये धनहीनजीवनम् ।।१२।।

आचार्य चाणक्य कहते हैं कि मनुष्य हिंसक जीवों–बाघ, हाथी और सिंह जैसे भयंकर जीवों से घिरे हुए वन में रह ले, वृक्ष पर घर बनाकर, फल–पत्ते खाकर और पानी पीकर निर्वाह कर ले, धरती पर घास–फूस बिछाकर सो ले और फटे–पुराने टुकड़े–टुकड़े हुए वृक्षों की छाल को ओढ़कर शरीर को ढक ले, परन्तु धनहीन होने की दशा में अपने सम्बन्धियों के साथ कभी न रहे, क्योंकि इससे उसे अपमान और उपेक्षा का जो कड़वा घूंट पीना पड़ता है वह सर्वथा असह्य होता है।

आशय यह है कि निर्धन होना बड़ा पाप है। ऐसे में निर्धन व्यक्ति को अपने सगे सम्बन्धियों से जो अपमान सहना पड़ता है बड़ा असह्य होता है।

ब्राह्मण धर्म–

विप्रो वृक्षस्तस्य मूलं सन्ध्या
वेदाः शास्त्रा धर्मकर्माणि पत्रम् ।
तस्मान्मूलं यत्नतो रक्षणीयं
छिन्ने मूले नैव शाखा न पत्रम् ।।१३।।

आचार्य चाणक्य कहते हैं कि विप्र वृक्ष है, सन्ध्या उसकी जड़ है, वेद उसकी शाखाएं हैं और धर्म–कर्म उसके पत्ते हैं इसलिए जड़ की हरसम्भव रक्षा करनी चाहिए। जड़ के टूट जाने पर न तो शाखाएं रहती हैं और न पत्ते।

आशय यह है कि सन्ध्या–पूजा ब्राह्मण का मुख्य कार्य है। ऐसा न करने वाला ब्राह्मण फिर ब्राह्मण नहीं कहा जा सकता। सन्ध्या–पूजा करके ही ब्राह्मण को वेदों का सच्चा ज्ञान होता है। तभी वह धर्म–कर्म भी कर सकता है। अतः उसे सन्ध्या–पूजा अवश्य करनी चाहिए।

घर में ही त्रैलोक्य सुख–

माता च कमला देवी पिता देवो जनार्दनः ।
बान्धवा विष्णुभक्ताश्च स्वदेशो भुवनत्रयम् ।।१४।।

यहाँ आचार्य चाणक्य तीनों लोकों के सुख की चर्चा करते हुए कहते हैं कि जिस मनुष्य की माँ लक्ष्मी के समान है, पिता विष्णु के समान है और भाई–बन्धु विष्णु के भक्त है, उसके लिए अपना घर ही तीनों लोकों के समान है।

आशय यह है कि जिस मनुष्य की माँ गुणों की लक्ष्मी के समान तथा पिता भगवान विष्णु की तरह सबका कल्याण करने वाले हों और नाते–रिश्तेदार, भाई–बन्धु भगवान के भक्त हों, उस मनुष्य को तीनों लोकों के सुख इसी संसार में मिल जाते हैं।

भावुकता से बचें–

एक वृक्षे समारूढ़ा नानावर्णविहंगमाः ।
प्रभाते दिक्षु गच्छन्ति तत्र का परिवेदना ।।१५।।

आचार्य चाणक्य यहाँ विश्राम के लिए नीड़ पर आकर सबके मिलने और सवेरा होकर अपने–अपने भोजन की फिराक में अलग–अलग चल पड़ने की प्रवृत्ति को बताते हुए कहते हैं कि एक ही वृक्ष पर बैठे हुए अनेक रंग के पक्षी प्रातः–काल अलग–अलग दिशाओं को चले जाते हैं। इसमें कोई नई बात नहीं है। उसी प्रकार परिवार के सभी सदस्य परिवार–रूपी वृक्ष पर आ बैठते हैं और समय आने पर चल देते हैं। इसमें दुःख या निराशा क्यों? आवागमन या संयोग–वियोग तो प्रकृति का नियम है। जो आया है वह एक दिन जाएगा ही। इसलिए इस भावुकता से बचना चाहिए।

बुद्धि ही बल है–

बुद्धिर्यस्य बलं तस्य निर्बुद्धेस्तु कुतो बलम् ।
वने सिंहो मदोन्मत्तः शशकेन निपातितः ।।१६।।

आचार्य चाणक्य कहते हैं कि जिस व्यक्ति के पास बुद्धि होती है, बल भी उसी के पास होता है। बुद्धिहीन का तो बल भी निरर्थक है,

क्योंकि बुद्धि के बल पर ही वह उसका प्रयोग कर सकता है अन्यथा नहीं। बुद्धि के बल पर ही एक बुद्धिमान खरगोश ने अहंकारी सिंह को वन के कुएँ में गिराकर मार डाला था।

यह कथा–प्रसंग इस प्रकार है कि एक बार सिंह के साथ पशुओं द्वारा किए गए समझौते के अनुसार प्रतिदिन बारी–बारी से वन का एक पशु सिंह के भोजन के लिए जाता था। एक दिन जब एक खरगोश की बारी आई तो वह जान–बुझकर देर से गया और देरी का कारण बताते हुए सिंह ने कहा कि उसे दूसरा सिंह अपना भोजन बनाना चाहता था। वह उसे सूचित करके लौटने की प्रतिज्ञा करके आया है। शेर ने जब खरगोश को दूसरा शेर दिखाने को कहा तो उसने कुएँ में उसी सिंह की परछाईं दिखा दी। मूर्ख सिंह ने अपने शत्रु को पछाड़ने के लिए कुएँ में छलांग लगा दी और वहीं मर गया।

इस कथा का अभिप्राय यह है कि बुद्धिमान् ही बल का सही उपयोग कर सकता है, बुद्धिहीन का बल भी उसके काम नहीं आता। एक छोटे–से बुद्धिमान खरगोश ने अपने से भी अधिक शक्तिशाली सिंह को मार गिराया। अक्ल बड़ी या भैंस वाली कहावत यहाँ पूर्णतः चरितार्थ होती है।

सब ईश्वर की माया है–

का चिन्ता मम जीवने यदि हरिर्विश्वम्भरो गीयते,
नो चेदर्भकजीवनाय जननीस्तन्यं कथं निर्मयेत् ।
इत्यालोच्य मुहुर्मुहुर्यदुपते लक्ष्मीपते केवलं,
त्वत्पादाम्बुजसेवनेन सततं कालो मया नीयते ।।७।।

आचार्य चाणक्य कहते हैं कि मुझे जीवन में क्या चिन्ता, यदि हरि को विश्वम्भर कहा जाए। यदि ऐसा नहीं होता तो बच्चे के जीवन के लिए माँ के स्तनों में दूध कैसे हो जाता। यही समझकर हे यदुपति! लक्ष्मीपति! मैं आपके चरणों का ध्यान करता हुआ समय व्यतीत करता हूँ।

आशय यह है कि मुझे अपने जीवन की कोई चिन्ता नहीं है। क्योंकि भगवान को विश्व का पालन–पोषण करने वाला कहा जाता है। सत्य ही है, क्योंकि बच्चे के जन्म से पहले ही माँ के स्तनों में दूध आ जाता है। यह ईश्वर की ही माया है। इस सब का विचार करते हुए हे भगवान विष्णु, मैं रात–दिन आपका ही ध्यान करता हुआ समय बिताता हूँ।

गीर्वाणवाणीषु विशिष्टबुद्धि
स्तथाऽपि भाषान्तर लोलुपोऽहम् ।
यथा सुरगणेष्वमृते च सेविते
स्वर्गांगनानामधरासवे रूचिः ।।१८।।

आचार्य चाणक्य कहते हैं कि संस्कृत भाषा का विशेष ज्ञान होने पर भी मैं अन्य भाषाओं को सीखना चाहता हूँ। स्वर्ग में देवताओं के पास पीने को अमृत होता है, फिर भी वे अप्सराओं के अधरो का रस पीना चाहते हैं।

घी सबसे बड़ी शक्ति–

अन्नाद् दशगुणं पिष्टं पिष्टाद् दशगुणं पयः ।
पयसोऽष्ट गुणं मांसं मांसाद् दशगुणं घृतम् ।।१६।।

यहाँ आचार्य चाणक्य शक्ति की चर्चा करते हुए बताते हैं कि साधारण अनाज से आटे में दस गुनी शक्ति है। आटे से दस गुनी शक्ति दूध में है। दूध से भी आठ गुनी अधिक शक्ति मांस में तथा मांस से दस गुनी शक्ति घी में है।

आशय यह है कि साधारण भोजन से आटे में दस गुनी अधिक शक्ति होती है। आटे से दूध में दस गुनी अधिक शक्ति है। दूध से भी आठ गुनी अधिक शक्ति मांस में है तथा मांस से भी दस गुनी अधिक शक्ति घी में होती है। इस प्रकार स्वास्थ्य के लिए घी सबसे अधिक लाभदायक है।

चिन्ता चिता समान–

शोकेन रोगाः वर्धन्ते पयसा वर्धते तनुः ।
घृतेन वर्धते वीर्यं मांसान्मांसं प्रवर्धते ।।२०।।

आचार्य चाणक्य यहाँ कार्य–कारण की चर्चा करते हुए कहते हैं कि शोक से रोग बढ़ते हैं। दूध से शरीर बढ़ता है। घी से वीर्य बढ़ता है। मांस से मांस बढ़ता है।

आशय यह है कि चिन्तित रहने से या दुःखी रहने से मनुष्य को अनेक रोग घेर लेते हैं। दूध पीने से मनुष्य का शरीर बढ़ता है। घी खाने से बल–वीर्य बढ़ता है। मांस खाने से केवल मांस ही बढ़ता है।

एकादश अध्याय

संस्कार का प्रभाव—

दातृत्वं प्रियवक्तृत्वं धीरत्वमुचितज्ञता ।
अभ्यासेन न लभ्यन्ते चत्वारः सहजा गुणाः ।।१।।

आचार्य चाणक्य व्यक्ति के जन्मजात गुणों की चर्चा करते हुए कहते हैं कि दान देने की आदत, प्रिय बोलना, धीरज तथा उचित ज्ञान—ये चार व्यक्ति के सहज गुण हैं; जो अभ्यास से नहीं आते।

आशय यह है कि दान देने का स्वभाव, सबके साथ मधुरता से बातें करना, धीरज तथा सही चीज की पहचान करना ये व्यक्ति के सहज गुण हैं; अर्थात् ये गुण व्यक्ति के साथ ही पैदा होते हैं। इन गुणों को किसी को सिखाया नहीं जा सकता। व्यक्ति चाहे स्वयं इनका कितना भी अभ्यास क्यों न करे, इन्हें प्राप्त नहीं कर सकता।

नाश—

आत्मवर्गं परित्यज्य परवर्गं समाश्रयेत् ।
स्वयमेव लयं याति यथा राज्यमधर्मतः ।।२।।

आचार्य चाणक्य जाति या वर्ग से हटकर सहायता लेने की प्रवृत्ति का निषेध करते हुए कहते हैं कि अपने वर्ग को छोड़कर दूसरे वर्ग

का सहारा लेने वाला व्यक्ति उसी प्रकार नष्ट हो जाता है, जैसे अधर्म से एक राज्य नष्ट हो जाता है।

आशय यह है कि जिस देश में धर्म, अर्थात् न्याय–कानून की व्यवस्था चौपट हो जाती है, वह देश धीरे–धीरे नष्ट हो जाता है। इसी प्रकार अपने समाज या देश के साथ द्रोह करके दूसरे समाज या देश से मिल जाने वाला व्यक्ति भी नष्ट हो जाता है।

सूरत से सीरत बड़ी–

हस्ती स्थूलतनुः स चांकुश वशः किं हस्तिमात्रोंऽकुशः
दीपे प्रज्वलिते प्रणश्यति तमः किं दीपमात्रं तमः ।
वज्रेणभिहताः पतन्ति गिरयः किं वज्रमात्रं नगाः
तेजो यस्य विराजते स बलवान् स्थूलेषु कः प्रत्ययः ।।३।।

आचार्य चाणक्य यहाँ वस्तु या व्यक्ति के आकार की अपेक्षा गुणवत्ता पर बल देते हुए कहते हैं कि स्थूल शरीर वाला होने पर भी हाथी अंकुश से वश में किया जाता है। तो क्या अंकुश हाथी के बराबर होता है? दीपक जलने पर घने अन्धकार को दूर कर देता है, तो क्या अंधकार दीपक के ही बराबर होता है। वज्र के आघातों से पहाड़ टूटकर गिर पड़ते हैं, तो क्या पहाड़ वज्र के ही बराबर होते हैं? नहीं–जिसमें तेज होता है वही बलवान होता है। मोटा–ताजा होने से कोई लाभ नहीं होता।

आशय यह है कि छोटा–सा अंकुश मोटे–तगड़े विशाल हाथी को वश में कर लेता है। नन्हा–सा दीपक घने और फैले हुए अंधेरे को दूर कर देता है। छोटा–सा होने पर भी वज्र बड़े–बड़े पहाड़ों को गिराकर चूर–चूर कर देता है। मोटा–ताजा ही होने से कोई लाभ नहीं। जिसमें हिम्मत हो, तेज हो, वही बलवान माना जाता है। क्योंकि वह बड़े–बड़े मोटे–ताजों को धूल चटा देता है।

कलौ दशसहस्त्राणि हरिस्त्यजति मेदिनीम् ।
तदर्द्धे जाह्नवी तोयं तदर्द्धे ग्रामदेवता ।।४।।

आचार्य चाणक्य कहते हैं कि कलियुग के दस हजार वर्ष बीत जाने पर भगवान पृथ्वी को छोड़ देते हैं। इसके आधे समय में गंगा अपने जल को छोड़ देती है। इसके भी आधे समय में ग्राम देवता पृथ्वी को छोड़ देते हैं।

आशय यह है कि कलियुग के दस हजार वर्ष पूरे हो जाने पर भगवान विष्णु पृथ्वी को छोड़कर अपने लोक को चले जाते हैं। पाँच हजार वर्ष का समय पूरा होने पर गंगा नदी का जल सूख जाता है तथा केवल अढ़ाई हजार वर्ष समय पूरा होते ही ग्रामदेवता (लोकदेवता) इस पृथ्वी को छोड़ देते हैं।

यथा गुण तथा प्रवृत्ति–

गृहासक्तस्य नो विद्या न दया मांसभोजिनः ।
द्रव्य लुब्धस्य नो सत्यं न स्त्रैणस्य पवित्रता ।।५।।

आचार्य चाणक्य असंभव पर चर्चा करते हुए कहते हैं कि गृहासक्त को विद्या प्राप्त नहीं होती। मांस खानेवाले में दया नहीं होती। धन के लोभी में सत्य तथा स्त्रैण में पवित्रता का होना असम्भव है।

आशय यह है कि जिसे घर से अत्यधिक प्रेम होता है, वह विद्या प्राप्त नहीं कर सकता। मांस खाने वाले से दया की आशा करना व्यर्थ है। धन के लोभ से सच्चाई दूर रहती है। स्त्रियों के पीछे भागने वाले कामुक व्यक्ति में पवित्रता नहीं होती।

आदत नहीं बदलती–

न दुर्जनः साधुदशामुपैति
बहुत प्रकारैरपि शिक्ष्यमाणः ।
आमूलसिक्तं पयसा घृतेन
न निम्बवृक्षोः मधुरत्वमेति ।।

आचार्य चाणक्य यहाँ दुष्ट स्वभाव की चर्चा करते हुए कहते हैं कि दुष्ट को सज्जन नहीं बनाया जा सकता। दूध और घी से आमूल सींचे जाने पर भी नीम का वृक्ष मीठा नहीं बनता।

आशय यह है कि दुष्ट को चाहे कितना ही सिखाओ–पढ़ाओ, उसे सज्जन नहीं बनाया जा सकता। क्योंकि नीम के पेड़ को चाहे जड़ से चोटी तक दूध और घी से सींच दो, तब भी उसमें मिठास नहीं आ सकती। अर्थात् नीम न होय मीठो, चाहे सींचो गुड़–घी से।

अन्तर्गतमलो दुष्टस्तीर्थस्नानशतैरपि ।
न शुद्ध्यतियथाभाण्डं सुरया दाहितं च तत् ।।७।।

आचार्य चाणक्य यहाँ पापी को सुरापात्र के समान संज्ञा देते हुए कहते हैं कि जैसे सुरापात्र अग्नि में जलाने पर भी शुद्ध नहीं होता। इसी प्रकार जिसके मन में मैल हो, वह दुष्ट चाहे सैकड़ों तीर्थ–स्नान कर लें, कभी शुद्ध नहीं होता।

आशय यह है कि सुरा–शराब का बर्तन चाहे आग में जला दिया जाए, पर उसे शुद्ध नहीं समझा जाता। इसी तरह जिस व्यक्ति का मन मैला हो उसे तीर्थ स्नान का कोई फल नहीं मिलता। तीर्थ–स्नान से शरीर की सफाई हो सकती है, मन की नहीं। पापी चाहे सैकड़ों तीर्थों में स्नान कर ले, वह पापी ही रहता है।

न वेत्ति यो यस्य गुणप्रकर्षं
स तु सदा निन्दति नात्र चित्रम् ।
यथा किराती करिकुम्भलब्धां
मुक्तां परित्यज्य विभर्ति गुञ्जाम् ।।८।।

आचार्य चाणक्य वस्तु की गुण ग्राहकता की चर्चा करते हुए कहते हैं कि जो जिसके गुणों को जानता ही नहीं, वह यदि उसकी निन्दा करे, तो इसमें आश्चर्य ही क्या है! जैसे किराती (भीलनी) हाथी के मस्तक की मोती को छोड़कर गुंजा की माला पहनती है।

आशय यह है कि एक भीलनी भला हाथी के सिर पर उत्पन्न मोती की कीमत क्या जानती है। वह मोती के मिलने पर भी वह गुंजा (घुंघची) की ही माला पहनना पसन्द करती है। इसी प्रकार एक मूर्ख व्यक्ति यदि किसी विद्वान के गुणों को नहीं समझता और उसकी बुराई करता है, तो उसमें कोई ताज्जुब नहीं करना चाहिए।

मौन–

यस्तु संवत्सरं पूर्णं नित्यं मौनेन भुञ्जते ।
युगकोटिसहस्त्रन्तु स्वर्गलोके महीयते ।।६।।

आचार्य चाणक्य यहाँ मौन का महत्त्व प्रतिपादित करते हुए कहते हैं कि मौन रहना एक प्रकार की तपस्या है। जो व्यक्ति केवल एक साल तक मौन रहता हुआ भोजन करता है, उसे करोड़ों युगों तक स्वर्गलोक के सुख प्राप्त होते हैं।

विद्यार्थी के लिए न करने योग्य बातें–

कामं क्रोधं तथा लोभं स्वाद शृंगारकौतुकम् ।
अतिनिद्राऽतिसेवा च विद्यार्थी ह्याष्ट वर्जयेत् ।।१०।।

आचार्य चाणक्य यहाँ विद्यार्थी के लिए वर्जित प्रवृत्तियों की चर्चा करते हुए कहते हैं कि काम, क्रोध, लोभ, स्वाद, शृंगार, कौतुक, अधिक सोना, अधिक सेवा करना, इन आठ कामों को विद्यार्थी छोड़ दे।

आशय यह है कि स्त्री सहवास, क्रोध करना, लोभ करना, जीभ का चटोरापन, बनाव–शृंगार, मेले–तमाशे देखना, अधिक सोना तथा किसी की भी अधिक सेवा करना, विद्या प्राप्त करने के लिए विद्यार्थी को ये आठ काम छोड़ देने चाहिए।

ऋषि–

अकृष्ट फलमूलानि वनवासरतः सदा ।
कुरुतेऽहरहः श्राद्धमृषिर्विप्रः स उच्यते ।।११।।

आचार्य चाणक्य ऋषि के रूप की चर्चा करते हुए कहते हैं कि जो ब्राह्मण बिना जोती भूमि से फल, मूल आदि का भोजन करता है, सदा वन में रहता है तथा नित्य श्राद्ध करता है, उसे ऋषि कहा जाता है।

आशय यह है कि उस ब्राह्मण को ऋषि कहते हैं, जो घर को छोड़कर वन में रहने लगता है, बिना जोती हुई भूमि में उपजे फलों तथा कन्द-मूल का भोजन करता है। सदा पितरों का श्राद्ध करता है।

द्विज-

एकाहारेण सन्तुष्टः षड्कर्मनिरतः सदा ।
ऋतुकालेऽभिगामी च स विप्रो द्विज उच्यते ।।१२।।

यहाँ आचार्य चाणक्य द्विज के गुणों के बारे में चर्चा करते हुए कहते हैं कि दिन में एक बार ही भोजन करने वाला, अध्ययन, तप आदि छः कार्यों में लगा रहने वाला तथा ऋतुकाल में ही पत्नी से संभोग करने वाला ब्राह्मण द्विज कहा जाता है।

आशाय यह है कि जो ब्राह्मण दिन में केवल एक बार भोजन करता है और उसी से सन्तुष्ट रहता है, जो पढ़ने-पढ़ाने, तपस्या करने आदि कार्यों में लगा रहता है तथा जो केवल मासिक धर्म के बाद ऋतुकाल में ही अपनी पत्नी से सम्भोग करता है, वही ब्राह्मण द्विज कहा जाता है।

वैश्य-

लौकिके कर्मणि रतः पशूनां परिपालकः ।
वाणिज्यकृषिकर्मा यः स विप्रो वैश्य उच्यते ।।१३।।

यहाँ आचार्य चाणक्य ब्राह्मण द्वारा किए उन कर्मों की चर्चा कर रहे हैं जिनके प्रभाव से वह वैश्य कोटि में आ जाता है। आचार्य का कहना है कि जो ब्राह्मण सांसारिक कार्यों में रत रहता है, पशु पालता है, व्यापार तथा खेती करता है, उसे वैश्य कहा जाता है।

आशय यह है कि सभी सांसारिक (दुनियादारी) के काम करने वाला, पशु पालने वाला, व्यापार करने वाला, खेती करने वाला ब्राह्मण भी वैश्य ही कहलाएगा। वैसे इन कामों को करने वाला व्यक्ति चाहे कोई भी हो, उसे वैश्य कहा जाता है।

बिलौय-

परकार्यविहन्ता च दाम्भिकः स्वार्थसाधकः ।
छलीद्वेषी मृदुः क्रूरो विप्रो मार्जार उच्यते ।।१४।।

आचार्य चाणक्य कहते हैं कि दूसरे का काम बिगाड़ने वाले, दम्भी, स्वार्थी, छली–कपटी, द्वेषी, मुँह से मीठा किन्तु ह्रदय से क्रूर ब्राह्मण मार्जार (बिल्ला–बिलौटा) कहा जाता है।

आशय यह है कि जिस ब्राह्मण में निम्नलिखित दुर्गुण हों उसे बिल्ला–बिलौटा कहा जाता है। दूसरे का काम बिगाड़ने वाला, घमण्डी स्वभाव वाला, अपना ही स्वार्थ देखने वाला, दूसरों से जलने वाला, छल–कपट, झूठ–फरेब का सहारा लेने वाला, मुँह के सामने बड़ा ही मीठा बोलने वाला किन्तु मन में मैल रखने वाला।

म्लेच्छ-

वापीकूपतड़ागानामारामसुखेश्वनाम् ।
उच्छेदने निराशंक स विप्रो म्लेच्छ उच्यते ।।१५।।

आचार्य चाणक्य कहते हैं कि बावड़ी, कुएं, तालाब, देवमंदिर आदि को निडर होकर नष्ट करने वाला ब्राह्मण म्लेच्छ कहा जाता है।

आशय यह है कि जो ब्राह्मण, बावड़ी, कुएँ, तालाब, उपवन, बाग–बगीचे, मंदिर आदि को नष्ट करता है, जिसे समाज या लोक–लाज का कोई भय नहीं रहता, उसे म्लेच्छ समझना चाहिए।

चाण्डाल–

देवद्रव्यं गुरुद्रव्यं परदाराभिमर्षणम् ।
निर्वाहः सर्वभूतेषु विप्रश्चाण्डाल उच्यते ।।१६।।

आचार्य चाणक्य कहते हैं कि जो ब्राह्मण देवताओं की या गुरुओं की वस्तुओं की चोरी करता है, परस्त्री से संभोग करता है और सभी प्राणियों के बीच में निर्वाह कर लेता है, उसे चाण्डाल कहा जाता है।

आशय यह है कि देवताओं के मन्दिरों से वस्तुएं, धन आदि चुराने वाला, पराई स्त्रियों से कुकर्म करने वाला तथा सभी प्रकार के अच्छे–बुरे लोगों के बीच में रहकर खान–पान, आचार–व्यवहार आदि का पालन न करने वाला ब्राह्मण चाण्डाल कहा जाता है। इन कामों को करने वाला व्यक्ति ब्राह्मण नहीं कहा जा सकता।

दान की महिमा–

देयं भोज्यधनं सुकृतिभिर्नो संचयस्तस्य वै,
श्रीकर्णस्य बलेश्च विक्रमपतेरद्यापि कीर्ति स्थिता ।
अस्माकं मधुदानयोगरहितं नष्टं चिरात्संचित
निर्वाणादिति नष्टपादयुगलं घर्षत्यमी मक्षिकाः ।।१७।।

दान की चर्चा करते हुए आचार्य चाणक्य कहते हैं कि महापुरुष भोज्य पदार्थों तथा धन का दान करें। इसका संचय करना उचित नहीं है। कर्ण, बलि आदि की कीर्ति आज तक बनी हुई है। हमारा लम्बे समय से संचित शहद, जिसका हमने दान या भोग नहीं किया, नष्ट हो गया है, यही सोचकर दुःख से ये मधु–मक्खियाँ अपने दोनों पांवों को घिसती हैं।

आशय यह है कि महान् पुरुषों को अन्न–धन आदि का दान करते रहना चाहिए। महादानी कर्ण और बलि का नाम आज तक

दान देने के कारण ही अमर है। मधुमक्खियाँ अपने शहद को न तो स्वयं खाती हैं, न किसी को देती हैं। तब कोई व्यक्ति उस एकत्रित शहद को निकाल देता है और वे दुःखी होकर पांवों को भूमि पर घसीटने लगती हैं।

द्वादश अध्याय

गृहस्थ धर्म—

सानन्दं सदनं सुताश्च सुधयः कान्ता प्रियालापिनी,
इच्छापूर्तिधनं स्वयोषिति रतिः स्वाज्ञापरः सेवकाः ।
आतिथ्यं शिवपूजनं प्रतिदिनं मिष्टान्नपानं गृहे,
साधोः संगमुपासते च सततं धन्यो गृहस्थाश्रमः ।।१।।

आचार्य चाणक्य यहाँ गृहस्थ की चर्चा करते हुए कहते हैं कि जिस गृहस्थ के घर में निरन्तर उत्सव—यज्ञ, पाठ और कीर्तन आदि—होता रहता है, सन्तान सुशिक्षित होती है, स्त्री मधुरभाषिणी, मीठा बोलने वाली होती है, आवश्यकताओं की पूर्ति के लिए पर्याप्त धन होता है, पति—पत्नी एक दूसरे में अनुरक्त हैं, सेवक स्वामिभक्त और आज्ञापालक होते हैं, अतिथि का भोजन आदि से सत्कार और शिव का पूजन होता रहता है, घर में भोज आदि से मित्रों का स्वागत होता रहता है तथा महात्मा पुरुषों का आना—जाना भी लगा रहता है, ऐसे पुरुष का गृहस्थाश्रम सचमुच ही प्रशंसनीय है। ऐसा व्यक्ति अत्यन्त सौभाग्यशाली एवं धन्य होता है।

आर्तेषु विप्रेषु दयान्वितश्चेच्छ्रद्धेन यः स्वल्पमुपैति दानम् ।
अनन्तपारं समुपैति दानं यद्दीयते तन्न लभेद् द्विजेभ्यः ।।२।।

आचार्य चाणक्य कहते हैं कि दु:खियों और विद्वानों को जो थोड़ा–सा भी दान देता है, उसे उसका अनन्त गुना स्वयं मिल जाता है।

आशय यह है कि जो व्यक्ति दु:खियों, गरीबों, विद्वान महापुरुषों आदि को थोड़ा–सा भी दान देता है, उसे भले ही उन व्यक्तियों से प्रकट में कुछ भी नहीं मिलता, किन्तु इससे उसे बहुत बड़ा पुण्य मिलता है। इसी पुण्य से उसे दिए गए दान से लाखों हजारों गुना अधिक प्राप्त होता है।

दाक्षिण्यं स्वजने दया परजने शाठ्यं सदा दुर्जने
प्रीतिः साधुजने स्मय खलजने विद्वज्जने चार्जवम् ।
शौर्यं शत्रुजने क्षमा गुरुजने नारीजने धूर्तताः
इत्थं ये पुरुषा कलासु कुशलास्तेष्वेव लोकस्थितिः ।।३।।

आचार्य चाणक्य यहाँ उन कुछ भले लोगों की चर्चा करते हुए कहते हैं कि जो अपने लोगों से प्रेम, परायों पर दया, दुष्टों के साथ सख्ती, सज्जनों से सरलता, मूर्खों से परहेज, विद्वानों का आदर, शत्रुओं के साथ बहादुरी और गुरुजनों का सम्मान करते हैं, जिन्हें स्त्रियों से लगाव नहीं होता, ऐसे लोग महापुरुष कहे जाते हैं। ऐसे ही लोगों के कारण दुनिया टिकी हुई है।

आशय यह है कि जो व्यवहारकुशल लोग अपने भाई–बन्धुओं से प्रेम करते हैं, अन्य लोगों पर दया करते हैं, दुष्टों के साथ दुष्टता का कठोर व्यवहार करते हैं, साधुओं, विद्वानों, माता–पिता तथा गुरु के साथ आदर का व्यवहार करते हैं, मूर्ख लोगों से दूर ही रहते हैं। शत्रु का बहादुरी से सामना करते हैं तथा स्त्रियों के पीछे नहीं भागते। ऐसे ही लोग समाज के व्यवहार के जानते हैं। इन्हीं के प्रभाव से समाज चल पाता है।

हस्तौ दानविवर्जितौ श्रुतिपुटौ सारस्वतद्रोहिणौ
नेत्रे साधुविलोकनेनरहिते पादौ न तीर्थं गतौ ।

अन्याययार्जितवित्तपूर्णमुदरं गर्वेण तुंगं शिरौ
रे रे जम्बुक मुञ्च-मुञ्च सहसा नीचं सुनिन्द्यं वपुः ॥४॥

आचार्य चाणक्य कहते हैं कि हाथों से दान नहीं दिया, कानों से
कोई ज्ञान नहीं सुना, नेत्रों से किसी साधु के दर्शन नहीं किये, पाँवों
से कभी किसी तीर्थ में नहीं गए, अन्याय से कमाये गए धन से पेट
भरते हो और घमण्ड से सिर को तना हुआ रखते हो। अरे गीदड़!
इस शरीर को शीघ्र छोड़ दो।

आशय यह है कि जिस मनुष्य में इस प्रकार के दुर्गुण हों, उसे
सियार समझना चाहिए, जैसे–जिसने कभी किसी चीज का दान नहीं
किया, जिसके कानों ने कभी कोई ज्ञान की बात नहीं सुनी, जिसने
आँखों से कभी सज्जनों–महात्माओं के दर्शन नहीं किए, जो कभी
किसी तीर्थ में नहीं गया, जो गलत तरीकों से धन कमाता है और
घमण्डी होता है, ऐसे मनुष्य रूपी गीदड़ का शीघ्र मर जाना अच्छा है।

येषां श्रीमद्यशोदासुत-पद-कमले नास्ति भक्तिर्नराणाम्
येषामाभीरकन्या प्रियगुणकथने नानुरक्ता रसज्ञा ।
तेषां श्रीकृष्णलीला ललितरसकथा सादरौ नैव कर्णौ,
धिक्तान् धिक्तान् धिगेतान्, कथयति सततं कीर्तनस्थो मृदंगः ॥५॥

यहाँ प्रभु गुणगान का महत्त्व बताते हुए आचार्य चाणक्य कहते
हैं कि मृदंग वाद्य की ध्वनि बहुत अच्छी होती है। मृदंग से आवाज
निकलती है–धिक्तान् जिसका अर्थ है उन्हें धिक्कार है। इसके आगे
कवि कल्पना करता है कि जिन लोगों का भगवान् श्रीकृष्ण के
चरणकमलों में अनुराग नहीं, जिनकी जिह्वा को श्री राधाजी और
गोपियों के गुणगान में आनन्द नहीं आता, जिनके कान श्रीकृष्ण की
सुन्दर कथा सुनने के लिए सदा उत्सुक नहीं रहते, मृदंग भी उन्हें
''धिक्कार है, धिक्कार है'' कहता है। वस्तुतः जो व्यक्ति जीवन में प्रभु
का गुणगान नहीं करता, उसे धिक्कार है, उसका जीवन व्यर्थ है।

पत्रं नैव यदा करीरविटपे दोषो वसन्तस्य किं
नोलूकोऽप्यवलोकयते यदि दिवा सूर्यस्य किं दूषणम्?
वर्षा नैव पतति चातकमुखे मेघस्य किं दूषणम्
यत्पूर्वं विधिना ललाट लिखितं तन्मार्जितुं कः क्षमः ॥६॥

आचार्य चाणक्य कहते हैं कि यदि करील में पत्ते नहीं आते तो वसन्त का क्या दोष? यदि उल्लू दिन में नहीं देखता तो सूर्य का क्या दोष? वर्षा चातक के मुँह में न पड़े तो बादल का क्या अपराध? भाग्य ने जो पहले ही ललाट में लिख दिया, उसे कौन मिटा सकता है।?

आशय यह है कि करील में पत्ते नहीं आते, उल्लू दिन में देख नहीं सकता और चातक के मुँह में वर्षा की बूंदें नहीं पड़तीं। इन सबके लिए वसन्त, सूर्य और बादल को दोषी नहीं कहा जा सकता। यह तो इनके भाग्य का दोष है, जिसे कोई नहीं मिटा सकता।

सत्संगति महिमा–

सत्संगतेर्भवति हि साधुता खलानां
साधूनां न हि खलसंगतेः खलत्वम् ।
आमोदं कुसुमभवं मृदेव धत्ते
मृद्गन्धं न हि कुसुमानि धारयन्ति ।।७।।

आचार्य चाणक्य सत्संग का महत्त्व प्रतिपादित करते हुए कहते हैं कि सत्संगति से दुष्टों में भी मधुरता आ जाती है, किन्तु दुष्टों की संगति से साधुओं में दुष्टता नहीं आती। मिट्टी ही फूलों की सुगंध को धारण कर लेती है, किन्तु फूल मिट्टी की गन्ध को नहीं अपनाते।

आशय यह है कि फूलों की सुगंध से मिट्टी तो सुगन्धित हो जाती है, किन्तु मिट्टी की गन्ध का फूलों पर कोई प्रभाव नहीं पड़ता। इसी प्रकार साधुओं और सज्जनों के सम्पर्क में आने पर दुष्टों में भी अच्छे गुण आ जाते हैं। परन्तु दुष्टों की दुष्टता का सज्जनों पर कोई भी

असर नहीं पड़ता और ऐसा चरित्र की दृढ़ता के कारण ही संभव हो पाता है। जैसे कहा गया है–

चन्दन विष व्यापत नहीं, लिपटे रहत भुजंग।

अर्थात् सांप के लिपटे रहने के बाद भी चन्दन में विष का संचार नहीं होता। वह अपनी शीतलता बनाए रखता है।

साधु दर्शन का पुण्य–

साधूनां दर्शनं पुण्यं तीर्थभूताः हि साधवः ।
कालेन फलते तीर्थः सद्यः साधु समागमः ।।८।।

आचार्य चाणक्य कहते हैं कि साधुओं के दर्शन से पुण्य मिलता है। साधु तीर्थों के समान होते हैं। तीर्थों का फल कुछ समय बाद मिलता है, किन्तु साधु समागम तुरन्त फल देता है।

आशय यह है कि साधुओं के दर्शन करने से मनुष्य पापों से दूर होता है और उसे से पुण्य मिलता है। साधु तीर्थों के समान होते हैं। अर्थात् उनकी कृपा होने पर मनुष्य की सब इच्छाएं पूरी हो जाती है। तीर्थों में जाने का फल देरी से मिलता है, किन्तु साधुओं की संगति का फल शीघ्र ही मिल जाता है। तीर्थ–जिससे मनुष्य की इच्छाएं पूरी हो जाती हैं, उसे तीर्थ कहते हैं।

तुच्छता में बड़प्पन कहाँ–

विप्रास्मिन्नगरे महान् कथय कस्ताल द्रुमाणां गणः
को दाता रजको ददाति वसनं प्रातर्गृहीत्वा निशि ।
को दक्ष परिवित्तदारहरणं सर्वेऽपि दक्षाः जनाः
कस्माज्जीवति हे सखे विषकृमिन्यायेन जीवाम्यहम् ॥९॥

आचार्य चाणक्य कहते हैं कि अरे मित्र! इस नगर में बड़ा कौन है? ताड़ के वृक्ष बड़े हैं। दानी कौन है? धोबी ही यहाँ दानी है, जो सुबह कपड़े ले जाता है तथा शाम को दे जाता है। चतुर व्यक्ति

कौन है? दूसरे का धन तथा स्त्री हरने में सभी चतुर हैं। तब तुम इस नगर में जीवित कैसे रहते हो? बस गन्दगी के कीड़े समान जीवित रहता हूँ।

आशय यह है कि जिस शहर में विद्वान, बुद्धिमान, ज्ञानी पुरुष नहीं रहते; जहाँ के लोग दान नहीं जानते; जहाँ अच्छे काम करने में कोई चतुर न हो, किन्तु लूट-खसोट, बुरे चाल-चलन में सभी एक से बढ़कर एक हों, ऐसी जगह को गन्दगी का ढेर ही समझना चाहिए और वहाँ के लोगों को गन्दगी के कीड़े। और खेद का विषय है कि आज संसार इन्हीं बातों पर चल रहा है।

न विप्रपादोदक पंकिलानि
न वेदशास्त्रध्वनिगर्जितानि ।
स्वाहास्वधाकारध्वनिवर्जितानि
श्मशानतुल्यानि गृहाणितानि ।।१०।।

आचार्य चाणक्य घर के स्वरूप की चर्चा करते हुए कहते हैं कि जो घर विप्रों के पैरों के धूल की कीचड़ से नहीं सनते, जिनमें वेद-शास्त्रों की ध्वनि नहीं सुनाई देती एवं यज्ञ की 'स्वाहा' 'स्वधा' आदि ध्वनियों का अभाव रहता है, ऐसे घर श्मशान के समान होते हैं।

आशय यह है कि जिन घरों में विद्वानों, ब्राह्मणों का आदर नहीं होता, वेदों, शास्त्रों आदि का अध्ययन, पाठ या कथा नहीं होती तथा यज्ञ नहीं किए जाते, ऐसे घरों को श्मशान के समान समझना चाहिए।

रिश्तेदारों के छः गुण-

सत्यं माता पिता ज्ञानं धर्मो भ्राता दया सखा ।
शान्तिः पत्नी क्षमा पुत्रः षडेते मम बान्धवाः ।।११।।

आचार्य चाणक्य व्यक्ति के गुणों को उसका परम हितैषी बताते हुए कहते हैं कि सत्य मेरी माता है, ज्ञान पिता है, धर्म भाई है, दया मित्र है, शान्ति पत्नी है तथा क्षमा पुत्र है, ये छः ही मेरे सगे-सम्बन्धी हैं।

आशय यह है कि सच्चाई व्यक्ति की माँ के समान है, ज्ञान पिता के समान, धर्म भाई के समान, दया करना मित्र के समान, शान्ति पत्नी के समान और क्षमा करना पुत्र के समान है। ये छः गुण ही उसके सच्चे रिश्तेदार होते हैं।

दुष्ट दुष्ट ही है–

वयसः परिणामे हि यः खलः खल एव सः ।
सुपक्वमपि माधुर्यं नोपायतीन्द्र वारूणम् ।।१२।।

आचार्य चाणक्य कहते हैं कि चौथी अवस्था में भी जो दुष्ट होता है, दुष्ट ही रहता है। अच्छी तरह पक जाने पर भी इन्द्रवारुण का फल मीठा नहीं होता।

आशय यह है कि उम्र का भी दुष्टता पर कोई प्रभाव नहीं पड़ता। दुष्ट चाहे बूढ़ा हो जाए, रहता सदा दुष्ट ही है। इन्द्रवारुण का फल चाहे कच्चा हो या अच्छी तरह पक जाए, उसमें मीठापन नहीं आता, सदा कड़वा ही रहता है। अतः बूढ़ा हो जाने पर भी दुष्ट का विश्वास नहीं करना चाहिए।

अनुराग ही जीवन है–

निमन्त्रणोत्सवा विप्रा गावो नवतृणोत्सवाः ।
पत्युत्साहयुता भार्याः अहं कृष्ण-रणोत्सवः ।।१३।।

आचार्य चाणक्य कहते हैं कि जिस प्रकार यजमान से निमन्त्रण पाना ही ब्राह्मणों के लिए प्रसन्नता का अवसर होता है अर्थात् निमन्त्रण पाकर ब्राह्मणों को स्वादिष्ट भोजन तथा दान–दक्षिणादि सुलभ होते हैं, और हरी घास मिल जाना गौओं के लिए उत्सव अथवा प्रसन्नतादायक बात होती है इसी प्रकार पति की प्रसन्नता स्त्रियों के लिए उत्सव के समान होती है, परन्तु मेरे लिए तो भीषण रणों में अनुराग ही जीवन की सार्थकता अर्थात् उत्सव है।

मातृवत् परदारेषु परद्रव्याणि लोष्ठवत् ।
आत्मवत् सर्वभूतानि यः पश्यति सः पण्डितः ॥१४॥

आचार्य चाणक्य कहते हैं कि व्यक्ति को चाहिए कि अन्य व्यक्तियों की स्त्रियों को माता के समान समझे, दूसरों के धन पर नजर न रखे, उसे पराया समझे और सभी लोगों को अपनी तरह ही समझे। आचार्य चाणक्य मानते हैं कि दूसरों की स्त्रियों को माता के समान, पराये धन को मिट्टी के ढेले के समान और सभी प्राणियों को अपने समान देखने वाला ही सच्चे अर्थों में ऋषि और विवेकशील पण्डित कहलाता है।

राम की महिमा-

धर्मे तत्परता मुखे मधुरता दाने समुत्साहता
मित्रेऽवञ्चकता गुरौ विनयता चित्तेऽपि गम्भीरता ।
आचारे शुचिता गुणे रसिकता शास्त्रेषु विज्ञातृता
रूपे सुन्दरता शिवे भजनता त्वय्यस्ति भो राघव ॥१५॥

आचार्य चाणक्य कहते हैं कि धर्म में तत्परता, मुख में मधुरता, दान में उत्साह, मित्रों के साथ निष्कपटता, गुरु के प्रति विनम्रता, चित्त में गम्भीरता, आचरण में पवित्रता, गुणों के प्रति आदर, शास्त्रों का विशेष ज्ञान, रूप में सुन्दरता तथा शिव में भक्ति—ये सब गुण एक साथ हे राघव! आप में ही हैं।

आशय यह है कि हे भगवान राम, आप धर्म का बड़ी तत्परता से पालन करते हैं। आपके मुख में एक अनूठी मधुरता है। आपकी दान में अत्यधिक रुचि है। आप मित्रों के लिए निष्कपट हैं। गुरुजनों के लिए विनम्र हैं। आपका हृदय अत्यन्त गंभीर है। आपका आचरण पवित्र है। आप गुणों का आदर करते हैं तथा सभी शास्त्रों–विद्याओं–का आपको विशेष ज्ञान है। आपकी सुन्दरता का वर्णन नहीं किया जा सकता। शिव में आपकी भक्ति हैं। ये सब गुण एक साथ केवल आप में ही पाए जाते हैं।

काष्ठं कल्पतरुः सुमेरुरचलश्चिन्तामणिः प्रस्तरः
सूर्यस्तीव्रकरः शशिः क्षयकरः क्षारोहि निरवारिधिः ।
कामो नष्टतनुर्बलिर्दितिसुतो नित्य पशुः कामगोः
नैतास्ते तुलयामि भो रघुपते कस्योपमा दीयते ॥१६॥

आचार्य चाणक्य कहते हैं कि कल्पवृक्ष काष्ठ है। सुमेरु पहाड़ है
पारस केवल एक पत्थर है। सूर्य की किरणें तीव्र हैं। चन्द्रमा घटता
रहता है। समुद्र खारा है। कामदेव का शरीर नहीं है। बलि दैत्य है।
कामधेनु पशु है। हे राम्! मैं आपकी तुलना किसी से नहीं कर पा रहा
हूँ। आपकी उपमा किससे दी जाए।

आशय यह है कि हे भगवान राम, लोग आपको कल्पवृक्ष तथा
कामदेव के समान सबकी इच्छा पूरी करने वाला कहते हैं। आप सबकी
इच्छाएँ पूरी करते हैं, यह बात सत्य है। किन्तु कल्पवृक्ष लकड़ी है तथा
कामधेनु पशु है। आपको सोने के पहाड़ सुमेरु के समान कहा जाता
है। यह सही है कि आपकी सम्पत्ति का कोई पार नहीं है। किन्तु सुमेरु
है तो एक पहाड़ ही। आपको चिन्तामणि (पारस पत्थर) के समान कहा
जाता है। पारस लोहे को सोना बना देता है। आपके पास आने वाला
भी हर अच्छा–बुरा व्यक्ति गुणवान हो जाता है। पर पारस है तो है
एक पत्थर ही। आपको सूर्य के समान तेजवाला कहा जाता है। किन्तु
सूर्य का तेज किरणें दुःखी भी करती हैं। जबकि आपको देखकर सब
सुखी ही होते हैं। आपको चन्द्रमा के समान सुख देने वाला कहा जाता
है। किन्तु चन्द्रमा की किरणें घटती–बढ़ती रहती हैं, आप सदा समान
रहते हैं। आपको समुद्र के समान गम्भीर माना जाता है, किन्तु कहाँ
समुद्र और कहाँ आप! समुद्र का पानी खारा होता है। आपको कामदेव
के समान सुन्दर कहना भी ठीक नहीं। कामदेव का तो शरीर ही नहीं
है, अतः वह सुन्दर कैसे हुआ? आपको बलि के समान दानी कहा जाता
है। आप सबसे बड़े दानी है, यह सच है और बलि भी महान दानी था,
किन्तु बलि दैत्य था। आप साक्षात् भगवान हैं। इसलिए इनके साथ
आपकी तुलना नहीं की जा सकती। आपकी उपमा किससे दी जाए?

कौन कहां मित्र है–

विद्या मित्रं प्रवासे च भार्या मित्रं गृहेषु च ।
व्याधितस्यौषधं मित्रं धर्मो मित्रं मृतस्य च ।।१७।।

यहाँ आचार्य चाणक्य मित्र की चर्चा करते हुए कहते हैं कि घर से बाहर रहने पर विद्या ही सच्ची मित्र होती है, घर में पत्नी मित्र होती है, रोगी व्यक्ति के लिए औषधि मित्र होती है तथा मृत्यु के बाद व्यक्ति का धर्म ही उसका मित्र होता है। इस प्रकार कौन किस प्रकार से मित्र है इसकी परवाह करनी चाहिए और समयानुसार मित्र–विचार करते रहना चाहिए इसी में मनुष्य का कल्याण है।

सीख कहीं से भी ले लें–

विनयं राजपुत्रेभ्यः पण्डितेभ्यः सुभाषितम् ।
अनृतं द्यूतकारेभ्यः स्त्रीभ्यः शिक्षेत कैतवम् ।।१८।।

आचार्य चाणक्य का कथन है कि राजपुत्रों से विनम्रता सीखनी चाहिए। पण्डितों से सुन्दर भाषण सीखना चाहिए। जुआरियों से झूठ तथा स्त्रियों से छल–कपट सीखना चाहिए।

आशय यह है कि राजकुमार अत्यन्त विनम्र तथा शालीन होते हैं। अतः उनसे विनम्रता और शालीनता सीखनी चाहिए। विद्वान लोगों का बोलने का ढंग सभ्य एवं सुन्दर होता है। इसलिए उनसे सुन्दर बोलने की कला सीखनी चाहिए। यदि कभी एकदम सफेद झूठ बोलने की आवश्यकता पड़े तो यह गुण जुआरियों से सीखना चाहिए। छल–प्रपंच, कपट स्त्री से सीखना चाहिए।

सोचकर काम करें–

अनालोक्य व्ययं कर्ता चानाथः कलहप्रियः।
आर्तः स्त्रीहसर्वक्षेत्रुषु नरः शीघ्रं विनश्यति ।।१९।।

आचार्य चाणक्य सोच–समझकर कर्म करने का परामर्श देते हुए कहते हैं कि बिना सोचे–समझे व्यय करने वाला अनाथ, झगड़ालू तथा सभी जातियों की स्त्रियों के लिए व्याकुल रहने वाला व्यक्ति शीघ्र नष्ट हो जाता है।

आशय यह है कि धन की अनाप–शनाप खर्च करने वाला, जिसका कोई भी अपना न हो, जो झगड़ालू स्वभाव का हो तथा जो स्त्रियों के ही पीछे भागता रहता हो, ऐसा व्यक्ति शीघ्र ही बर्बाद हो जाता है।

जलबिन्दुनिपातेन क्रमशः पूर्यते घटः ।
स हेतु सर्वविद्यानां धर्मस्य च धनस्य च ।।२०।।

आचार्य चाणक्य यहाँ अल्प बचत का महत्त्व बताते हुए कहते हैं कि एक–एक बूंद डालने से क्रमशः घड़ा भर जाता है। इसी तरह विद्या, धर्म और धन का भी संचय करना चाहिए।

आशय यह है कि एक–एक बूंद डालते रहने से धीरे–धीरे घड़ा भर जाता है। इसी प्रकार धीरे–धीरे ज्ञान, धर्म तथा धन को भी संचय करते रहने से ये बढ़ते हैं। छोटी–छोटी बचतें बढ़कर एक बड़ी राशि बन जाती हैं।

त्रयोदश अध्याय

कर्म की प्रधानता–

मुहूर्तमपि जीवेच्च नरः शुक्लेन कर्मणा ।
न कल्पमपि कष्टेन लोक द्वय विरोधिना ।।१।।

आचार्य चाणक्य यहाँ कर्म की प्रधानता और उपयोगिता की चर्चा करते हुए कहते हैं कि उज्जवल कर्म करने वाला मनुष्य क्षण भर भी जिए तो अच्छा है, किन्तु दोनों लोकों के विरुद्ध काम करने वाले मनुष्य का एक कल्प तक जीना भी व्यर्थ है।

आशय यह है कि अच्छे कार्य करने वाला मनुष्य यदि थोड़ी–सी उम्र भी पाए तो अच्छा है। वह अपने छोटे से जीवन में ही समाज का तथा अपना भी कल्याण कर जाता है। किन्तु जो मनुष्य न तो स्वयं सुखी रहता है और न दूसरों को सुख पहुँचाता है, ऐसा व्यक्ति अपना परलोक भी नहीं सुधार सकता। अतः इस लोक तथा परलोक दोनों को नष्ट करने वाला मनुष्य पृथ्वी का भार है। उसका मर जाना ही अच्छा है।

बीती ताहि बिसार दे–

गतं शोको न कर्तव्यं भविष्यं नैव चिन्तयेत् ।
वर्तमानेन कालेन प्रवर्तन्ते विचक्षणाः ।।२।।

आचार्य चाणक्य यहाँ बीती बात भुलाकर आगे की सुध लेने पर बल देते हुए कहते हैं कि बीती बात पर दुःख नहीं करना चाहिए। भविष्य के विषय में भी नहीं सोचना चाहिए। बुद्धिमान लोग वर्तमान समय के अनुसार ही चलते हैं।

बीती बातों पर दुःख करने से कोई लाभ नहीं होता। भविष्य के लिए भी अभी से दुःखी नहीं होना चाहिए। वर्तमान को ही सुन्दर करना चाहिए। इसी से भविष्य भी सुन्दर बनता है। यही बुद्धिमानी है। और कहा भी गया है—बीती ताहि बिसार दे, आगे की सुधि लेहु। यानि जो बीत गया उसे भूलकर आगे की सोचनी चाहिए।

मीठे बोल-

स्वभावेन हि तुष्यन्ति देवाः सत्पुरुषाः पिताः ।
ज्ञातयः स्नानपानाभ्यां वाक्यदानेन पण्डिताः ।।३।।

आचार्य चाणक्य यहाँ प्रसन्नता के सम्बन्ध में चर्चा करते हुए कहते हैं कि देवता, सज्जन और पिता स्वभाव से, भाई–बन्धु स्नान–पान से तथा विद्वान मधुर वाणी से प्रसन्न होते हैं।

आशय यह है कि देवता, सज्जन तथा पिता स्वभाव से प्रसन्न होते हैं, विद्वान व्यक्ति मीठी बोली से प्रसन्न होते हैं तथा भाई–बिरादरी वाले खिलाने–पिलाने अर्थात् स्वागत–सत्कार से प्रसन्न होते हैं। इस तरह प्रसन्नता अनुभव करने के व्यक्ति–दर–व्यक्ति अलग मानदण्ड होते हैं।

अहो स्वित् विचित्राणि चरितानि महात्मनाम् ।
लक्ष्मीं तृणाय मन्यन्ते तद्भरेण नमन्ति च ।।४।।

महापुरुषों की विनम्रता की चर्चा करते हुए आचार्य चाणक्य कहते हैं कि महापुरुषों का चरित्र भी विचित्र होता है। लक्ष्मी को मानते तो वे तिनके के समान हैं, किन्तु उसके भार से दब जाते हैं।

आशय यह है कि महापुरुष धन को कोई महत्त्व नहीं देते। उसे तिनके के समान एक मामूली–सी चीज समझते हैं। ज्यों–ज्यों उनके

पास धन बढ़ता है, वे और अधिक विनम्र हो जाते हैं। धन के आने पर उनमें घमण्ड नहीं आता।

अति स्नेह ही दुःख का मूल है-

यस्य स्नेहो भयं तस्य स्नेहो दुःखस्य भाजनम् ।
स्नेहमूलानि दुःखानि तानि त्यक्त्वा वसेत्सुखम् ॥५॥

आचार्य चाणक्य का कथन है कि जिसे किसी के प्रति प्रेम होता है उसे उसी से भय भी होता है, प्रीति दुःखों का आधार है। स्नेह ही सारे दुःखों का मूल है, अतः स्नेह–बन्धनों को तोड़कर सुखपूर्वक रहना चाहिए।

भाव यह है कि संसार में प्रवर्तन स्नेह के कारण होता है। प्रायः सांसारिक लोग इसी में फँसते हैं। श्रीमद्भागवत में जड़भरत की कथा भी इसी का दृष्टान्त है। क्योंकि उसे राजपाट, घर–बार, माता–पिता को छोड़ने के बाद भी स्नेहाधिक्य के कारण मृगयोनि में जन्म लेना पड़ा। इसीलिए कहा गया है कि संसार में अनेक प्रकार के बन्धन हैं, लेकिन स्नेह का बन्धन अपूर्व है। लकड़ी का भेदन करने में निपुण भ्रमर प्रेमपाश के कारण कमलकोश में निष्क्रिय हो जाता है।

भविष्य के प्रति जागरूक रहें-

अनागत विधाता च प्रत्युत्पन्नमतिस्तथा ।
द्वावेतौ सुखमेवेते यद्भविष्यो विनश्यति ॥६॥

आचार्य चाणक्य का कथन है कि जो व्यक्ति भविष्य में आने वाली विपत्ति के प्रति जागरूक रहता है और जिसकी बुद्धि तेज होती है, ऐसा ही व्यक्ति सुखी रहता है। इसके विपरीत भाग्य के भरोसे बैठा रहने वाला व्यक्ति नष्ट हो जाता है।

आशय यह है कि जो व्यक्ति किसी भी आने वाले विपत्ति का डटकर मुकाबला करता है और जिसकी बुद्धि ऐसे समय में तेजी से

काम करने लगती है, ऐसा व्यक्ति विपत्ति को भी हरा देता है तथा सुखी रहता है किन्तु जो व्यक्ति 'जो भाग्य में लिखा है वह तो होगा ही' यही सोचकर हाथ–पर–हाथ रखकर बैठा रहता है, वह बर्बाद हो जाता है। अतः दुःख का वीरता से सामना करना चाहिए।

यथा राजा तथा प्रजा–

राज्ञेधर्मणि धर्मिष्ठाः पापे पापाः समे समाः ।
राजानमनुवर्तन्ते यथा राजा तथा प्रजाः ।।७।।

आचार्य चाणक्य यहाँ यथा राजा तथा प्रजा की उक्ति को स्पष्ट करते हुए कहते हैं कि राजा के पापी होने पर प्रजा भी पापी, धार्मिक होने पर धार्मिक तथा सम होने पर प्रजा भी सम हो जाती है। प्रजा राजा के समान ही बन जाती है।

आशय यह है कि जैसा राजा होता है, वैसी प्रजा भी बन जाती है। राजा धार्मिक हो तो प्रजा भी धार्मिक तथा राजा पापी हो तो प्रजा भी पापी बन जाती है। क्योंकि प्रजा राजा का ही अनुसरण करती है।

धर्महीन मृत समाना–

जीवन्तं मृतवन्मन्ये देहिनं धर्मवर्जितम् ।
मृतो धर्मेण संयुक्तो दीर्घजीवी न संशयः ।।८।।

आचार्य चाणक्य का कथन है कि धर्म से हीन प्राणी को मैं जीते जी मृत समझता हूँ। धर्मपरायण व्यक्ति मृत भी दीर्घजीवी है। इसमें कोई सन्देह नहीं है।

आशय यह है कि दो प्रकार के मनुष्य होते हैं–पहला जीते जी भी मरा हुआ मनुष्य। दूसरा मरकर भी लम्बे समय तक जीवित रहने वाला। जो मनुष्य अपने जीवन में कोई भी अच्छा काम नहीं करता; अर्थात् जिसकी धर्म की झोली ही खाली रह जाती है, ऐसा धर्महीन मनुष्य जिन्दा रहते हुए भी मरे के समान हैं। जो मनुष्य अपने जीवन

में लोगों की भलाई करता है और धर्म संचय करके मर जाता है, उसे लोग उसकी मृत्यु के बाद भी याद करते रहते हैं। ऐसा ही व्यक्ति मृत्यु के बाद भी यश से लम्बे समय तक जीवित रहता है।

धर्मार्थकाममोक्षाणां यस्यैकोऽपि न विद्यते ।
अजागलस्तनस्येव तस्य जन्म निरर्थकम् ।।६।।

आचार्य चाणक्य यहाँ व्यक्ति की सार्थकता की चर्चा करते हुए कहते हैं कि धर्म, अर्थ काम तथा मोक्ष में से जिस व्यक्ति को एक भी नहीं मिल पाता, उसका जीवन बकरी के गले के स्तन के समान व्यर्थ है।

आशय यह है कि जो मनुष्य अपने जीवन में न तो कोई धर्म के कार्य करता है, न धनवान बन पाता है, न भोग कर पाता है और न मोक्ष प्राप्त करने का प्रयत्न करता है, उस व्यक्ति का जीवन बकरी के गले में निकले स्तन के समान है जो किसी भी काम का नहीं होता।

दह्यमानां सुतीव्रेण नीचाः परयशोऽग्निना ।
अशक्तास्तत्पदं गन्तुं ततो निन्दां प्रकुर्वते ।।१०।।

आचार्य चाणक्य दूसरे की उन्नति के प्रति संकुचित भाव रखने वाले दुष्टों की चर्चा करते हुए कहते हैं कि दुष्ट व्यक्ति दूसरे की उन्नति को देखकर जलता रहता है वह स्वयं उन्नति नहीं कर सकता। इसलिए वह निन्दा करने लगता है।

आशय यह है कि दूसरे लोगों की उन्नति को देखकर दुष्ट व्यक्ति को अत्यन्त दुःख होता है, वह इसे देखकर जल उठता है। स्वयं उन्नति कर नहीं सकता अतः वह उन्नति करने वाले आदमी की बुराई करने लगता है। अर्थात् लोमड़ी अंगूरों तक नहीं पहुँच सकी तो कह दिया कि अंगूर खट्टे हैं।

मोक्ष मार्ग-

बन्धन्य विषयासंगः मुक्त्यै निर्विषयं मनः ।
मन एव मनुष्याणां कारणं बन्धमोक्षयोः ।।११।।

आचार्य चाणक्य का कथन है कि बुराइयों में मन को लगाना ही बन्धन है औ इनसे मन को हटा लेना ही मोक्ष का मार्ग दिखाता है। इस प्रकार यह मन ही बन्धन या मोक्ष देने वाला है।

आशय यह है कि मन ही मनुष्य के लिए बन्धन और मोक्ष का कारण है, क्योंकि इसका स्वरूप ही संकल्प—विकल्प रूप है। यह कभी स्थिर नहीं रहता, निरन्तर ऊहापोह, तर्क—वितर्क और गुण—दोषों के विवेचन में लगा रहता है। इसलिए इससे सिद्धान्त का जन्म तो होता नहीं, सदा विकल्प लगा रहता है। लेकिन मन भी अभ्यास एवं वैराग्य के द्वारा वश में करके मोक्ष प्राप्त किया जा सकता है। इन दोनों के अतिरिक्त मन बन्धन का कारण तो बनता ही है।

देहाभिमानगलिते ज्ञानेन परमात्मनः ।
यत्र-यत्र मनो याति तत्र-तत्र समाधयः ।।१२।।

आचार्य चाणक्य समाधि अवस्था की चर्चा करते हुए कहते हैं कि परमात्मा का ज्ञान हो जाने पर देह का अभिमान गल जाता है। तब मन जहाँ भी जाता है, उसे वहीं समाधि लग जाती है।

आशय यह है कि साधक जब परमात्मा को जान जाता है, तो उसे संसार की प्रत्येक वस्तु माया जान पड़ती है, अतः वह अपने शरीर को भी अपना नहीं समझता। ऐसा ज्ञान होने पर व्यक्ति का मन चाहे कहीं रहे, उसे समाधि लग जाती है।

सुख-दुःख-

ईप्सितं मनसः सर्वं कस्य सम्पद्यते सुखम् ।
दैवायत्तं यतः सर्वं तस्मात् सन्तोषमाश्रयेत् ।।१३।।

आचार्य चाणक्य का कथन है कि मन के चाहे सारे सुख किसे मिले हैं। क्योंकि सब कुछ भाग्य के अधीन है। अतः सन्तोष करना चाहिए।

आशय यह है कि दुनिया में कोई भी ऐसा व्यक्ति नहीं होगा, जिसकी सारी इच्छाएं पूरी हो गई होंगी; जिसे उसके मनचाहे सारे सुख मिल गए होंगे। सुख या दुःख का मिलना भाग्य के अधीन है। व्यक्ति के अधीन नहीं। अतः जो चीज अपने वश में न हो उसके लिए दुःखी नहीं होना चाहिए; संतोष करना चाहिए।

यथा धेनु सहस्त्रेषु वत्सो गच्छति मातरम् ।
तथा यच्च कृतं कर्म कर्तारमनुगच्छति ।।१४।।

आचार्य चाणक्य का कथन है कि जैसे हजारों गायों में भी बछड़ा अपनी ही माँ के पास जाता है, उसी तरह किया हुआ कर्म कर्ता के पीछे–पीछे जाता है।

आशय यह है कि हजारों गायें चर रही हों और बछड़ें को छोड़ दिया जाए, तो वह मूक पशु अपनी ही माँ के पास जाता है। किसी अन्य गाय के पास नहीं। इसी प्रकार व्यक्ति जो भी अच्छा या बुरा कर्म करता है, उसका फल उसी के पीछे–पीछे लगा रहता है। उस फल को व्यक्ति को भोगना ही पड़ता है। इसलिए मनुष्य को सदा अच्छे ही कर्म करने चाहिए।

अनवस्थितकार्यस्य न जने न वने सुखम् ।
जनो दहति संसर्गाद् वनं संगविवर्जनात ।।१५।।

आचार्य चाणक्य चंचलता के दुःख की चर्चा करते हुए कहते हैं कि जिसका चित्त स्थिर नहीं होता, उस व्यक्ति को न तो लोगों के बीच में सुख मिलता है और न वन में ही। लोगों के बीच में रहने पर उनका साथ जलाता है तथा वन में अकेलापन जलाता है।

आशय यह है कि किसी भी काम को करते समय मन को स्थिर रखना चाहिए। मन के चंचल होने पर व्यक्ति न तो कोई काम ही

ठीक से कर सकता है, न उसे कहीं पर भी सुख ही मिल सकता है। ऐसा व्यक्ति समाज में रहता है, तो अपने निकम्मेपन और दूसरे लोगों को फलता–फूलता देखकर इसे सहन नहीं कर सकता, यदि वह वन में भी चला जाए, तो वहाँ अकेलापन उसे काटने दौड़ता है। इस प्रकार वह कहीं भी सुखी नहीं रह सकता। चित्त की चंचलता दुःख देती है।

सेवा भाव–

यथा खनित्वा खनित्रेण भूतले वारि विन्दति ।
तथा गुरुगतां विद्यां शुश्रूषुरधिगच्छति ।।१६।।

आचार्य चाणक्य का कथन है कि जैसे फावड़े से खोदकर भूमि से जल निकाला जाता है, इसी प्रकार सेवा करने वाला विद्यार्थी गुरु से विद्या प्राप्त करता है।

आशय यह है कि भूमि से पानी निकालने के लिए जमीन को खोदा जाता है। इसमें व्यक्ति को परिश्रम करना पड़ता है। इसी प्रकार गुरु से विद्या प्राप्त करने में भी परिश्रम और सेवा करनी पड़ती है।

पूर्वजन्म–

कर्मायत्तं फलं पुंसां बुद्धिः कर्मानुसारिणी ।
तथापि सुधियाचार्यः सुविचार्यैव कुर्वते ।।१७।।

आचार्य चाणक्य विचार का महत्त्व प्रतिपादित करते हुए कहते हैं कि यद्यपि मनुष्य को फल कर्म के अनुसार मिलता है और बुद्धि भी कर्म के अधीन है। तथापि बुद्धिमान व्यक्ति विचार करके ही काम करता है।

आशय यह है कि सुख–दुःख, बुद्धि आदि सभी पूर्वजन्म के कर्मों के अनुसार ही मिलते हैं। फिर भी बुद्धिमानी इसी में है कि सभी कार्य अच्छी तरह सोच–समझकर किए जाएं।

गुरु महिमा–

एकाक्षरं प्रदातारं यो गुरुं नाभिवन्दते ।
श्वानयोनि शतं भुक्तवा चाण्डालेष्वभिजायते ।।१८।।

आचार्य चाणक्य यहाँ कृतघ्न शिष्य की चर्चा करते हुए कहते हैं कि जो एकाक्षर का ज्ञान देनेवाले गुरु की वन्दना नहीं करता, वह सौ बार कुत्ते की योनि में जन्म लेकर फिर चाण्डाल बनता है।

आशय यह है कि परमात्मा का नाम ऊँ है, जिसे एकाक्षर ब्रह्म कहा जाता है–जो परमात्मा का दर्शन कराने वाले गुरु का आदर नहीं करता, उस शिष्य को सौ बार जन्म लेकर कुत्ता बनना पड़ता है और फिर उसे चाण्डाल के घर जन्म लेना पड़ता है।

युगान्ते प्रचलेन्मेरुः कल्पान्ते सप्त सागराः ।
साधवः प्रतिपन्नार्थान्न चलन्ति कदाचन ।।१६।।

आचार्य चाणक्य महापुरुषों के स्वभाव की चर्चा करते हुए कहते हैं कि युग का अन्त होने पर भले ही सुमेरु पर्वत अपने स्थान से हट जाए और कल्प का अन्त होने पर भले ही सातों समुद्र विचलित हो जाएं, सज्जन अपने मार्ग से कभी विचलित नहीं होते।

अभिप्राय यह है कि महापुरुष अपने आचरण–विचार में सदैव दृढ़ रहते हैं जबकि युग के अन्त में सुमेरु पर्वत भी अपने स्थान को छोड़ देता है। कल्प समाप्त होने पर समुद्र भी अपनी सीमा लांघ जाते हैं और पृथ्वी को जल में डुबा देते हैं। किन्तु सज्जन अपनी सच्चाई और परोपकार के मार्ग को कभी नहीं छोड़ते।

चतुर्दश अध्याय

पृथ्वी रत्न–

पृथिव्यां त्रीणि रत्नानि अन्नमापः सुभाषितम् ।
मूढैः पाषाणखण्डेषु रत्नसंज्ञा विधीयते ।।१।।

आचार्य चाणक्य पृथ्वी के प्रमुख तीन रत्नों की चर्चा करते हुए कहते हैं कि अन्न, जल तथा सुन्दर शब्द, पृथ्वी के ये ही तीन रत्न हैं। मूर्खों ने पत्थर के टुकड़ों को रत्न का नाम दिया है।

आशय यह है कि अनाज, पानी और सबके साथ मधुर बोलना–ये तीन चीजें ही पृथ्वी के सच्चे रत्न हैं। हीरे जवाहरात आदि पत्थर के टुकड़े ही तो हैं। इन्हें रत्न कहना केवल मूर्खता है। रहीम ने भी कहा है–

रहिमन पानी राखिये, बिन पानी सब सून ।
पानी गए न उबरें, मोती, मानुष चून ।।

इसी प्रकार अन्न और साधु वचनों का महत्त्व है। शेष सभी चीजें इनके सामने अर्थहीन दिखलाई पड़ती हैं। इसलिए इन्हीं की कद्र करनी चाहिए।

जैसा बोना वैसा पाना–

आत्मापराधवृक्षस्य फलान्येतानि देहिनाम् ।
दारिद्र्यरोग दुःखानि बन्धनव्यसनानि च ।।२।।

आचार्य चाणक्य कहते हैं कि दरिद्रता, रोग दुःख, बन्धन और व्यसन सभी मनुष्य के अपराध रूपी वृक्षों के फल हैं।

आशय यह है कि निर्धनता, रोग, दुःख, बन्धन और बुरी आदतें सब–कुछ मनुष्य के कर्मों के ही फल होते हैं। जो जैसा बोता है, उसे वैसा ही फल भी मिलता है, इसलिए सदा अच्छे कर्म करने चाहिए।

शरीर का महत्त्व–

पुनर्वित्तं पुनर्मित्रं पुनर्भार्या पुनर्मही ।
एतत्सर्वं पुनर्लभ्यं न शरीरं पुनः पुनः ।।३।।

आचार्य चाणक्य मानव शरीर की महत्ता प्रतिपादित करते हुए कह रहे हैं कि व्यक्ति को जीवन में धन, मित्र, पत्नी, पृथ्वी, ये सब फिर–फिर मिल सकते हैं, किन्तु एक बार जाने पर जीवन–शरीर पुनः नहीं मिल सकता।

आशय यह है कि धन नष्ट हो जाए, तो पुनः कमाया जा सकता है, मित्र रूठ जाए, तो उसे मनाया जा सकता है, एक मित्र साथ छोड़ दे तो दूसरा बनाया जा सकता है। यही बात पत्नी पर भी लागू हो सकती है। यदि कोई जमीन हाथ से निकल जाए, तो उसे पुनः प्राप्त किया जा सकता है किन्तु शरीर एक बार साथ छोड़ दे, तो यह दुबारा नहीं मिलता।

एकता–

बहूनां चैव सत्त्वानां समवायो रिपुञ्जयः ।
वर्षान्धाराधरो मेघस्तृणैरपि निवार्यते ।।४।।

आचार्य चाणक्य यहाँ एकता की शक्ति प्रतिपादित करते हुए कहते हैं कि बहुत–से छोटे प्राणी भी मिलकर शत्रु को जीत लेते हैं। मूसलाधार वर्षा को भी तिनके मिलकर रोक देते हैं।

आशय यह है कि शत्रु चाहे कितना बलवान हो; यदि अनेक छोटे–छोटे व्यक्ति भी मिलकर उसका सामना करें तो उसे हरा देते हैं। छोटे–छोटे तिनकों से बना हुआ छप्पर मूसलाधार बरसती हुई वर्षा को भी रोक देता है। वास्तव में एकता में बड़ी भारी शक्ति है।

थोड़ी भी अधिक है-

जले तैलं खले गुह्यं पात्रे दानं मनागपि ।
प्राज्ञे शास्त्रं स्वयं याति विस्तारे वस्तुशक्तितः ।।५।।

आचार्य चाणक्य यहाँ थोड़े में भी अधिक विस्तार पाने वाली चीजों के बारे में बताते हुए कहते हैं कि जल में तेल, दुष्ट से कही गई गुप्त बात, योग्य व्यक्ति को दिया गया दान तथा बुद्धिमान को दिया गया ज्ञान थोड़ा–सा होने पर भी अपने–आप विस्तार प्राप्त कर लेते हैं।

आशय यह है कि पानी में थोड़ा भी तेल डाल दिया जाए, तो शीघ्र ही पूरे पानी में फैल जाता है। दुष्ट–चुगलखोर को भेद भरी कोई बात यदि थोड़ी–सी भी बता दी जाए, तो वह उस बात को फैला देता है। योग्य व्यक्ति की धन से यदि थोड़ी भी सहायता की जाए, तो वह उस धन को कई गुना बढ़ा लेता है। विद्वान को यदि विद्या थोड़ी–सी भी दे दी जाए, तो वह उस विद्या का विस्तार स्वयं कर लेता है।

वैराग्य महिमा-

धर्माऽऽख्याने श्मशाने च रोगिणां या मतिर्भवेत् ।
सा सर्वदैव तिष्ठेच्चेत् को न मुच्येत बन्धनात् ।।६।।

आचार्य चाणक्य यहाँ वैराग्य की महत्ता प्रतिपादित करते हुए कहते हैं कि धार्मिक कथाओं को सुनने पर, श्मशान में तथा रोगियों

को देखकर व्यक्ति की बुद्धि को जो वैराग्य हो जाता है, यदि ऐसा वैराग्य सदा बना रहे, तो भला कौन बन्धन से मुक्त नहीं होगा?

आशय यह है कि किसी वस्तु या पदार्थ के देखने से उत्पन्न ज्ञान क्षणभर के लिए होता है, उसमें स्थायित्व नहीं होता। धर्माख्यान, श्मशान ओर रोगयुक्त शरीर में भी स्वभाव–परिवर्तन, विराग तथा ईश्वरभक्ति की भावना भी इसी तरह से क्षणिक होती है। इसमें यदि स्थायित्व आ जाए, तो जीव का कल्याण हो जाता है।

करने के बाद क्या सोचना–

उत्पन्नपश्चात्तापस्य बुद्धिर्भवति यादृशी ।
तादृशी यदि पूर्वा स्यात्कस्य स्यान्न महोदयः ।।७।।

आचार्य चाणक्य यहाँ कर्म के बाद पश्चात्ताप की निरर्थकता की चर्चा करते हुए कहते हैं कि गलती हो जाने पर जो पछतावा होता है, यदि ऐसी मति गलती करने से पहले ही आ जाए, तो भला कौन उन्नति नहीं करेगा और किसे पछताना पड़ेगा?

अभिप्राय यह है कि बुरा काम करने पर पछतावा होता है और बुद्धि ठिकाने पर आ जाती है। यदि ऐसी बुद्धि पहले ही आ जाए, तो पछताना ही नहीं पड़े। अतः कोई भी काम सोच–समझकर ही करना चाहिए।

अहंकार–

दाने तपसि शौर्ये च विज्ञाने विनये नये ।
विस्मयो न हि कर्तव्यो बहुरत्ना वसुन्धरा ।।८।।

आचार्य चाणक्य कहते हैं कि मानव–मात्र में कभी भी अहंकार की भावना नहीं रहनी चाहिए बल्कि मानव को दान, तप, शूरता, विद्वता, सुशीलता और नीतिनिपुणता का कभी अहंकार नहीं करना चाहिए, क्योंकि इस धरती पर एक से बढ़कर एक दानी, तपस्वी, शूरवीर और विद्वान् व नीतिनिपुण आदि हैं। कहा भी जाता है कि सेर

को सवा सेर बहुत मिल जाते हैं। अतः किसी भी कार्यक्षेत्र में अपने को अति विशिष्ट मानना मूर्खता है। यह अहंकार ही मानव मात्र के दुःख का कारण बनता है और उसे ले डूबता है।

दूरी मन की-

दूरस्थोऽपि न दूरस्थो यो यस्य मनसि स्थितः।
यो यस्य हृदये नास्ति समीपस्थोऽपि दूरतः ।।६।।

आचार्य चाणक्य यहाँ समीपता के स्थान की अपेक्षा हृदय से मापते हुए कहते हैं कि जो व्यक्ति हृदय में रहता है, वह दूर होने पर भी दूर नहीं है। जो हृदय में नहीं रहता वह समीप रहने पर भी दूर है।

आशय यह है कि जिस व्यक्ति के लिए दिल में जगह होती है, वह कहीं दूर भी रहे, तो वह दूर नहीं कहा जा सकता। क्योंकि वह हर पल दिल में समाया रहता है। जिस व्यक्ति के लिए मन में कोई जगह नहीं होती, वह चाहे कितना ही पास क्यों न रहे, उसे पास नहीं कहा जा सकता।

मीठी वाणी-

यस्माच्च प्रियमिच्छेत् तस्य ब्रूयात्सदा प्रियम्।
व्याघ्रो मृगवधं गन्तुं गीतं गायति सुस्वरम् ।।१०।।

आचार्य चाणक्य यहाँ वाणी की मधुरता प्रतिपादित करते हुए कहते हैं कि जिससे अपना कोई कल्याण करना हो, उसके सामने सदा मीठा बोलना चाहिए, क्योंकि बहेलिया हिरन को मारते समय सुन्दर स्वर में गीत गाता है।

आशय यह है कि जिससे अपना कोई मतलब निकालना हो, उस व्यक्ति के सामने खूब चिकनी–चुपड़ी बातें करनी चाहिए। किसी को चारों खाने चित्त करने के लिए चाटुकारिता सबसे अच्छा उपाय है। मीठे बोलों से मारा हुआ व्यक्ति पानी भी नहीं मांगता। एक बहेलिये

को देखिए, हिरन को बुलाने के लिए कितनी सुरीली तान छेड़ता है। हिरन बेचारा मीठी धुन से खिंचा चला आता है। पास आते ही बहेलिया उसका काम तमाम कर देता है। कहा भी गया है–'वचने किम दरिद्रता' अर्थात् वाणी में संकोच क्यों? इससे तो माधुर्य ही प्रकट होना चाहिए।

इनके पास न रहें–

अत्यासन्न विनाशाय दूरस्था न फलप्रदा ।
सेव्यतां मध्यभागेन राजवह्निगुरुस्त्रियः ।।११।।

आचार्य चाणक्य यहाँ कुछ विशेष लोगों से दूरी की चर्चा करते हुए कहते हैं कि राजा, आग, गुरु और स्त्री, इनके अधिक समीप रहने पर विनाश होता है तथा दूर रहने पर कोई फल नहीं मिलता। इसलिए मध्यम दूरी से इनका सेवन करना चाहिए।

आशय यह है कि राजा, गुरु, अग्नि और स्त्री–इन चार चीजों से अधिक दूरी भी नहीं रखनी चाहिए तथा हर समय इनके एकदम पास भी नहीं रहना चाहिए। इनके अधिक पास रहने पर भी हानि होती है और अधिक दूर रहने पर भी काम नहीं बनता। इसलिए न तो इनसे अधिक दूरी रखनी चाहिए और न अधिक नजदीकी हो।

ईश्वर सर्वव्यापी है–

अग्निर्देवो द्विजातीनां मनीषिणां हृदि दैवतम् ।
प्रतिमा स्वल्पबुद्धीनां सर्वत्र समदर्शिनः ।।१२।।

आचार्य चाणक्य कहते हैं कि द्विजातियों का देवता अग्नि है। मनीषी लोग अपने हृदय में ही ईश्वर को देखते हैं। अल्पबुद्धिवाले प्रतिमा को ईश्वर समझते हैं। समदर्शी सर्वत्र ईश्वर को ही देखते हैं।

आशय यह है कि यज्ञ आदि करने में ब्राह्मण आदि अग्नि को ही ईश्वर का रूप समझते हैं। बुद्धिमान लोग अपने हृदय में ही ईश्वर

के दर्शन करते हैं। कम बुद्धिवाले व्यक्ति मूर्ति को ही ईश्वर मानते हैं। समदर्शी ज्ञानी पुरुष संसार के प्रत्येक प्राणी, वस्तु या स्थान में परमात्मा को देखते हैं। उनके अनुसार ईश्वर घट–घट व्यापी या कण–कण में विराजमान हैं।

गुणहीन का क्या जीवन–

स जीवति गुणा यस्य यस्य धर्म स जीवति ।
गुण धर्म विहीनस्य जीवितं निष्प्रयोजनम् ।।१३।।

आचार्य चाणक्य कहते हैं कि जिसमें गुण है, वही मनुष्य जीवित है, जिसमें धर्म है, वही जीवित है। गुण और धर्म के हीन मनुष्य का जीवन व्यर्थ है।

आशय यह है कि जो मनुष्य गुणवान है और जो धर्म–पुण्य के काम करता है, उसी मनुष्य को जीवित समझना चाहिए। जो न गुणवान है, न अच्छे धर्म–पुण्य के काम ही करता है, उसके जीवित रहने से कोई लाभ नहीं। ऐसे व्यक्ति को मरा हुआ ही समझना चाहिए।

यदीच्छसि वशीकर्तुं जगदेकेन कर्मणा ।
परापवादशास्त्रेभ्यो गां चरन्तीं निवारय ।।१४।।

आचार्य चाणक्य कहते हैं कि यदि एक ही कर्म से सारे जगत् को वश में करना चाहते हो, तो दूसरों की बुराई करने में लगी हुई वाणी को रोक लो।

आशय यह है कि सारे संसार को वश में करने का एक ही उपाय है, अपनी जबान से किसी को बुराई मत करो। जब भी जीभ ऐसा करे उसे रोक लो। वशीकरण का इससे बढ़कर दूसरा उपाय नहीं है।

प्रस्तावसदृशं वाक्यं प्रभावसदृशं प्रियम् ।
आत्मशक्तिसमं कोपं यो जानाति स पण्डितः ।।१५।।

आचार्य चाणक्य यहाँ पंडित के बारे में बताते हुए कहते हैं कि जो प्रसंग के अनुसार बातें करना, प्रभाव डालने वाला प्रेम करना तथा अपनी शक्ति के अनुसार क्रोध करना जानता है, उसे पण्डित कहते हैं।

आशय यह है कि किसी सभा में कब क्या बोलना चाहिए, किससे प्रेम करना चाहिए तथा कहाँ पर कितना क्रोध करना चाहिए, जो इन सब बातों को जानता है, उसे पण्डित; अर्थात् ज्ञानी व्यक्ति कहा जाता है।

चीज एक बातें अनेक–

एक एव पदार्थस्तु त्रिधा भवति वीक्षति ।
कुपणं कामिनी मांसं योगिभिः कामिभिः श्वभिः ॥१६॥

आचार्य चाणक्य अपने–अपने दृष्टिकोण की चर्चा करते हुए कहते हैं कि एक ही वस्तु–स्त्री के शरीर को कामी लोग कामिनी के रूप में, योगी बदबूदार शव के रूप में तथा कुत्ते मांस के रूप में देखते हैं।

आशय यह है कि वस्तु एक ही होती है, किन्तु नजरिया अपना–अपना होता है। इसी नजरिये से एक ही स्त्री के शरीर को योगी, रसिक तथा कुत्ते अलग–अलग रूपों में देखते हैं। योगी उसे एक बदबूदार मुर्दा समझता है और उससे घृणा करता है। रसिक (कामी) उसे ललचायी नजरों से देखता है, उसे भोग की वस्तु समझता है। परन्तु एक कुत्ता उसे केवल एक मांस का लोथड़ा समझता है और खाना चाहता है।

गोपनीय

सुसिद्धमौषधं धर्मं गृहछिद्रं च मैथुनम् ।
कुभुक्तं कुश्रुतं चैव मतिमान्न प्रकाशयेत् ।।१७।।

आचार्य चाणक्य गोपनीयता पर बल देते हुए कहते हैं कि बुद्धिमान व्यक्ति सिद्ध औषधि, धर्म, अपने घर की कमियां, मैथुन, खाया हुआ खराब भोजन तथा सुनी हुई बुरी बातें को गुप्त रखे।

आशय यह है कि इन चीजों के बारे में किसी को कुछ नहीं बताना चाहिए। सिद्ध औषधि, धर्म, घर की कमियां, संभोग, कुभोजन एवं सुनी हुई बात। कुछ दवाएं किसी व्यक्ति को सिद्ध हो जाती हैं। इसलिए लोग उससे दूसरों का भला तो करते हैं, किन्तु उसके बारे में किसी को कुछ नहीं बताते। विश्वास किया जाता है कि ऐसी दवा के बारे में दूसरों को बताने पर उसका प्रभाव समाप्त हो जाता है। अपने धर्म या कर्त्तव्य के बारे में भी लोगों को कुछ नहीं बताना चाहिए। केवल इसका पालन करते जाना चाहिए। अपने घर की कमी को बाहर बताने से अपनी ही बदनामी होती है। कमियां तो सभी घरों में होती है। अतः इन्हें बताना मूर्खता ही है। मैथुन कर्म या संभोग के विषय में किसी को कुछ बताना भी असभ्यता और अश्लीलता है। ये काम एकांत में गुप्त रूप से करने के हैं। यदि भूल से कभी कोई ऐसी चीज खा ली हो जिसकी धर्म या समाज इजाजत नहीं देता, तो इसे किसी को न बताएं। यदि किसी ने आपसे कोई गलत बात कह दी हो या आपने कहीं कोई गलत बात सुनी ली हो, तो इस बात को हजम कर जाना चाहिए, किसी को कुछ बताना नहीं चाहिए।

वाणी से गुण झलक जाते हैं-

तावन्मौनेन नीयन्ते कोकिलश्चैव वासराः ।
यावत्सर्वं जनानन्ददायिनी वाङ् न प्रवर्तते ।।१८।।

आचार्य चाणक्य कहते हैं कि कोयल तब तक मौन रहकर दिनों को बिताती है, जब तक कि उसकी मधुर वाणी नहीं फूट पड़ती। यह वाणी सभी लोगों को आनन्द देती है।

आशय यह है कि कोयल वसन्त आने तक चुप ही रहती है। वसन्त आने पर उसकी वाणी फूट पड़ती है। यह वाणी सभी प्राणियों को आनन्द देने वाली होती है।

अतः जब भी बोलो, मधुर बोलो। कड़वा बोलने से चुप रहना ही बेहतर है।

इनका संग्रह करें–

धर्मं धनं च धान्यं च गुरोर्वचनमौषधम् ।
संगृहीतं च कर्तव्यमन्यथा न तु जीवति ।।१६।।

आचार्य चाणक्य कहते हैं कि धर्म, धन, धान्य, गुरु की सीख तथा औषधि इनका संग्रह करना चाहिए अन्यथा व्यक्ति जीवित नहीं रह सकता।

आशय यह है कि मनुष्य को अपने जीवन में अधिक–से–अधिक धर्म के काम करने चाहिए, धन कमाना चाहिए, गुरुजनों से अच्छी सीख लेनी चाहिए और दवाइयां आदि भी इकट्ठी करनी चाहिए। तभी वह सुख से जिन्दगी जी सकता है। दुःखी जिन्दगी वाले व्यक्ति का जीना या मरना बराबर है।

मानव धर्म–

त्यज दुर्जनसंसर्गं भज साधुसमागमम् ।
कुरु पुण्यमहोरात्रं स्मर नित्यमनित्यतः ।।२०।।

आचार्य चाणक्य कहते हैं कि दुष्टों का साथ छोड़ दो, सज्जनों का साथ करो, रात–दिन अच्छे काम करो तथा सदा ईश्वर को याद करो। यही मानव का धर्म है।

आशय यह है कि सदैव ही सज्जनों का संग करना चाहिए और दुर्जनों का साथ छोड़ देना चाहिए। सज्जनों का विकार भी लाभदायक होता है और दुर्जनों से होने वाला लाभ भी दुःखरायक ही होता है। क्योंकि 'किरातार्जुनीयम्' में भारवि ने भी कहा है कि–

'समुन्नयन् भूतिनार्यसङ्गमात् वरं विरोधोऽपि समं महात्मभिः'।

अर्थात् दुष्टों के साथ रहने पर उन्नति मिलना भी अच्छा नहीं, किन्तु सज्जनों के साथ विरोध रखना भी अच्छा है।

यह विचार करें कि धर्म सदा सुखदायक और अहर्निश करणीय है। धर्म के मार्ग पर चलकर अनेकों ने अपनी ख्याति अर्जित की है। ऋषिजन, सज्जन और नेतागण इसके उदाहरण हैं।

भय से सब कार्य होते हैं। भय से मनुष्य अपने मार्ग पर चलकर श्रेय और प्रेय दोनों प्राप्त करते हैं। शरीर नाशवान् है, इसका एक दिन तो नाश होना ही है। इसके भय से लोभ–मोह में प्रवृत्त मनुष्य भी एक बार सोचता है कि मुझे बुरा कार्य नहीं करना चाहिए। गलत मार्ग से बचने का यही सर्वश्रेष्ठ उपाय है। सत्संगति में ही जीवन का वास्तविक सुख है।

पंचदश अध्याय

दयावान बनें–

यस्य चित्तं द्रवीभूतं कृपया सर्वजन्तुषु ।
तस्य ज्ञानेन मोक्षेण किं जटा भस्मलेपनैः ।।१।।

आचार्य चाणक्य कहते हैं कि जिस मनुष्य का हृदय सभी
प्राणियों के लिए दया से द्रवीभूत हो जाता है, उसे ज्ञान, मोक्ष, जटा,
भस्म–लेपन आदि से क्या लेना।

आशय यह है कि जिस मनुष्य के हृदय में सभी मनुष्यों, पशु–पक्षियों,
जीव–जन्तुओं आदि के लिए अथाह दया होती है वही सच्चा मनुष्य
होता है। उसे आत्मा का ज्ञान की, मोक्ष की, जटाएं बढ़ाने की या
भस्म, तिलक, चन्दन आदि लगाने की कोई आवश्यकता नहीं होती।

गुरु ब्रह्म है–

एकमेवाक्षरं यस्तु गुरुः शिष्यं प्रबोधयेत् ।
पृथिव्यां नास्ति तद्द्रव्यं यद् दत्त्वा चाऽनृणी भवेत् ।।२।।

आचार्य चाणक्य यहाँ गुरु की महिमा और महत्त्व प्रतिपादित करते
हुए कहते हैं कि जो गुरु एक अक्षर का भी ज्ञान कराता है, उसके ऋण
से मुक्त होने के लिए, उसे देने योग्य पृथ्वी में कोई पदार्थ नहीं है।

आशय यह है कि गुरु शब्द का अर्थ है–अज्ञान को हटाकर ज्ञान–प्रकाश करने वाला। ऐसा गुरु ब्रह्मा, विष्णु और साक्षात् परब्रह्म के समान है। एकाक्षर ऊँ को परब्रह्म माना गया हैं यदि उसी एकाक्षर ओंकार का ज्ञान जिस गुरु ने करा दिया तो उसके अतिरिक्त बचा ही क्या? वेदों में तो यहाँ तक कहा गया है कि इस एक शब्द के प्रयोग और ज्ञान से स्वर्गलोक और इस लोक में सारी इच्छाओं की पूर्ति हो जाती है।

दुष्टों का उपचार–

खलानां कण्टकानां च द्विविधैव प्रतिक्रिया ।
उपानामुखभंगो वा दूरतैव विसर्जनम् ।।३।।

आचार्य चाणक्य दुष्टों के उपचार के बारे में चर्चा करते हुए कहते हैं कि दुष्टों तथा कांटों का दो ही प्रकार का उपचार है। जूतों से कुचल देना या दूर से ही छोड़ देना।

आशय यह है कि दुष्ट और कांटे दोनों समान होते हैं। इसलिए इनसे दो ही तरह से बचा जा सकता है। या तो इन्हें जूतों से कुचल दो या फिर इनके सामने से दूर से ही हट जाओ। या तो दुष्ट से किसी प्रकार का कोई मतलब ही नहीं रखना चाहिए, उससे सदा दूर ही रहना चाहिए, या फिर उसे ऐसा सबक सिखाना चाहिए कि वह दुबारा आपका अहित करने की हिम्मत ही न कर सके। परिस्थिति के अनुसार जो भी उपाय ठीक लगे, उसी को अपनाना चाहिए।

लक्ष्मी कहीं नहीं ठहरती–

कुचैलिनं दन्तमलोपधारिणं
बह्वाशिनं निष्ठुरभाषितं च ।
सूर्योदये चास्तमिते शयानं
विमुञ्चतेश्रीर्यदि चक्रपाणिः ।।४।।

यहाँ आचार्य चाणक्य लक्ष्मी की चंचलता की प्रकृति के बारे में बताते हुए कहते हैं कि गन्दे वस्त्र पहनने वाले, गन्दे दांतों वाले, अधिक भोजन करने वाले, कठोर शब्द बोलने वाले, सूर्योदय से सूर्यास्त होने तक सोये रहने वाले व्यक्ति को लक्ष्मी त्याग देती है। चाहे वह व्यक्ति साक्षात् चक्रपाणि भगवान विष्णु ही क्यों न हों।

आशय यह है कि जिस व्यक्ति में निम्नलिखित दुर्गुण हों, उसे लक्ष्मी 'धन–सम्पत्ति' त्याग देती है, जैसे–

जो व्यक्ति मैले–कुचले कपड़े पहनता है।

जिसके दांत गन्दे रहते हैं और उनमें मैल भरा रहता है।

जो बहुत अधिक भोजन करता है, अर्थात् भुक्खड़ व्यक्ति।

जो पूरे दिन भर सूर्य निकलने से उसके छिपने तक सोया रहता है।

ऐसा व्यक्ति चाहे कितना ही बड़ा आदमी क्यों न हो, लक्ष्मी उसके पास जाना पसन्द नहीं करती। गन्दगी और आलस्य से लक्ष्मी को वैर रहता है। अतः गरीबी को दूर करने तथा जीवन में उन्नति करने के लिए साफ–सुथरा रहना ओर आलस्य को त्याग देना अत्यन्त आवश्यक है।

धन ही सच्चा बन्धु–

त्यजन्ति मित्राणि धनैर्विहीनं, दाराश्च भृत्याश्य सुहृज्जनाश्च।
तंचार्थवन्तं पुनराश्रयन्ते, ह्यर्थो हि लोके पुरुषस्य बन्धुः ॥५॥

आचार्य चाणक्य कहते हैं कि संसार की यह रीति है कि यहाँ सारा कारोबार व्यापार पैसे यानि धन से चलता है।

मनुष्य जब कभी धनहीन हो जाता है तो उसके मित्र, सेवक और सम्बन्धी, यहाँ तक कि स्त्री आदि भी उसे छोड़ देते हैं। जब कभी संयोग से वही व्यक्ति फिर धनवान् हो जाता है तो उसे छोड़ जाने वाले वही सम्बन्धी, सेवक आदि फिर उसके पास लौट आते हैं। इससे यह सिद्ध होता है कि धन ही मनुष्य का सच्चा बन्धु है, जिसके होने पर संसार के सभी प्राणी अनुराग करते हैं और न होने पर आँख फेर लेते हैं।

अन्यायोपार्जितं वित्तं दशवर्षाणि तिष्ठति ।
प्राप्ते चैकादशे वर्षे समूलं तद् विनश्यति ॥६॥

आचार्य चाणक्य कहते हैं कि लक्ष्मी वैसे ही चंचल होती है परन्तु चोरी, जुआ, अन्याय और धोखा देकर कमाया हुआ धन भी स्थिर नहीं रहता, वह बहुत शीघ्र ही नष्ट हो जाता है। इसके लिए आचार्य चाणक्य ने सीमा निर्धारण कर दी है। वे कहते हैं कि अन्याय, धूर्तता अथवा बेईमानी से जोड़ा-कमाया धन अधिक-से-अधिक दस वर्षों तक रहता है। ग्यारहवें वर्ष में वह बढ़ा हुआ धन मूल के साथ ही नष्ट हो जाता है।

अतः व्यक्ति को कभी अन्याय से धन के अर्जन में प्रवृत्त नहीं होना चाहिए।

सत्संगति-

अयुक्तस्वामिनो युक्तं युक्तं नीचस्य दूषणम् ।
अमृतं राहवे मृत्युर्विषं शंकरभूषणम् ॥७॥

आचार्य चाणक्य कहते हैं कि योग्य स्वामी के पास आकर अयोग्य वस्तु भी सुन्दरता बढ़ाने वाली हो जाती है, किन्तु अयोग्य के पास जाने पर योग्य काम की वस्तु भी हानिकारक हो जाती है। शंकर के पास आने पर विष भी गले का भूषण बन गया, किन्तु राहु को अमृत मिलने पर भी मृत्यु को गले लगाना पड़ा।

आशय यह है कि कोई व्यर्थ की या हानिकारक वस्तु भी यदि किसी महापुरुष के हाथों पड़ जाती है, तो वह उपयोगी बन जाती है तथा कोई अनमोल वस्तु भी यदि दुष्ट के हाथों में चली जाती है, तो वह उससे कोई फायदा नहीं उठा सकता, बल्कि उससे अपनी हानि ही करता है। भगवान शिव को विष दिया गया, वह उसे पी गए। इससे उनके गले की सुन्दरता ही बढ़ी, वह नीलकण्ठ बन गए। राहु को अमृत मिला, किन्तु फिर भी उसे अपना गला कटाना पड़ा। सचमुच महापुरुषों का प्रभाव अनोखा ही होता है।

आचरण-

तद् भोजनं यद् द्विज भुक्तशेषं
तत्सौहृदं यत्क्रियते परस्मिन् ।
सा प्राज्ञता या न करोति पापं
दम्भं विना यः क्रियते स धर्मः ।।८।।

आचार्य चाणक्य कहते हैं कि भोजन वही है, जो ब्राह्मणों को खिला लेने के बाद बच जाए। प्रेम वही है जो दूसरों पर किया जाए। बुद्धि वही है, जो पाप न करे। धर्म वहीं है, जिसे करने में घमण्ड न हो।

आशय यह है कि विद्वानों को खिलाकर ही भोजन करना चाहिए। अपनों से तो सभी प्रेम करते हैं, किन्तु सच्चा प्रेम वही है, जो पराये लोगों के साथ हो। बुद्धि कोई पाप की बात सोचे भी नहीं, ऐसी ही बुद्धि श्रेष्ठ है। दूसरों का भला करते समय मन में किसी प्रकार का घमण्ड न हो। ऐसे पुण्य काम ही धर्म कहे जाते हैं।

मणिर्लुण्ठति पादाग्रे काँचः शिरसि धार्यते ।
क्रय-विक्रयवेलायां काँचः काँचो मणिर्मणिः ।।६।।

आचार्य चाणक्य कहते हैं कि भले ही मणि पांव के आगे लोटती हो और कांच सिर पर रखा हो किन्तु क्रय–विक्रय के समय काँच काँच ही होता है और मणि मणि ही होती है।

आशय यह है कि परिस्थितियों के कारण भले ही कभी मणि जमीन में पैरों के पास पड़ी हो और काँच सिर में पहुँच जाए, पर इससे क्या फर्क पड़ता है। आखिर मणि तो मणि ही है। कभी–न–कभी तो कोई पारखी–जौहरी आएगा ही जो मणि का ही मूल्य लगाएगा, न कि काँच का। कहने का तात्पर्य यह है कि हालातों के चक्कर में कभी योग्य और विद्वान व्यक्ति को भी आदर नहीं मिल पाता। जबकि एक मूर्ख और निकम्मा व्यक्ति एक ऊँची जगह पर पहुँच जाता है। परन्तु

जब कभी किसी योग्य व्यक्ति की जरूरत पड़ती है, तब योग्यता की कीमत का पता लगता है।

तत्व ग्रहण-

अनन्तशास्त्रं बहुलाश्च विद्या
अल्पं च कालो बहुविघ्नता च ।
आसारभूतं तदुपासनीयं
हंसो यथा क्षीरमिवाम्बुमध्यात् ।।१०।।

आचार्य चाणक्य कहते हैं कि शास्त्र अनन्त हैं, विद्याएं अनेक हैं, किन्तु मनुष्य का जीवन बहुत छोटा है, उसमें भी अनेक विघ्न हैं। इसलिए जैसे हंस मिले हुए दूध और पानी में से दूध को पी लेता है और पानी को छोड़ देता है; उसी तरह काम की बातें ग्रहण कर लो तथा बाकी छोड़ दो।

आशय यह है कि शास्त्र एवं विद्याएं अनेक हैं। मनुष्य का जीवन इतना छोटा है कि वह इन सबका अध्ययन नहीं कर सकता। इस छोटे से जीवन में उसे अनेक कार्य करने होते हैं। साथ ही जीवन में मुसीबतों का भी सामना करना पड़ता है। इसलिए इन शास्त्रों एवं विद्याओं से छोटी-मोटी काम की बातों को अवश्य सीख लेना चाहिए।

चाण्डाल कर्म-

दूरादागतं पथिश्रान्तं वृथा च गृहमागतं ।
अनर्चयित्वा यो भुंक्ते स वै चाण्डाल उच्यते ।।११।।

आचार्य चाणक्य चाण्डाल की चर्चा करते हुए कहते हैं कि जो दूर से थककर घर में आए व्यक्ति को या निरुद्देश्य भी आ गया हो तो उसे भी बिना उचित सम्मान दिए स्वयं भोजन कर लेता है, उस व्यक्ति को चाण्डाल कहा जाता है।

आशय यह है कि घर में कोई व्यक्ति दूर से पैदल चलकर, थककर आ जाए, चाहे वह बिना किसी काम के ही क्यों न आया हो, उसका आदर-सत्कार करना चाहिए। जो व्यक्ति उसे भोजन कराए बिना स्वयं भोजन कर लेता है, उसे चाण्डाल कहना चाहिए।

मूर्ख कौन-

पठन्ति चतुरो वेदान् धर्मशास्त्राण्यनेकशः ।
आत्मानं नैव जानन्ति दर्वी पाकरसं यथा ।।१२।।

आचार्य चाणक्य कहते हैं कि मूर्ख व्यक्ति चारों वेदों तथा अनेक धर्मशास्त्रों को पढ़ते हैं। फिर भी जैसे भोजन के रस को करछी नहीं जानती वैसे ही मूर्ख अपनी आत्मा को नहीं जानते हैं।

आशय यह है कि एक करछी पूरी तरह से सब्जी में डूबी होने पर भी, उसका स्वाद नहीं जान सकती। इसी प्रकार एक मूर्ख भी, चाहे वह सभी वेदों और धर्मशास्त्रों को पढ़ ले किन्तु रहता अन्त तक मूर्ख ही है।

ब्राह्मण को मान दें-

धन्या द्विजमयीं नौका विपरीता भवार्णवे ।
तरन्त्यधोगता सर्वे उपस्थिता पतन्त्येव हि ।।१३।।

आचार्य चाणक्य कहते हैं कि भवसागर में यह विपरीत चलने वाली ब्राह्मण रूपी नौका धन्य है। इसके नीचे रहने वाले तो तर जाते हैं, किन्तु ऊपर बैठे हुए नीचे गिर जाते हैं।

आशय यह है कि ब्राह्मण नाव के समान है, जो व्यक्तियों को संसार सागर से पार लगाता है। किन्तु इस नाव में ऊपर नहीं बैठना पड़ता; बल्कि इसके नीचे रहना पड़ता है। यह एक उलटी नाव है। इसके नीचे रहने से, अर्थात ब्राह्मण से दबकर रहने से व्यक्ति इस सागर से पार हो जाता है। उसे स्वर्ग मिलता है। इसके ऊपर बैठने

से; अर्थात् इसका अपमान करने से व्यक्ति डूब जाता है। उसका भला नहीं होता।

पराधीनता में सुख कहाँ–

अयममृतणनिधानं नायको औषधीनां
अमृतमयशरीरः कान्तियुक्तोऽपि चन्द्रः ।
भवति विगतरश्मिर्मण्डले प्राप्य भानोः
परसदननिविष्टः को न लघुत्वं याति ॥१४॥

आचार्य चाणक्य कहते हैं कि यह अमृत का कोश, औषधियों का पति, अमृत से बने शरीर वाला चन्द्रमा सुन्दर कान्तिवाला होने पर भी सूर्यमण्डल में आने पर तेजहीन हो जाता है। दूसरे के घर में आने पर कौन छोटा नहीं होता।

आशय यह है कि चन्द्रमा का शरीर अमृत से बना है, वह अमृत का भण्डार है और उसे औषधियों का स्वामी माना जाता है। उसकी सुन्दरता अनूठी है। इतना सब होने पर भी सूर्य के उग आने पर वह फीका हो जाता है। उसका अमृत भी उसकी रक्षा नहीं कर पाता। दिन सूर्य का घर है। दूसरे के घर में जाने पर किसी को आदर नहीं मिलता। पराये घर में सभी छोटे हो जाते हैं। पराये घर में रहना दुःख ही देता है।

अलिरयं नलिनिदलमध्यमः
कमलिनीमकरन्दमदालसः ।
विधिवशात्प्रदेशमुपागतः
कुरजपुष्परसं बहु मन्यते ।।१५।।

आचार्य चाणक्य कहते हैं कि यह भँवरा कमलदलों के बीच में रहता था और कमलदलों का ही रस पीकर अलसाया रहता था। किसी कारण परदेश आना पड़ा और अब यह कौरया फूल के रस को ही बहुत समझता है।

आशय यह है कि कमलों के तालाब में रहने वाला भँवरा उनके रस को भी मामूली चीज समझता है। जब कमल सूख जाते हैं या वह दूसरी जगह चला जाता है, तब वहाँ उसे किसी साधारण फूल का रस भी पीने को मिल जाए, तो वह उसे बहुत बड़ी चीज समझता है। अर्थात् एक सम्पन्न परिवार का व्यक्ति, जिसे घर में प्रत्येक सुविधा मिली है, कभी बाहर जाता है, तो वहाँ उसे वे सुविधाएँ नहीं मिल पातीं। वहाँ उसे जो कुछ भी मिल जाए, मजबूरी में उसी में संतोष करना पड़ता है।

ब्राह्मण और लक्ष्मी–

पीतः क्रुद्धेन तातश्चरणतलहतो वल्लभोऽयेन रोषा
अबाल्याद्विप्रवर्यैः स्ववदनविवरे धार्यते वैरिणी मे ।
गेहं में छेदयन्ति प्रतिदिवसममाकान्त पूजानिमित्तात्
तस्मात् खिन्ना सदाऽहं द्विज कुलनिलयं नाथ युक्तं त्यजामि ॥१६॥

आचार्य चाणक्य ब्राह्मण व लक्ष्मी के वैर की चर्चा करते हुए कहते हैं कि जिसने क्रूद्ध होकर मेरे पिता समुद्र को पी लिया, जिसने गुस्से में मेरे पति को लात मारी, जो बचपन से ही अपने मुँह में मेरी वैरिणी सरस्वती को धारण करते हैं और जो शिव की पूजा के लिए प्रतिदिन मेरे घर कमलों को तोड़ते हैं, इन ब्राह्मणों ने ही मेरा सर्वनाश किया है, अतः मैं इनके घरों को छोड़े रहूँगी।

आशय यह है कि लक्ष्मीजी कहती हैं कि अगस्त्य भी ब्राह्मण थे, उन्होंने मेरे पिता समुद्र को पी डाला था। भृगु ऋषि ने मेरे पति के सीने में लात मारी थी। भृगु भी ब्राह्मण थे। सरस्वती से मेरा जन्मजात वैर है। इन ब्राह्मणों के बच्चे बचपन से ही सरस्वती की वन्दना करने लगते हैं। शिव की पूजा के लिए सदा कमलों को तोड़ डालते हैं। कमल मेरे घर के समान हैं। इन्होंने मुझे अनेक प्रकार से हानि पहुँचाई है। इसलिए मैं इनके घरों में कभी नहीं जाऊँगी।

प्रेम बन्धन-

बन्धनानि खलु सन्ति बहूनि
प्रेमरज्जुकृतबनधनमन्यत् ।
दारुभेदनिपुणोऽपि षडंघ्रि
र्निष्क्रियो भवति पंकजकोशे ।।१७।।

आचार्य चाणक्य प्रेम–बन्धन की चर्चा करते हुए कहते हैं कि बन्धन तो अनेकों हें, किन्तु प्रेम की डोर का बन्धन अन्य ही है। लकड़ी में छेद करने में भी निपुण भँवरा कमल के कोश में निष्क्रिय हो जाता है।

आशय यह है कि बन्धन तो दुनिया में बहुत सारे हैं, किन्तु प्रेम की डोर का बन्धन कुछ निराला ही है। जो बहुत ही नाजुक होते हुए भी बड़े–बड़े चतुरों की चतुराई को बेकार कर देता है। एक भँवरे को ही देखिए न, जो लकड़ी को काटकर उसमें सूराख कर देता है, यही भँवरा शाम को सूर्य के अस्त होने पर कमल की पंखुड़ियों के अन्दर बन्द हो जाता है। किन्तु कमल से उसे बेपनाह प्यार होता है, इसलिए वह उसे कैसे काटेगा। बेचारा सारी रात कमल में बन्द होकर प्यार की कैद भुगतता रहता है। है न प्रेम–बन्धन का कमाल!

दृढ़ता-

छिन्नोऽपि चन्दनतरूर्न जहाति गन्धं
वृद्धोऽपि वारणपतिर्न जहाति लीलानम् ।
यन्त्रार्पितो मधुरतां न जहार्ति चेक्षु
क्षणोऽपि न त्यजति शीलगुणान्कुलीनः ॥१८॥

आचार्य चाणक्य कहते हैं कि कट जाने पर भी चन्दन का वृक्ष सुगन्ध नहीं छोड़ता। बूढ़ा हो जाने पर भी हाथी अपनी लीलाओं को नहीं त्याग देता। कोल्हू में पेरी जाने पर भी ईख मिठास को नहीं

छोड़ देती। इसी प्रकार गरीब हो जाने पर भी कुलीन अपने शील गुणों को नहीं छोड़ता।

आशय यह है कि चन्दन का वृक्ष चाहे कट जाए, परन्तु अपनी सुगन्ध को नहीं छोड़ता। हाथियों के दल का राजा बूढ़ा हो जाने पर भी अपनी आदतों को नहीं छोड़ पाता। ईख–गन्ने को चाहे कोल्हू में पेर दिया जाए, किन्तु उसकी मिठास नहीं जाती। कुलीन व्यक्तियों पर चाहे कितना ही दुःख आ जाए, वे अपने गुणों को नहीं छोड़ते।

पुण्य से यश–

उर्ध्वां कोऽपि महीधरो लघुतरो दोर्म्यां धृतौ लीलया
तेन त्वं दिवि भूतले च सततं गोवर्धनो गीयसे ।
त्वां त्रैलोक्यधरं वहायि कुचयोरग्रेण नो गण्यते
किं वा केशव भाषणेन बहुना पुण्यं यशसा लभ्यते ॥१६॥

आचार्य चाणक्य यश की प्राप्ति भी पुण्य से होने की बात बताते हुए कहते हैं कि एक छोटे से पर्वत को आपने हाथों से आसानी से उठा लिया। केवल इसी से आपको स्वर्ग तथा पृथ्वी में गोवर्धन कहा जाता है। आप तीनों लोकों को धारण करने वाले हैं और मैं आपको अपने स्तनों के अगले हिस्से में धारण करतीं हूँ, किन्तु इसकी कोई गिनती ही नहीं है। अधिक कहने से क्या लाभ! तो क्या हे कृष्ण! यश भी पुण्य से ही मिलता है?

आशय यह है कि भगवान कृष्ण ने अपने दोनों हाथों से एक छोटे से गोवर्धन पर्वत को उठाया था। इससे इनका इतना नाम हुआ कि वह तीनों लोकों में गोवर्धन गिरधारी कहलाने लगे। तीनों लोकों के स्वामी उन्हीं भगवान कृष्ण को गोपी अपने स्तनों के अगले भाग में उठा लेती हैं। किन्तु उनके इस काम की कही कोई गिनती नहीं है। कोई उनका नाम भी नहीं जानता। सच ही कहा है कि व्यक्ति को यश भी उसके पुण्यों या अच्छे कर्मों से ही मिलता है।

षष्ठदश अध्याय

सन्तान–

न ध्यातं पदमीश्वरस्य विधिवत्संसारविच्छित्तये
स्वर्गद्वारकपाटपाटनपटुः धर्मोऽपि नोपार्जितः ।
नारीपीनपयोधरयुगलं स्वप्नेऽपि नालिंगितं।
मातुः केवलमेव यौवनच्छेदकुठारो वयम् ।।१।।

आचार्य चाणक्य का कथन है कि संसार से मुक्ति पाने के लिए
न तो हमने परमात्मा के चरणों का ध्यान किया, न स्वर्ग–द्वार को पाने
के लिए धर्म का संचय किया और न कभी स्वप्न में भी स्त्री के कठोर
स्तनों का आलिंगन किया। इस प्रकार हमने जन्म लेकर माँ के यौवन
को नष्ट करने के लिए कुल्हाड़े का ही काम किया।

आशय यह है कि जो न तो मोक्ष पाने के लिए परमात्मा का
ध्यान करता है, न स्वर्ग प्राप्त करने के लिए धर्म करता है और न
स्त्री के स्तनों का आलिंगन सम्भोग करता है, ऐसे मनुष्य का जीवन
व्यर्थ है। सन्तान को जन्म देकर माँ का यौवन नष्ट तो होता ही है,
किन्तु गुणवान सन्तान को जन्म देकर माँ अपने को धन्य समझती
है। इस प्रकार की सन्तान जो न तो मोक्ष पाने की कोशिश करती है,
न धर्म–कर्म करती है और न काम–भोग करती है, माँ के यौवन को

नष्ट करने वाला कुल्हाड़ा ही है। ऐसी सन्तान को जन्म देकर माँ भी सुखी नहीं होती।

स्त्री चरित्र-

जल्पन्ति सार्धमन्येन पश्यन्त्यन्यं सविभ्रमाः ।
हृदये चिन्तयन्त्यन्यं न स्त्रीणामेकतो रतिः ।।२।।

आचार्य चाणक्य यहाँ स्त्रियों की प्रवृत्ति की चर्चा करते हुए कहते हैं कि स्त्रियाँ बात एक से करती हैं, कटाक्ष से दूसरे को ही देखती हैं और मन से किसी तीसरे को चाहती हैं। उनका प्रेम किसी एक से नहीं होता।

आशय यह है कि वाराङ्गना के रूप में स्त्री अनेक रूपा होती है। वह पैसे के बल पर निष्ठा बदल लेती है। उसे किसी से प्रेम नहीं होता। उसकी प्रवृत्ति केवल अर्थमूला होती है। अतः उत्तम पुरुष वेश्याओं से सम्पर्क न रखकर सन्मार्ग से अपना जीवन जीते हैं।

यो मोहयन्मन्यते मूढो रत्तेयं मयि कामिनी ।
स तस्य वशगो भूत्वा नृत्येत् क्रीडा शकुन्तवत् ॥३॥

आचार्य चाणक्य यहाँ स्त्री के रूप चरित्र के वशीभूत मूर्ख व्यक्ति की आसक्ति पर टिप्पणी करते हुए कहते हैं कि जो मूर्ख पुरुष मोहवश यह समझता है कि यह कामिनी मुझ पर अनुरक्त हो गई है, वह उसी के वश में होकर खिलौने की चिड़िया के समान नाचने लगता है।

आशय यह है कि यदि किसी स्त्री के बारे में कोई पुरुष यह सोचता है कि वह उस पर रीझ गई है, तो वह महामूर्ख है, वह कुछ नहीं जानता। इसी भ्रम में वह उस स्त्री के वश में हो जाता है और वह उसके इशारों पर खिलौनों की तरह नाचने लगता है। स्त्री से आसक्ति की आशा करना मूर्खता है।

कोऽर्थान्प्राप्य न गर्वितो विषयिणः कस्यापदोऽस्तंगताः।
स्त्रीभिः कस्य न खण्डितं भुवि मनः को नाम राज्ञप्रियः॥
कः कालस्य न गोचरत्वमगमत् कोऽर्थो गतो गौरवम् ।
को वा दुर्जनदुर्गुणेषु पतितः क्षेमेण यातः पथि ।।४।।

आचार्य चाणक्य यहाँ कुसंगति या धन, स्त्री अथवा राजा के सम्पर्क से न बच पाने की स्थिति को स्पष्ट करते हुए कहते हैं कि कौन ऐसा व्यक्ति है, जिसे धन पाने पर गर्व न हुआ हो? किस विषयी व्यक्ति के दुःख समाप्त हुए? स्त्रियों ने किसके मन को खंडित नहीं किया? कौन व्यक्ति राजा का प्रिय बन सका? काल की दृष्टि किस पर नहीं पड़ी? किस भिखारी को सम्मान मिला? कौन ऐसा व्यक्ति है जो दुष्टों की दुष्टता में फंसकर सकुशल लौटकर वापस आ सका?

आशय यह है कि धन पाने पर सभी में घमण्ड आ जाता है। विषय–बुराइयों में फंसकर किसी के दुःखों का फिर अन्त नहीं होता। स्त्रियाँ सभी पुरुषों के मन को डिगा देती हैं। कोई व्यक्ति राजा का प्रिय नहीं हो सकता। मौत की आँखों से कोई नहीं बचता। भीख मांगने पर किसी को आदर नहीं मिलता। दुष्टों के साथ रहकर कोई सकुशल नहीं रह सकता।

विनाश काले विपरीत बुद्धि–

न निर्मिता केन न दृष्टपूर्वा न श्रूयते हेममयी कुरंगी ।
तथाऽपि तृष्णा रघुनन्दनस्य विनाशकाले विपरीतबुद्धिः॥५॥

आचार्य चाणक्य यहाँ विनाश आने पर बुद्धि साथ छोड़ जाती है, की उक्ति को स्पष्ट करते हुए कहते हैं कि सोने की हिरनी न तो किसी ने बनायी, न किसी ने इसे देखा और न यह सुनने में ही आता है कि हिरनी सोने की भी होती है। फिर भी रघुनन्दन की तृष्णा देखिए! वास्तव में विनाश का समय आने पर बुद्धि विपरीत हो जाती है।

आशय यह है कि न तो विधाता ने सोने का हिरन बनाया है, न किसी ने ऐसा हिरन देखा है और न सुना है। फिर भी भगवान राम को क्या सूझी! सोने के हिरन को देखकर मन ललचा गया और उसे मारने चल दिए। एक अनहोनी बात पर विश्वास कर लिया। इस ओर सोचने की भी जरुरत न समझी कि कहीं सोने का भी हिरन होता है। उनका भी क्या दोष! परेशानियों में जो पड़ना था। परेशानियों का समय आने पर व्यक्ति की अक्ल ही मारी जाती है।

महानता–

गुणैरूत्तमतां यान्ति नोच्चैरासनसंस्थितैः ।
प्रासादशिखरस्थोऽपि किं काको गरूडायते ।।६।।

आचार्य चाणक्य गुणों की महत्ता बताते हुए कहते हैं कि गुणों से ही मनुष्य बड़ा बनता है, न कि किसी ऊँचे स्थान पर बैठ जाने से। राजमहल के शिखर पर बैठ जाने पर भी कौआ गरुड़ नहीं बनता।

आशय यह है कि व्यक्ति गुणों से ही बड़ा बनता है। गुणहीनता उसे अस्थायी लाभ दे सकती है स्थायी नहीं।

गुणाः सर्वत्र पूज्यन्ते न महत्योऽपि सम्पदः ।
पूर्णेन्दु किं तथा वन्द्यो निष्कलंको यथा कुशः ।।७।।

आचार्य चाणक्य गुणों के प्रति पूजा भाव की दृष्टि से कहते हैं कि गुण ही सर्वत्र पूजे जाते हैं, धन अत्यधिक होने पर भी सब जगह नहीं पूजा जाता। क्या पूर्ण चन्द्र की संसार में वही वन्दना होती है, जैसी क्षीण चन्द्रमा की होती है।

आशय यह है कि व्यक्ति के पास चाहे कितनी ही धन–सम्पत्ति क्यों न हो, किन्तु उसका सब जगह सम्मान नहीं होता। गुणवान व्यक्ति का सभी जगह आदर किया जाता है। पूर्णिमा का चन्द्रमा चाहे कितना ही बड़ा क्यों न हो, उसमें दाग होने के कारण व्यक्ति उसकी

पूजा नहीं करते, जबकि दूज के चाँद को सभी सिर झुकाते हैं, क्योंकि उसमें दाग नहीं होता, गुण होते हैं।

परमोक्तगुणो यस्तु निर्गुणोऽपि गुणी भवेत् ।
इन्द्रोऽपि लघुतां याति स्वयं प्रख्यापितैर्गुणैः ॥८॥

अपनी प्रशंसा स्वयं करने की प्रवृत्ति पर टिप्पणी करते हुए आचार्य चाणक्य कहते हैं कि दूसरे व्यक्ति यदि गुणहीन व्यक्ति की प्रशंसा करे, तो वह बड़ा हो जाता है। अपनी प्रशंसा स्वयं करने पर इन्द्र भी छोटा हो जाता है।

आशय यह है कि व्यक्ति अपनी प्रशंसा स्वयं नहीं करते। अपने मुँह मियां मिट्ठू बनने पर इन्द्र की भी इज्जत घट जाती है, औरों का तो कहना ही क्या! सच्चा गुणी व्यक्ति वही है, जिसकी प्रशंसा और लोग करते हैं।

विवेकिनमनुप्राप्तो गुणो याति मनोज्ञताम् ।
सुतरां रत्नमाभाति चामीकरनियोजितम् ॥९॥

आचार्य चाणक्य गुण और स्थान के सन्दर्भ में चर्चा करते हुए कहते हैं कि गुण भी योग्य विवेकशील व्यक्ति के पास जाकर ही सुन्दर लगता है, क्योंकि सोने में जड़े जाने पर ही रत्न भी सुन्दर लगता है।

आशय यह है कि कोई गुण किसी समझदार व्यक्ति में होने पर ही लाभदायक होता है। वही गुण यदि किसी दुष्ट में होता है, तो बदनाम हो जाता है। रत्न को सोने में जड़ने पर उसकी सुन्दरता और भी बढ़ जाती है। यदि इसी रत्न को लोहे में जड़ दिया जाए, तो उसकी सुन्दरता घट जाती है।

गुणं सर्वत्र तुल्योऽपि सीदत्येको निराश्रयः ।
अनर्घ्यमपि माणिक्यं हेमाश्रयमपेक्षते ॥१०॥

आचार्य चाणक्य कहते हैं कि गुणी व्यक्ति भी उचित आश्रय नहीं मिलने पर दुःखी हो जाता है, क्योंकि निर्दोष मणि को भी आश्रय की आवश्यकता होती है।

आशय यह है कि व्यक्ति यदि गुणी होता है, तो उसे उसके योग्य स्थान या पद की आवश्यकता होती है। योग्य स्थान न मिलने पर वह दुःखी हो जाता है, क्योंकि अमूल्य और निर्दोष मणि को भी अपने लिए सोने के आधार की आवश्यकता होती है, जिसमें उसे जड़ा जा सके।

अनुचित धन–

अतिक्लेशेन ये चार्थाः धर्मस्यातिक्रमेण तु ।
शत्रूणां प्रणिपातेन ते ह्यर्थाः न भवन्तु मे ।।११।।

आचार्य चाणक्य यहां अनुचित धन का तिरस्कार करते हुए कहते हैं कि दूसरे को दुःखी करके, अधर्म से या शत्रुओं की शरण से मिला धन मुझे प्राप्त न हो।

आशय यह है कि जो धन किसी को दुःखी करके प्राप्त हो, जो चोरी, तस्करी, काला बाजारी आदि अवैध तरीकों से कमाया जाता है या देश के शत्रुओं से अर्थात् देशद्रोही तरीकों से मिलता हो ऐसा धन लेने की इच्छा नहीं करनी चाहिए।

किं तया क्रियते लक्ष्म्या या वधूरिव केवला ।
या तु वेश्यैव सामान्यपथिकैरपि भुज्यते ।।१२।।

आचार्य चाणक्य कहते हैं कि वधू के समान घर के अन्दर बन्द रहने वाली लक्ष्मी क्या काम आती है। और जिस लक्ष्मी का वेश्या के समान सभी भोग करते हैं, ऐसी लक्ष्मी भी किस काम की?

आशय यह है कि कंजूस का धन तिजोरियों में बन्द रहता है। ऐसा धन समाज के किसी काम नहीं आता। मूर्ख व्यक्ति भी धन का सही उपयोग करना नहीं जानता। उसका धन वेश्या के समान हो जाता है, जिसका दुष्ट–उचक्के लोग ही उपयोग करते हैं। यह धन भी किसी

अच्छे काम में नहीं आता। धन का समाज कल्याण, परोपकार तथा जरूरतमन्दों की सहायता करने में ही उपयोग होना चाहिए।

धनेषु जीवितव्येषु स्त्रीषु चाहारकर्मषु ।
अतृप्ता प्राणिनः सर्वे याता यास्यन्ति यान्ति च ॥१३॥

आचार्य चाणक्य कहते हैं कि सभी प्राणी धन, जीवन, स्त्री तथा भोजन से सदा अतृप्त रहकर संसार से चले गए, जा रहे हैं और चले जाएंगे।

आशय यह है कि धन, जीवन, स्त्री तथा भोजन की इच्छा कभी पूरी नहीं होती। इनकी चाह सदा बनी रहती है। इसी चाह को लेकर दुनिया के लोग मरते आए हैं, मर रहे हैं तथा आने वाले समय में भी ऐसा ही होता रहेगा।

सार्थक दान–

क्षीयन्ते सर्वदानानि यज्ञहोमबलि क्रियाः ।
न क्षीयते पात्रदानम भयं सर्वदेहिनाम् ॥१४॥

आचार्य चाणक्य कहते हैं कि सभी यज्ञ, दान, बलि आदि नष्ट हो जाते हैं, किन्तु पात्र को दिया गया दान तथा अभयदान का फल नष्ट नहीं होता।

आशय यह है कि योग्य तथा जरूरतमन्द को ही दान देना चाहिए। अन्य दान, यज्ञ आदि नष्ट हो जाते हैं। किन्तु योग्य जरूरतमन्द को दिया गया दान किसी के जीवन की रक्षा के लिए दिए गए अभयदान का फल कभी नष्ट नहीं होता।

याचकता–

तृणं लघु तृणात्तूलं तूलादपि च याचकः ।
वायुना किं न जीतोऽसौ मामयं याचयिष्यति ॥१५॥

आचार्य चाणक्य मांगने को मरने के समान मानते हुए कहते हैं कि तिनका हलका होता है, तिनके से हलकी रूई होती है और याचक रूई से भी हलका होता है। तब इसे वायु उड़ाकर क्यों नहीं ले जाती? इसलिए कि वायु सोचती है कि कहीं यह मुझसे भी कुछ मांग न बैठे।

आशय यह है कि सबसे हलका एक तिनका होता है। रूई का रेशा तिनके से भी हलका होता है, किन्तु भिखारी रूई के रेशे से भी हलका है। तब सवाल यह उठ खड़ा होता है कि इसे हवा क्यों नहीं उड़ाकर ले जाती? इसका उत्तर है–हवा को भी इससे डर रहता है कि यदि मैं इसे उड़ाकर ले जाऊँगी, तो यह मुझसे भी कुछ मांग बैठेगा। इसीलिए हवा इसे नहीं उड़ाती। भीख मांगना सबसे घटिया काम है। भिखारी की कोई इज्जत नहीं होती।

निर्धनता-

वरं वनं व्याघ्रगजेन्द्रसेवितं
द्रुमालयं पक्वफलाम्बुसेवनं ।
तृणेषु शय्या शतजीर्णवल्कलं
न बन्धुमध्ये धनहीन जीवनम् ।।१६।।

आचार्य चाणक्य निर्धनता को जीवन का अभिशाप मानते हुए कहते हैं कि शेर–हाथियोंवाले वन में रहना, पेड़ के नीचे घर, वन के फलों को खाना और पानी पीना, तिनकों का बिस्तर तथा सैकड़ों पेड़ के छाल के छोटे टुकड़ों के कपड़े पहनना अच्छा है। परन्तु अपने बन्धु–बान्धवों के बीच में निर्धन होकर जीवन जीना अच्छा नहीं है।

आशय यह है कि समाज में भाई–बन्धुओं के बीच गरीबी में जीना अच्छा नहीं है। इससे अच्छा है कि व्यक्ति भयंकर शेरों, बाघों, हाथियों वाले वन में चला जाए और वहाँ किसी वृक्ष के नीचे घास–फूस पर सोये, जंगली फल खाये, वहीं का पानी पीये और पेड़ की छाल के कपड़े पहने। निर्धन होकर समाज में जीने से वनवास अच्छा है।

मीठे बोल–

प्रियवाक्यप्रदानेन सर्वे तुष्यन्ति मानवाः ।
तस्मात् तदेव वक्तव्यं वचने का दरिद्रता ।।१७।।

आचार्य चाणक्य कहते हैं कि प्रिय मधुर वाणी बोलने से सभी मनुष्य सन्तुष्ट हो जाते हैं। अतः मधुर ही बोलना चाहिए। वचनों का गरीब कोई नहीं होता।

आशय यह है कि मधुर वचन बोलना, दान के समान है। इससे सभी मनुष्यों को आनन्द मिलता है। अतः मधुर ही बोलना चाहिए। बोलने में कैसी गरीबी।

संसार कूट वृक्षस्य द्वे फले ह्यमृतोपमे ।
सुभाषितं च सुस्वादुः संगति सज्जने जने ।।१८।।

आचार्य चाणक्य कहते हैं कि इस संसार रूपी वृक्ष के अमृत के समान दो फल हैं–सुन्दर बोलना तथा सज्जनों की संगति करना।

आशय यह है कि सबके साथ मधुरता से बोलना और महापुरुषों की संगति करना इस संसार में व्यक्ति के हाथों ये ही दो चीजें लगती हैं। अतः सबके साथ मधुरता से बोलना चाहिए और सज्जनों की संगति करनी चाहिए।

जन्मजन्मनि चाभ्यस्तं दानमध्ययनं तपः ।
तेनैवाभ्यासयोगेन देही वाऽभ्यस्यते ।।१६।।

आचार्य चाणक्य कहते हैं कि जन्म–जन्म तक अभ्यास करने पर ही मनुष्य को दान, अध्ययन ओर तप प्राप्त होते हैं। इसी अभ्यास से प्राणी बार–बार इन्हें करता है।

आशय यह है कि कई जन्मों तक दान, अध्ययन तथा तपस्या करने पर ही मनुष्य दानी बनता है, अध्ययन करता है और तपस्वी

बनता है। ये गुण किसी एक जन्म में नहीं आते; कई जन्मों के अभ्यास से ही इनकी प्राप्ति होती है।

विद्या और धन समय के–

पुस्तकेषु च या विद्या परहस्तेषु च यद्धनम् ।
उत्पन्नेषु च कार्येषु न सा विद्या न तद्धनम् ।।२०।।

आचार्य चाणक्य समय पर काम न आने वालों के बारे में बताते हुए कहते हैं कि जो विद्या पुस्तक में ही है, और जो धन दूसरे को हाथ में चला गया है, ये दोनों चीजें समय पर काम नहीं आतीं।

आशय यह है कि स्वयं को याद विद्या तथा अपने हाथ का धन ही समय पर काम आते हैं। कर्ज दिया हुआ धन और पुस्तकों में लिखी विद्या एकाएक काम पड़ जाने पर साथ नहीं देते।

सप्तदश अध्याय

ज्ञान गुरु कृपा का-

पुस्तकं प्रत्याधीतं नाधीतं गुरुसन्निधौ ।
सभामध्ये न शोभन्ते जारगर्भा इव स्त्रियः ।।१।।

आचार्य चाणक्य विद्याध्ययन के लिए गुरु के महत्त्व को प्रतिपादित
करते हुए कहते हैं कि जो व्यक्ति केवल पुस्तकों को पढ़कर विद्या
प्राप्त करता है, किसी गुरु से नहीं, उस व्यक्ति का किसी सभा में
अवैध सम्बन्ध से गर्भवती हुई स्त्री के समान कोई आदर नहीं होता।

आशय यह है कि कोई भी विद्या किसी योग्य गुरु से ही सीखी जा
सकती है। यदि कोई व्यक्ति केवल पुस्तकों को पढ़कर ही अपने को
विद्वान् समझता है, तो यह उसका भ्रम है। ऐसा ज्ञान 'नीम हकीम खतरे
जान' ही होता है। जैसे किसी गैर व्यक्ति से गर्भवती बनी स्त्री को
कोई सम्मान से नहीं देखता, उसी प्रकार स्वयं पुस्तकों से विद्या प्राप्त
करने वाले व्यक्ति को विद्वानों की सभाओं में कोई इज्जत नहीं मिलती।

शठ के साथ शठता-

कृते प्रतिकृतिं कुर्यात् हिंसेन प्रतिहिंसनम् ।
तत्र दोषो न पतति दुष्टे दौष्ट्यं समाचरेत् ।।२।।

आचार्य चाणक्य जैसे को तैसा के व्यवहार की पक्षधरता रखते हुए कहते हैं कि उपकारी के साथ उपकार, हिंसक के साथ प्रतिहिंसा करनी चाहिए तथा दुष्ट के साथ दुष्टता का ही व्यवहार करना चाहिए। इनमें कोई दोष नहीं है।

आशय यह है कि जो व्यक्ति आपके साथ उपकार करे, उसके साथ आपको भी उपकार करना चाहिए। जो मार–पीट पर उतारू हो जाए, उसके साथ मार–पीट ही करनी चाहिए। उसके साथ ऐसा न करना, कायरता न भी हो, मूर्खता अवश्य है। दुष्ट के साथ दुष्टता का ही व्यवहार करना चाहिए। उसके साथ भलाई करना महामूर्खता है। उपकारी से उपकार, हिंसक से हिंसा तथा दुष्टता करना ही बुद्धिमानी है। ऐसा करने में कोई बुराई नहीं है।

तप की महिमा–

यद् दूरं यद् दुराराध्यं यच्च दूरे व्यवस्थितम् ।
तत्सर्वं तपसा साध्यं तपो हि दुरतिक्रमम् ।।३।।

आचार्य चाणक्य तप की चर्चा करते हुए कहते हैं कि जो वस्तु दूर हे, दुराराध्य है, दूर स्थित है, वह सब तप से साध्य है। तप सबसे प्रबल वस्तु है।

आशय यह है कि कोई वस्तु चाहे कितनी ही दूर क्यों न हो, उसका मिलना कितना ही कठिन क्यों न हो, और वह पहुँच से बाहर ही क्यों न हो, कठिन तपस्या अर्थात् परिश्रम से उसे भी प्राप्त किया जा सकता है। तपस्या सबसे शक्तिशाली वस्तु है।

लोभश्चेदगुणेन किं पिशुनता यद्यस्ति किं पातकैः
सत्यं यत्तपसा च किं शुचिमनो यद्यस्ति तीर्थेन किम् ।
सौजन्यं यदि किं गुणैः सुमहिमा यद्यस्ति किं मण्डनैः
सद्विद्या यदि किं धनैरपयशो यद्यस्ति किं मृत्युना ॥४॥

आचार्य चाणक्य यहाँ व्यक्ति की सम्बद्धता की चर्चा करते हुए कहते हैं कि लोभी को दूसरे के अवगुणों से क्या लेना? चुगलखोर को पाप से क्या? सच्चे व्यक्ति को तपस्या से क्या? मन शुद्ध है, तो तीर्थों से क्या? ख्याति होने पर बनने–संवरने से क्या! सद्‌विद्या होने पर धन से क्या? बदनामी होने पर मृत्यु से क्या?

आशय यह है कि लोभी व्यक्ति गुणी या अवगुणी व्यक्ति को नहीं देखता। उसका मतलब यदि किसी दुष्ट व्यक्ति से भी निकलता है तो वह उसके तलवे चाटने को भी तैयार हो जाता है। वह अपने स्वार्थ को ही देखता है, अवगुणी व्यक्ति को नहीं। चुगलखोर व्यक्ति पाप से नहीं डरता। वह चुगली करके कोई भी पाप कर सकता है। सच्चे व्यक्ति को तपस्या करने की आवश्यकता नहीं होती। सच्चाई सबसे बड़ी तपस्या है। मन शुद्ध होने पर व्यक्ति को तीर्थों में जाने या न जाने से कोई मतलब नहीं रहता अर्थात् 'मन चंगा तो कठौती में गंगा'। जो व्यक्ति स्वयं ही सज्जन हो, उसे गुणों का उपदेश देने से क्या लाभ? यदि कोई व्यक्ति समाज में अपने अच्छे कार्यों से प्रसिद्ध हो चुका हो, तो उसे सजने–संवरने की कोई आवश्यकता नहीं होती। व्यक्ति के पास विद्या होने पर उसे धन से क्या मतलब? क्योंकि विद्या सबसे बड़ा धन है। बदनाम व्यक्ति को मृत्यु से क्या लेना–देना? बदनामी तो अपने आप में मौत से भी बढ़कर है।

विडम्बना–

पिता रत्नाकरो यस्य लक्ष्मीर्यस्य सहोदरी।
शंखो भिक्षाटनं कुर्यान्न दत्तमुपतिष्ठति ।।५।।

आचार्य चाणक्य कहते हैं कि जिसका पिता रत्नों की खान समुद्र है, और सगी बहन लक्ष्मी हे, ऐसा शंख भिक्षा मांगता है। इससे बड़ी विडम्बना क्या हो सकती है?

आशय यह है कि शंख समुद्र में पैदा होता है, समुद्र के अन्दर अनेकों रत्न हैं। रत्नों की खान यह समुद्र ही उसका पिता है। धन

की देवी लक्ष्मी उसकी सगी बहन है। इतना सब होने पर भी यदि शंख भीख मांगता है, तो इसे क्या कहा जाएगा? केवल उसके भाग्य की विडम्बना ही!

लाचारी-

अशक्तस्तुभवेत्साधुर्ब्रह्मचारी च निर्धनः ।
व्याधिष्ठो देवभक्तश्च वृद्धा नारी पतिव्रता ।।६।।

आचार्य चाणक्य मजबूरी की दशा में व्यक्ति के पक्ष को रखते हुए कहते हैं कि शक्तिहीन व्यक्ति साधु बन जाता है, निर्धन ब्रह्मचारी हो जाता है, रोगी भक्त कहलाने लगता है और वृद्धा स्त्री पतिव्रता बन जाती है।

आशय यह है कि दुनिया में अधिकतर कमजोर-दुर्बल व्यक्ति ही साधु बनते हैं, गरीब बेचारा मजबूरी से ब्रह्मचारी बन जाता है, रोगी व्यक्ति भगवान की पूजा करने लगता है और भक्त बन जाता है। तथा हर बूढ़ी स्त्री पतिव्रता बन जाती है अर्थात् ये सब लाचारी के काम हैं।

माँ से बढ़कर कौन-

नान्नोदकसमं दानं न तिथिर्द्वादशी समा ।
न गायत्र्याः परो मन्त्रो न मातुर्दैवतं परम् ।।७।।

आचार्य चाणक्य माँ के स्थान को सर्वोपरि मानते हुए कहते हैं कि अन्न और जल के दान के समान कोई दान नहीं है। द्वादशी के समान कोई तिथि नहीं है। गायत्री से बढ़कर कोई मन्त्र नहीं है। माँ से बढ़कर कोई देवता नहीं है।

आशय यह है कि अन्न और जल का दान सबसे बड़ा दान है। द्वादशी सबसे पवित्र तिथि है। गायत्री सबसे बड़ा मन्त्र है। माँ सबसे बड़ी देवता है।

दुष्टता–

तक्षकस्य विषं दन्ते मक्षिकाया विषम् शिरेः।
वृश्चिकस्य विषं पुच्छे सर्वांगे दुर्जने विषम् ।।८।।

आचार्य चाणक्य दुष्टता को सबसे बड़ी कमजोरी बताते हुए कहते हैं कि सर्प के दांत में विष होता है, मक्खी के सिर में, बिच्छू की पूंछ में तथा दुष्ट के पूरे शरीर में विष होता है।

आशय यह है कि सांप के केवल दांत में विष होता है, मक्खी के सिर में ही विष होता है, बिच्छू का विष उसकी पूंछ में होता है। किन्तु दुष्ट इन सबसे अधिक विषैला होता है। उसके सारे शरीर में विष होता है। अतः दुष्ट से सदा बचकर रहना चाहिए।

कुपत्नी–

पत्युराज्ञां विना नारी उपोष्य व्रतचारिणी ।
आयुष्य हरते भर्तुः सा नारी नरकं व्रजेत् ।।९।।

आचार्य चाणक्य यहाँ कुपत्नी की चर्चा करते हुए कहते हैं कि अपने पति की आज्ञा के बिना उपवास लेकर व्रत करने वाली पत्नी पति की आयु को हर लेती है। ऐसी स्त्री अन्त में नरक में जाती है।

आशय यह है कि पति की आज्ञा के बिना पत्नी को व्रत–उपवास नहीं लेना चाहिए। बिना पति की आज्ञा के ऐसा करने वाली स्त्री अपने पति की आयु को कम कर देती है। अर्थात् ऐसा करने से उसे जो पाप लगता है, उससे उसके पति की भी मृत्यु हो जाती है। ऐसी स्त्री अपनी मृत्यु के बाद स्वयं भी नरक में जाती है।

पति परमेश्वर–

न दानैः शुद्धयते नारी नोपवासशतैरपि ।
न तीर्थसेवया तद्वद् भर्तुः पादोदकैर्यथा ।।१०।।

आचार्य चाणक्य कहते हैं कि स्त्री न दान से, न सैकड़ों व्रतों से और न तीर्थों की यात्रा करने से उस प्रकार शुद्ध होती है, जिस प्रकार अपने पति के चरणों को धोकर प्राप्त जल के सेवन से शुद्ध होती है।

आशय यह है कि पत्नी के लिए पति ही सब कुछ है, अतः उन्हीं की आज्ञा सर्वतोभावेन पालन करना चाहिए। उनकी इच्छा के विरुद्ध किसी प्रकार का व्रत, तप और अनुष्ठान नहीं करना चाहिए।

ब्राह्मणों के गुरु अग्नि, वर्णों के गुरु ब्राह्मण, स्त्रियों का एकमात्र गुरु पति होता है, लेकिन अतिथि सभी के गुरु होते हैं। इसलिए 'अतिथिदेवो भव' का उपदेश श्रुति करती है।

भारतीय संस्कृति का यह आदर्श है कि स्त्री का महत्त्व सर्वोपरि दिया जाता है कि 'यत्र नार्यस्तु पूज्यन्ते रमन्ते तत्र देवताः'।

जहाँ नारी की पूजा होती है वहाँ देवता निवास करते हैं।

परन्तु स्त्री के लिए उसका पति ही देवता है। इसलिए पतिपरायण भारतीय नारियों के लिए पति–देवता से बढ़कर दूसरा कोई देवता नहीं है। अतः सावित्री ने अपने पति–सेवा के बल पर ही यम से अपने पति सत्यवान को बचा लिया। भगवती सीता ने अपने पति के साथ राजमहल के भोग–विलास को छोड़कर चौदह वर्षों तक वन में निवास किया तथा अनेक प्रकार की अपहरण जन्य पीड़ाओं का भोग किया। उन सबका उद्देश्य मात्र पति–सेवा ही था।

पादशेषं पीतशेषं सन्ध्याशेषं तथैव च ।
श्वानमूत्रसमं तोयं पीत्वा चान्द्रायणं चरेत् ।।११।।

आचार्य चाणक्य यहाँ अशुद्ध जल की चर्चा करते हुए कहते हैं कि पैरों को धोने से बचा हुआ और पीने के बाद पात्र में बचा हुआ और संध्या करने के बाद बचा हुआ जल कुत्ते के मूत्र के समान है। उसे पीने के बाद ब्राह्मण, क्षत्रिय और वैश्य चंद्रायण व्रत को करें, तभी वे पवित्र हो सकते हैं। अर्थात पैरों को धोने के बाद, पीने के बाद और संध्या करने के बाद पात्र में बचा हुआ जल अपवित्र हो जाता है, ऐसे जल को कभी नहीं पीना चाहिए।

सुन्दरता-

दानेन पाणिर्न तु कंकणेन
स्नानेन शुद्धिर्न तु चन्दनेन ।
मानेन तृप्तिर्न तु भोजनेन
ज्ञानेन मुक्तिर्न तु मण्डनेन ।।१२।।

आचार्य चाणक्य यहाँ सच्ची सुन्दता की चर्चा करते हुए कहते हैं कि दान से ही हाथों की सुन्दरता है, न कि कंकण पहनने से, शरीर स्नान से शुद्ध होता है न कि चन्दन लगाने से, तृप्ति मान से होती है, न कि भोजन से, मोक्ष ज्ञान से मिलता है, न कि श्रृंगार से।

आशय यह है कि हाथों की सच्ची सुन्दरता दान देने में है, सोने–चाँदी के कड़े–कंगन पहनने से हाथ सुन्दर नहीं कहे जा सकते। शरीर नहाने से स्वच्छ–साफ होता है, चन्दन, तेल फुलेल आदि लगाने से नहीं। सज्जन सम्मान से सन्तुष्ट होते हैं, खाने–पीने से नहीं। आत्मा का ज्ञान होने पर ही मोक्ष मिलता है, सज–संवरकर रहने या बनाव–श्रृंगार करने से नहीं।

शोभा-

नापितस्य गृहे क्षौरं पाषाणे गन्धलेपनम् ।
आत्मरूपं जले पश्यन् शक्रस्यापि श्रियं हरेत् ।।१३।।

आचार्य चाणक्य कहते हैं कि नाई के घर में क्षौर कर्म से, पत्थर से घिसे चन्दन आदि लगाने से तथा जल में अपना रूप देखने से इन्द्र की भी शोभा नष्ट हो जाती है।

आशय यह है कि नीतिकार ने इस श्लोक का बहुत ही मनोवैज्ञानिक विश्लेषण के आधार पर उल्लेख किया है। क्षौर–कर्म समयानुसार आवश्यक होता है, अतः उसके घर जाने पर विलम्ब हो

सकता है; नापित भी कार्यासक्त हो सकता है। व्यर्थ समय बिताने की अपेक्षा निश्चित समय और स्थान पर क्षौर–कर्म कराना चाहिए।

मूर्तिपूजा में मूर्तियों में प्राणप्रतिष्ठा के बाद देवबुद्धि और भावना पुरस्सार गन्धाक्षत डाला जाता है। केवल पत्थर में गन्धाक्षत लगाने का कोई औचित्य नहीं हैं जल में अपना स्पष्ट स्वरूप नहीं दिखने के कारण भ्रम हो सकता है, इसलिए जल में देखा गया स्वरूप प्रमाणिक नहीं होता है। अतः इन तीनों कार्यों को करने वाले अप्रामाणिकता के कारण नष्ट हो जाते हैं।

सद्यः प्रज्ञाहरा तुण्डी सद्यः प्रज्ञाकरी वचा ।
सद्यः शक्तिहरा नारी सद्यः शक्तिकरं पयः ।।१४।।

आचार्य चाणक्य कहते हैं कि तुण्डी के सेवन से बुद्धि तत्काल नष्ट हो जाती है, वच के सेवन से बुद्धि का शीघ्र विकास होता है। स्त्री के साथ सम्भोग करने से शक्ति तत्काल नष्ट हो जाती है तथा दूध के प्रयोग से खोई हुई ताकत फिर वापस लौट आती है। अतः स्पष्ट है कि तुण्डी बुद्धिनाशक है तो वच बुद्धिवर्धक है। स्त्री बलनाशक है तो दूध बलवर्धक। अतः स्त्री व तुण्डी से होने वाली क्षतिपूर्ति वच और दूध के सेवन से करनी चाहिए।

परोपकरणं येषां जागर्ति हृदये सताम् ।
नश्यन्ति विपदस्तेषां सम्पदः स्युः पदे पदे ।।१५।।

आचार्य चाणक्य कहते हैं कि जिस जिस व्यक्ति के हृदय में सभी जीवों के प्रति परोपकार की भावना है, वह सभी संकटों पर विजय प्राप्त करता है और उसे हर कदम पर सभी प्रकार की सम्पन्नता प्राप्त होती है।

आशय यह है कि जो व्यक्ति हमेशा दूसरों का भला करता है। उसे किसी भी प्रकार का संकट नहीं आता है और उसका धन–धान्य एवं सम्पत्ति हमेशा बढ़ती रहती है।

सुगृहिणी की महिमा–

यदि रामा यदि च रमा यदि तनयो विनयगुणोपेतः ।
तनयो तनयोत्पत्तिः सुरवरनगरे किमाधिक्यम् ।।१६।।

आचार्य चाणक्य कहते हैं कि जिस घर में शुभ लक्षणों वाली स्त्री हो, धन–सम्पत्ति हो, विनम्र गुणवान पुत्र हो और पुत्र का भी पुत्र हो, तो स्वर्गलोक का सुख ऐसे घर से बढ़कर नहीं होता।

आशय यह है कि जिस घर में सुशील, सुन्दर और शुभ लक्षणों वाली पत्नी हो, धन की कमी न हो, पुत्र माता–पिता का आज्ञाकारी हो और पुत्र का भी पुत्र; अर्थात् पोता भी हो गया हो, ऐसा घर पृथ्वी में ही स्वर्ग के समान है। स्वर्ग के सुख भी इससे अधिक नहीं होते।

गुणहीन पशु–

आहारनिद्रा भय मैथुनानि
समानि चैतानि नृणां पशूनाम् ।
ज्ञाने नराणामधिको विशेषो
ज्ञानेन हीना पशुभिः समानाः ।।१७।।

आचार्य चाणक्य कहते हैं कि भोजन, नींद, भय तथा मैथुन करना, ये सब बातें मनुष्यों एवं पशुओं में समान रूप में पायी जाती हैं, किन्तु ज्ञान मनुष्य में ही पाया जाता है। अतः ज्ञान रहित मनुष्य को पशुओं के समान समझना चाहिए।

आशय यह है कि भोजन करना, नींद लगने पर सो जाना, किसी भयंकर वस्तु से डर जाना तथा मैथुन करके सन्तान पैदा करना–ये सब बातें मनुष्यों में भी पायी जाती हैं और पशुओं में भी। किन्तु अच्छे–बुरे का ज्ञान, विद्या का ज्ञान आदि केवल मनुष्य ही प्राप्त कर सकता है, पशु नहीं। इसीलिए जिस मनुष्य में ज्ञान न हो, उसे पशु ही समझना चाहिए।

दानार्थिनो मधुकरा यदि कर्णतालै
दूरीकृता करिवरेण मदान्धबुद्ध्या ।
तस्यैव गण्डयुगमण्डनहानिरेषा
भृंगाः पुनर्विकचपद्मवने वसन्ति ।।१८।।

आचार्य चाणक्य कहते हैं कि मद से अन्धे बने मूर्ख हाथी ने अपने कानों के पास मंडराने वाले भँवरों को कान से उड़ा दिया। भला इससे भँवरों का क्या घटा, हाथी के ही गण्डस्थलों की शोभा कम हो गई। भँवरे तो फिर कमलों के वन में चले जाते हैं।

आशय यह है कि जवान हाथी के कानों से मीठा मल बहने लगता है, जिस पर भँवरे मंडराने लगते हैं। ये भँवरे हाथी की सुन्दरता में चार चाँद लगा देते हैं। मूर्ख हाथी कान फड़फड़ाकर उन्हें उड़ा देता है। इससे हाथी की ही सुन्दरता घटती है, भँवरों का कुछ नहीं बिगड़ता। वे किसी कमलों वाले सरोवर में चले जाते हैं। यदि मूर्ख व्यक्ति गुणी लोगों का आदर नहीं करते, तो इससे गुणी का कोई नुकसान नहीं होता। उन्हें आदर करने वाले अन्य लोग मिल जाते हैं। किन्तु मूर्ख को गुणी लोग नहीं मिलते।

परदुःख कातरता–

राजा वेश्या यमश्चाग्निः चौराः बालक याचकाः ।
परदुःखं न जानन्ति अष्टमो ग्रामकण्टकः ।।१९।।

आचार्य चाणक्य कहते हैं कि राजा, वेश्या, यमराज, अग्नि, चोर, बालक, याचक और ग्रामकंटक ये आठ लोग व्यक्ति के दुःख को नहीं समझते।

आशय यह है कि राजा, वेश्या, यमराज, आग, चोर, बच्चे, भिखारी तथा लोगों को आपस में लड़ाकर तमाशा देखने वाला व्यक्ति, ये आठ दूसरे के दुःख को नहीं समझ सकते। राजा पहले तो दुःख क्या होता है, इसे जानता ही नहीं। क्योंकि 'जाके पैर न पड़ी बिवाई, सो क्या

जाने पीर पराई' यह कहावत सोलहो आने सही है। जिसने दुःख देखे ही न हों, वह दूसरे के दुःखों को क्या समझ सकता है। इसके साथ ही राज–काज चलाने में राजा को कठोर भी होना ही पड़ता है। भला एक वेश्या को दूसरे के दुःख–दर्द से क्या मतलब! उसकी तरफ से कोई मरे या जीये, किसी का घर फुंके या बरबाद हो, उसे तो पैसा चाहिए। यमराज भी दूसरे के दुःख को नहीं देखता। किसी का परिवार रोये या बिलखे, उसे तो अपना काम करना ही होता है। चोर का तो पेशा ही चोरी करना है। चोर कोई महापुरुष तो होता नहीं, जो दूसरे की पीड़ा को समझें बच्चा भला अपने माता–पिता या किसी की भी परेशानी या दुःख को क्या समझ सकता है। उसका तो काम ही है जिद्द करना या शरारतें करना। भिखारी भी सबके सामने हाथ फैला देता है। उसे क्या पता कि सामने वाले के पास कुछ है या नहीं है। और कुछ लोगों को दूसरों को आपस में लड़ाने में ही आनन्द आता है। ऐसे लोगों की तो आत्मा या इन्सानियत ही मर जाती है। दूसरों को दुःखी करने में ही ये खुश होते हैं।

अधः पश्यसि किं बाले पतितं तव किं भुवि ।
रे रे मूर्ख न जानासि गतं तारुण्यमौक्तिकम् ॥२०॥

आचार्य चाणक्य कहते हैं कि बालिके! नीचे भूमि में क्या देख रही हो? मूर्ख क्या नहीं जानते हो कि मेरे यौवन का मोती खो गया है।

आशय यह है कि किसी युवती ने किसी पुरुष को देखकर लज्जा से सिर झुका लिया; किन्तु वह ढीठ बोला, 'तुम नीचे जमीन में क्या देख रही हो क्या तुम्हारा कुछ खो गया है?' तब वह युवती बोली, मूर्ख यहीं मेरी जवानी का मोती गिर गया है। क्या तुम नहीं जानते?'

पतिपरायणता–

न दानात् शुद्ध्यते नारी नोपवोसैः शतैरपि ।
न तीर्थसेवया तद्वद् भर्तुः पादोदकैर्यथा ॥२१॥

आचार्य चाणक्य कहते हैं कि दान करने से, सैकड़ों उपवास करने से या तीर्थयात्रा करने से स्त्री उतनी शुद्ध नहीं होती, जितनी पति के पैरों के जल से होती है।

आशय यह है कि पति के पाँव धोने का जल ही स्त्री को सबसे अधिक पवित्र बनाता है। इस जल से जो शुद्धता उसे मिलती है, ऐसी शुद्धता दान, तीर्थयात्रा और सैकड़ों उपवासों से भी नहीं मिल सकती।

गुण बड़ा दोष छोटे-

व्यालाश्रयापि विफलापि सकण्टकापि
वक्रापि पंकसहितापि दुरासदापि ।
गन्धेन बन्धुरसि केतकि सर्वजन्तो-
रेको गुणः खलु निहन्ति समस्तदोषान ।।२२।।

आचार्य चाणक्य कहते हैं कि हे केतकी! भले ही तू साँपों का घर है, फलहीन है, काँटों वाली है, वक्र (टेढ़ी) है, कीचड़ में उगी हुई और तुझ तक कठिनाई से पहुँचा जाता है, फिर भी सुगन्ध के कारण तू सबकी प्रिय है। निश्चय ही एक ही गुण सारे दोषों को नष्ट कर देता है।

आशय यह है कि केवड़े के वृक्ष में साँप रहते हैं, फल भी नहीं लगते, वह टेढ़ा—मेढ़ा भी होता है, उसमें काँटे भी होते हैं वह उगता भी कीचड़ में है और उस तक पहुँचना भी आसान नहीं होता। इतनी कमियाँ होने पर भी अपने एक ही गुण—सुन्दर गन्ध के कारण केवड़ा सभी को प्रिय होता है। ठीक ही कहा है कि एक ही गुण सारी कमियों को छिपा देता है।

यौवनं धनसम्पत्तिः प्रभुत्वमविवेकता ।
एकैकमप्यनर्थाय किमु यत्र चतुष्टयम् ।।२३।।

आचार्य चाणक्य कहते हैं कि जवानी, धन–सम्पत्ति की अधिकता, अधिकार और विवेकहीनता–इन चारों में से प्रत्येक बात अकेली ही मनुष्य को नष्ट करने के लिए पर्याप्त है। किन्तु यदि कहीं ये चारों इकट्ठे हों अर्थात् मनुष्य युवा भी हो, उसके पास पैसा भी हो और वह अपनी इच्छानुसार काम करने वाला भी हो अर्थात् उसके काम में उसे टोकने वाला भी कोई न हो और फिर दुर्भाग्यवश उसमें विचार–बुद्धि भी न हो तो मनुष्य के विनाश होने में एक पल भी नहीं लगता।

अतः सम्पन्न होने पर मनुष्य को विवेकशील भी बने रहना चाहिए, ताकि किसी प्रकार के विनाश का सामना न करना पड़े। अन्यथा जीवन गर्त में चला जाता है।

चाणक्य सूत्र

सूत्र

१. **सुखस्य मूलं धर्मः।**
धर्म ही सुख देने वाला है।

२. **धर्मस्य मूलमर्थः।**
धन से ही धर्म संभव है।

३. **अर्थस्य मूलं राज्यम्।**
राज्य का वैभव धन से संभव हैं।

४. **राज्यमूलमिन्द्रियजयः।**
राज्य की उन्नति इंद्रियों पर विजय प्राप्त करने से है।

५. **इंद्रियजयस्य मूलं विनयः।**
इंद्रियों पर विजय तभी संभव है जब विनय रूपी संपदा हो।

६. **विनयस्य मूलं वृद्धोपसेवा।**
वृद्धों की सेवा से ही विनय भाव जाग्रत होता है।

७. **वृद्धसेवया विज्ञानत्।**
वृद्ध–सेवा से सत्य ज्ञान प्राप्त होता है।

८. **विज्ञानेनात्मानं सम्पादयेत्।**
विज्ञान (सत्य ज्ञान) से राजा अपने को योग्य बनाए।

९. **सम्पादितात्मा जितात्मा भवति।**
अपने कर्त्तव्यों को जानने वाला राजा ही इन्द्रियों को जीतने वाला होता है।

१०. **जितात्मा सर्वार्थे संयुज्येत।**
इंद्रियों को वश में रखने वाला मनुष्य सभी सम्पत्तियों को प्राप्त करता है।

११. **अर्थसम्पत् प्रकृतिसम्पदं करोति।**
राजा के सम्पन्न होने पर प्रजा भी सम्पन्न हो जाती है।

१२. **प्रकृतिसम्पदा ह्यनायकमपि राज्यं नीयते।**
प्रजा के सम्पन्न होने पर राजा के बिना भी राज्य चलता है।

१३. **प्रकृतिकोपः सर्वकोपेभ्यो गरीयान्।**
प्रजा का क्रोध (नाराजगी) सभी क्रोधों से भयंकर होता है।

१४. **अविनीतस्वामिलाभादस्वामिलाभः श्रेयान्।**
नीच (दुराचारी) राजा के होने से राजा न होना अच्छा है।

१५. **सम्पद्यात्मानमविच्छेत् सहायवान्।**
राजा स्वयं योग्य बनकर योग्य सहायकों की सहायता से शासन चलाए।

१६. **न सहायस्य मन्त्रनिश्यचः।**
सहायकों के बिना राजा कोई निर्णय नहीं कर पाता।

१७. **नैकं चक्रं परिभ्रमयति।**
केवल एक पहिया रथ को नहीं चला पाता।

१८. **सहायः समसुखदुःख।**
जो सुख और दुःख में बराबर साथ देने वाला होता है वही सच्चा सहायक होता है।

१९. **मानी प्रतिमानीनामात्मनि द्वितीयं मन्त्रमुत्पादयेत्।**
अभिमानी राजा जटिल समस्याओं में अभिमान त्याग कर निष्पक्ष विचारों द्वारा निष्कर्ष पर पहुँचे।

२०. **अविनीतं स्नेहमात्रेण न मंत्रे कुर्वीत।**
दुराचारी को स्नेह मात्र से मंत्रणा में न रखे।

२१. **श्रुतवन्तमुपधाशुद्धं मन्त्रिणं कुर्वीत।**
बात सुनने वाले तथा उच्च विचार करने वाले मनुष्य को ही राजा अपना मंत्री बनाए।

२२. **मन्त्रमूलाः सर्वारम्भाः।**
सभी कार्य विचार–विमर्श व सलाह से ही आरंभ होते हैं।

२३. **मन्त्ररक्षणे कार्यसिद्धिर्भवति।**
उचित सलाह के पालन से कार्य में सफलता शीघ्र मिलती है।

२४. **मन्त्रविस्त्रावी कार्यं नाशयति।**

हितकारी व गोपनीय बातों का प्रचार कर देने से इच्छित कार्य शीघ्र नष्ट हो जाता है।

२५. **प्रमादाद् द्विषितां वशमुपयास्यति।**

घमंडी होने से गोपनीय रहस्य शत्रु को ज्ञात हो जाता है।

२६. **सर्वद्वारेभ्यो मन्त्रो रक्षयितव्यः।**

सभी प्रकार से गोपनीय विचारों/सलाहों की रक्षा की जानी चाहिए।

२७. **मन्त्रसम्पदा राज्यं वर्धते।**

योजना रूपी सम्पदा राज्य की वृद्धि करती है।

२८. (क) **श्रेष्ठतमं मन्त्रगुप्तिमाहुः।**

अग्रिम योजनाओं की गोपनीयता श्रेष्ठतम कहीं गई है।

(ख) **कार्यन्धस्य प्रदीपो मन्त्रः।**

अधिकार रूपी कार्य के लिए सलाह ही दीपक है।

२९. **मन्त्रचक्षुषा परछिद्राण्यव लोकयन्तिः।**

उचित सलाह रूपी आँखों से राजा शत्रु की दुर्बलताओं को देखता है।

३०. **मन्त्रकाले न मत्सरः कर्तव्यः।**

सलाह–मशवरा के समय कोई जिद नहीं करनी चाहिए।

३१. **त्रयाणामेकवाक्ये सम्प्रत्ययः।**

तीनों (राजा, मंत्री और विद्वान) का एक मत होना सबसे अच्छी सफलता है।

३२. **कार्यकार्यतत्त्वार्थदर्शिनो मन्त्रिणः।**

कार्य–अकार्य के रहस्य को ठीक–ठीक जानने वाले ही मंत्री होने चाहिए।

३३. **षट्कर्णाद् भिद्यते मन्त्रः।**

छह कानों से सलाह–मशवरा का खुलासा हो जाता है।

३४. **आपत्सु स्नेहसंयुक्तं मित्रम्।**
विपत्ति के समय भी स्नेह रखने वाला ही मित्र है।

३५. **मित्रसंग्रहेण बलं सम्पद्यते।**
अच्छे और योग्य मित्रों की अधिकता से बल प्राप्त होता है।

३६. **बलवान् अलब्धलाभ प्रयतते।**
बलवान राजा जो प्राप्त न की जा सके उसको प्राप्त करने
का प्रयत्न करता है।

३७. **अलब्धलाभो नालसस्य।**
आलसी को कुछ भी प्राप्त नहीं होता।

३८. **आलसस्य लब्धमपि रक्षितुं न शक्यते।**
आलसी प्राप्त वस्तु की भी रक्षा नहीं कर सकता।

३९. **न आलसस्य रक्षितं विवर्धते।**
आलसी के बचाए गए किसी भी वस्तु की बढ़ोतरी नहीं होती।

४०. **न भृत्यान् प्रेषयति।**
आलसी राजा सेवकों से भी काम नहीं लेते।

४१. **अलब्धलाभादिचतुष्टयं राज्यतन्त्रम्।**
न प्राप्त होने वाले को प्राप्त करना, उसकी रक्षा करना, उसकी
वृद्धि करना तथा उसका उचित उपयोग करना, ये चार कार्य
राज्य के लिए आवश्यक हैं।

४२. **राज्यतन्त्रायत्तं नीतिशास्त्रम्।**
नीति शास्त्र राज्य व्यवस्था के अधीन है।

४३. **राज्यतन्त्रेष्वायत्तौ तन्त्रावापौ।**
स्वराष्ट्र नीति तथा विदेश नीति राज्य–व्यवस्था के अंग हैं।

४४. **तन्त्र स्वविषयकृत्येष्वायत्तम्।**
तंत्र (स्वराष्ट्र नीति) केवल राष्ट्र के आंतरिक मामलों से
सम्बद्ध है।

४५. **अवापो मण्डलनिविष्टः।**
परराष्ट्र नीति सभी राष्ट्रों से सम्बद्ध होनी चाहिए।

४६.   सन्धिविग्रहयोनिर्मण्डलः।
      अन्य देशों से सन्धि या विच्छेद चलते रहते हैं।

४७.   नीतिशास्त्रानुगो राजाः।
      नीति शास्त्र का पालन करना राजा की योग्यता है।

४८.   अनन्तरप्रकृतिः शत्रुः।
      हर समय सीमा–संघर्ष होने वाले देश शत्रु बन जाते हैं।

४९.   एकान्तरितं मित्रमिष्यते।
      एक जैसे ही देश मित्र बन जाते हैं।

५०.   हेतुतः शत्रुमित्रे भविष्यतः।
      किसी कारण से ही शत्रु या मित्र बनते हैं।

५१.   हीयमानः संधि कुर्वीत।
      कमजोर राजा शीघ्र संधि कर ले।

५२.   तेजो हि सन्धानहेतुस्तदर्थानाम्।
      संधि करने वालों का उद्देश्य ही संधि करना रहता है।

५३.   नातप्तलौहो लौहेन सन्धीयते।
      बिना गर्म किए लोहा लोहे से नहीं जुड़ता।

५४.   बलवान हीनेन विग्रह्णीयात्।
      बलवान कमजोर पर ही आक्रमण करे।

५५.   न ज्यायसा समेन वा।
      अधिक बलवान या बराबर बल वाले से युद्ध न करें।

५६.   गजपादयुद्धमिव बलवद्विग्रहः।
      बलवान से युद्ध करना हाथियों की सेना से पैदलों का लड़ना है।

५७.   आमपात्रमामेन सह विनश्यति।
      कच्चा पात्र कच्चे पात्र से टकराकर फूट जाता है।

५८.   अरिप्रयत्नमभिसमीक्षेत।
      शत्रु के प्रयासों पर ध्यान देते रहें।

५९.   सन्धायैकतो वा।
      पड़ोसी देश के साथ सन्धि भी हो तो उसकी गतिविधि की उपेक्षा न करें।

६०. **अमित्रविरोधात्मरक्षामावसेत।**
शत्रु देश के गुप्तचरों पर सदैव ध्यान रखना चाहिए।

६१. **शक्तिहीनो बलवन्तमाश्रयेत्।**
शक्तिहीन राजा बलवान राजा का आश्रय लें।

६२. **दुर्बलाश्रयो दुःखमावहति।**
दुर्बल का आश्रय दुःख देता है।

६३. **अग्निवद्राजानमाश्रयेत्।**
जैसे अग्नि का आश्रय लिया जाता है, वैसे ही राजा का भी आश्रय लें।

६४. **राज्ञः प्रतिकूलं नाचरेत्।**
राजा के विपरीत आचरण न करें।

६५. **उद्धतवेशधरो न भवेत्।**
मनुष्य की वेश–भूषा उटपटांग नहीं होनी चाहिए।

६६. **न् देवचरितं चरेत्।**
देवों के चरित्र का अनुकरण नहीं करना चाहिए।

६७. **द्वयोरपीर्ष्यतोद्वैधीभावं कुर्वीत।**
अपने से ईर्ष्या करने वाले दो व्यक्तियों में कूटनीति से फूट डाल देनी चाहिए।

६८. **नव्यसनपरस्य कार्यावाप्तिः।**
बुरी आदतों में लगे हुए मनुष्य को कार्य की प्राप्ति नहीं होती।

६९. **इन्द्रियवशवर्ती चतुरंगवानपि विनश्यति।**
इंद्रियों के अधीन रहने वाला राजा चतुरंगिनी सेना होने पर भी शीघ्र ही नष्ट हो जाता है।

७०. **नास्ति कार्यं द्यूतप्रवर्तस्य।**
जुए में लगे हुए का कोई कार्य नहीं होता।

७१. **मृगयापरस्य धर्मार्थौ विनश्यतः।**
शिकार में लगे हुए का धर्म और अर्थ दोनों नष्ट हो जाते हैं।

७२. **अर्थेषणा न व्यसनेषु गण्यते।**
धन की अभिलाषा रखना कोई बुराई नहीं मानी जाती।

७३. **न कामासक्तस्य कार्यनुष्ठानम्।**
विषय–वासनाओं से घिरा हुआ मनुष्य कोई कार्य नहीं कर सकता।

७४. **अग्निदाहादपि विशिष्टं वाक्पारुष्यम्।**
वाणी की कठोरता अग्निदाह से भी बढ़कर है।

७५. **दण्डपारुष्णात् सर्वजनद्वेष्यो भवति।**
निरपराधी को कठोर दंड देने पर उसे बदला लेने वाला शत्रु बना देता है।

७६. **अर्थतोषिणं श्रीः परित्यजति।**
धन से संतुष्ट राजा को लक्ष्मी त्याग देती हैं।

७७. **अमित्रो दण्डनीत्यामायत्तः।**
दुश्मन दंड नीति का भागी होता है।

७८. **दण्डनीतिमधितिष्ठन् प्रजाः संरक्षति।**
दंडनीति के उचित प्रयोग से प्रजा की रक्षा होती है।

७९. **दण्डसम्पदा योजयति।**
न्याय–व्यवस्था राजा को सम्पत्ति वाला बनाता है।

८०. **दण्डाभावे मन्त्रिवर्गाभावः।**
दंडनीति न लगाने पर मंत्रियों में भी कमियां आ जाती हैं।

८१. **न दण्डादकार्याणि कुर्वन्ति।**
दंड विधान न लगाने पर बुरे कार्य बढ़ जाते हैं।

८२. **दण्डनीत्यामायत्तमात्मरक्षणम्।**
आत्मरक्षा दंडनीति पर ही निर्भर है।

८३. **आत्मनि रक्षिते सर्वं रक्षितं भवति।**
आत्मरक्षा होने पर ही सबकी रक्षा होती है।

८४. **आत्मायत्तौ वृद्धिविनाशौ।**
वृद्धि और विनाश अपने हाथ में है।

८५. दण्डो हि विज्ञाने प्रणीयते।

दंड का प्रयोग विवेक से करना चाहिए।

८६. दुर्बलोऽपि राजा नावमन्तव्यः।

दुर्बल राजा का भी अपमान नहीं करना चाहिए।

८७. नास्त्यग्नेर्दौर्बल्यम्।

अग्नि में दुर्बलता नहीं होती।

८८. दण्डे प्रतीयते वृत्तिः।

राजा की आय दंडनीति से प्राप्त होती है।

८९. वृत्तिमूलमर्थलाभः।

आय प्राप्ति का मतलब लाभ पाना है।

९०. अर्थमूलौ धर्मकामौ।

धर्म और काम का मूल धन हैं।

९१. अर्थमूलं कार्यम्।

धन ही सभी कार्यों का मूल है।

९२. यदल्पप्रयत्नात् कार्यसिद्धिर्भवति।

धन होने से कम प्रयास से ही कार्य सिद्ध हो जाते हैं।

९३. उपायपूर्वं न दुष्करं स्यात्।

उपाय से कार्य कठिन नहीं होता।

९४. अनुपायपूर्वं कार्यं कृतमपिविनश्यति।

अनुपायपूर्वक किया हुआ कार्य भी नष्ट हो जाता है।

९५. कार्यार्थिनामुपाय एव सहायः।

उद्यमियों के लिए उपाय ही सहायक है।

९६. कार्य पुरुषकारेण लक्ष्यं सम्पद्यते।

निश्चय कर लेने पर कार्य पूर्ण हो जाता है।

९७. पुरुषकारमनुवर्तते दैवम्।

भाग्य पुरुषार्थ के पीछे—पीछे चलता है।

९८. दैवं विनाऽपि प्रयत्नं करोति यत्तद्विफलम्।

भाग्य पुरुषार्थी का ही साथ देता है।

९९. **असमाहितस्य वृतिर्न विद्यते।**
भाग्य के भरोसे बैठे रहने पर कुछ भी प्राप्त नहीं होता।

१००. **पूर्वं निश्चित्य पश्चात् कार्यमारभेत्।**
पहले निश्चय करें, फिर कार्य आरंभ करें।

१०१. **कार्यान्तरे दीर्घसूत्रता न कर्तव्या।**
कार्य के बीच में आलस्य न करें।

१०२. **न चलचित्तस्य कार्यावाप्तिः।**
चंचल चित्त वाले को कार्यसिद्धि नहीं होती।

१०३. **हस्तगतावमानात् कार्यव्यतिक्रमो भवति।**
अपने हाथ में साधन नहीं रहने पर कार्य ठीक नहीं होता।

१०४. **दोषवर्जितानि कार्याणि दुर्लभानि।**
बिना कमी रहे कार्य होना बहुत दुर्लभ है।

१०५. **दुरनुबन्धं कार्यं नारभेत्।**
जो कार्य हो न सके उस कार्य को प्रारंभ ही न करें

१०६. **कालवित् कार्यं साधयेत्।**
समय के महत्त्व को समझने वाला निश्चय ही अपना कार्य सिद्धि कर पाता है।

१०७. **कालातिक्रमात् काल एवं फलं पिबति।**
समय से पहले कार्य करने से समय ही कार्य–फल को पी जाता है।

१०८. **क्षण प्रति कालविक्षेपं न कुर्यात् सर्वं कृत्येषु।**
सभी प्रकार के कार्यों में एक क्षण की भी उपेक्षा न करें।

१०९. **देशफलविभागौ ज्ञात्वा कार्यमारभेत्।**
स्थान एवं परिणाम के अंतर को जानकर कार्य आरंभ करें।

११०. **दैवहीनं कार्यं सुसाध्यमपि दुःसाध्यं भवति।**
भाग्यहीन के सभी होने वाले कार्य भी बहुत कठिन हो जाते है।

१११. **नीतिज्ञो देशकालौ परीक्षेत।**
नीति जानने वाले देश–काल की परीक्षा करें।

११२. **परीक्ष्यकारिणी श्रीश्चिरं तिष्ठति।**
परीक्षण करके कार्य करने से लक्ष्मी दीर्घकाल तक रहती है।

११३. **सर्वाश्च सम्पतः सर्वोपायेन परिग्रहेत्।**
सभी सम्पत्तियों का सभी उपायों से संग्रह करना चाहिए।

११४. **भाग्यवन्तमपरीक्ष्यकारिणं श्रीः परित्यजति।**
बिना विचारे कार्य करने वाले भाग्यशाली को भी लक्ष्मी त्याग देती है।

११५. **ज्ञानानुमानैश्च परीक्षा कर्तव्या।**
ज्ञान और अनुमान से परीक्षा करनी चाहिए।

११६. **यो यस्मिन् कर्मणि कुशलस्तं तस्मिन्नैव योजयेत्।**
जो मनुष्य जिस कार्य में निपुण हो, उसे वही कार्य सौंपना चाहिए।

११७. **दुःसाध्यमपि सुसाध्यं करोत्युपायज्ञः।**
उपायों का ज्ञाता कठिन को भी आसान बना देता है।

११८. **अज्ञानिना कृतमपि न बहु मन्तव्यम्।**
अज्ञानियों द्वारा किए कार्य को महत्त्व नहीं देना चाहिए।

११९. **यादृच्छिकत्वात् कृमिरपि रूपान्तराणि करोति।**
संयोग से कीट भी लकड़ी को कतरते–कतरते चित्रनुमा बना देता है। इसका मतलब यह नहीं कि वह चित्रकार है।

१२०. **सिद्धस्यैव कार्यस्य प्रकाशनं कर्तव्यम्।**
कार्य सिद्ध होने पर ही कहीं कहना चाहिए।

१२१. **ज्ञानवतामपि दैवमानुषदोषात् कार्याणि दुष्यन्ति।**
ज्ञानवान लोगों के कार्य भी भाग्य से या मनुष्यों द्वारा दूषित हो जाते हैं।

१२२. **दैवं शान्तिकर्मणा प्रतिषेधव्यम्।**
प्राकृतिक विपत्ति को शांतिकर्म में टालने का प्रयास करना चाहिए।

१२३. **मानुषीं कार्यविपत्तिं कौशलेन विनिवारयेत्।**

मनुष्य द्वारा पैदा की गई कार्य–विपत्ति का कुशलता से निवारण करना चाहिए।

१२४. **कार्यविपत्तौ दोषान् वर्णयन्ति बालिशाः।**

मूर्ख लोग कार्य–विपत्ति पर दोष देखने लगते हैं।

१२५. **कार्यार्थिना दाक्षिण्यं न कर्तव्यम्।**

हानि पहुँचाने वालों के प्रति उदारता न करें।

१२६. **क्षीरार्थी वत्सो मातुरुधः प्रतिहन्ति।**

दूध के लिए बछड़ा माँ के थनों पर प्रहार करता है।

१२७. **अप्रयत्नात् कार्यविपत्तिर्भवति।**

प्रयास न करने से कार्य का नाश होता है।

१२८. **न दैवप्रमाणानां कार्यसिद्धिः।**

भाग्य भरोसे रहने वालों को कार्यसिद्धि नहीं होती।

१२९. **कार्यबाह्यो न पोषयत्याश्रितान्।**

कर्त्तव्य से भागने वाला आश्रितों का पोषण नहीं कर सकता।

१३०. **यः कार्यं न पश्यति सोऽन्धः।**

जो कार्य को नहीं देखता वह अंधा है।

१३१. **प्रत्यक्षपरोक्षानुमानैः कार्याणि परीक्षेत्।**

प्रत्यक्ष, परोक्ष साधनों तथा अनुमान से कार्यों की परीक्षा करें।

१३२. **अपरीक्ष्यकारिणं श्रीः परित्यजति।**

बिना विचारे कार्य करने वाले को लक्ष्मी त्याग देती हैं।

१३३. **परीक्ष्य तार्या विपत्तिः।**

कार्य–विपत्ति का परीक्षा से निराकरण करें।

१३४. **स्वशक्तिं ज्ञात्वा कार्यमारंभेत्।**

अपनी शक्ति को जानकर ही कार्य आरंभ करें।

१३५. **स्वजनं तर्पयित्वा यः शेषभोजी सोऽमृतभोजी।**

स्वजनों को तृप्त करके शेष भोजी अमृत भोजी होता है।

१३६. सर्वानुष्ठानादायमुखानि वर्धन्ते।
सभी अनुष्ठानों से आय के साधन बढ़ते हैं।

१३७. नास्ति भीरोः कार्यचिन्ता।
कायर को कार्य की चिन्ता नहीं होती।

१३८. स्वामिनः शीलं ज्ञात्वा कार्यार्थी कार्यं साधयेत्।
स्वामी के शील को जानकर काम करने वाले कार्य–साधना करते हैं।

१३९. धेनोः शीलज्ञः क्षीरं भुङ्क्ते।
गाय के सीधेपन को जानने वाला दूध का उपभोग करता है।

१४०. क्षुद्रे गुह्यप्रकाशनमात्मवान् न कुर्यात्।
नीच व्यक्ति से अपनी गोपनीय बातें कभी नहीं करनी चाहिए।

१४१. आश्रितैरप्यवमनसते मृदुस्वभावः।
मृदु स्वभाव वाला व्यक्ति आश्रितों से भी अपमानित होता है।

१४२. तीक्ष्णदण्डः सर्वेरुद्वेदनीयो भवति।
कठोर दंड देने वाले राजा से प्रजा घृणा करती है।

१४३. यथार्हं दण्डकारी स्यात्।
राजा यथोचित दंड का उपयोग करे।

१४४. अल्पसारं श्रुतवन्तमपि न बहुमन्यते लोकः।
गंभीर न रहने वाले विद्वान को समाज सम्मान नहीं देता।

१४५. अतिभारः पुरुषमवसादयति।
अधिक दबाव पुरुष को दुःखी करता है।

१४६. यः संसदि परदोषं शंसति स स्वदोषं प्रख्यापयति।
जो भरी सभा में दूसरे का दोष दिखाता है, वह अपने ही दोषों को उजागर करता है।

१४७. आत्मनमेव नाशयत्यनात्मवातां कोपः।
मूर्खों का क्रोध उन्हीं का नाश करता है।

१४८. नास्त्यप्राप्यं सत्यवताम्।
सत्य–सम्पन्न लोगों के लिए कुछ भी दुर्लभ नहीं है।

१४९. **साहसेन न कार्यसिद्धिर्भवति।**

केवल साहस से कार्य—सिद्धि नहीं होती।

१५०. **व्यसानार्तो विरमत्यप्रवेशेन।**

बुरी आदतों में लगा हुआ व्यक्ति लक्ष्य तक पहुँचे बिना रुक जाता है।

१५१. **नास्त्यनन्तरायः कालविक्षेपे।**

समय की उपेक्षा करने से कार्य में बाधा आ जाती है।

१५२. **असंशयविनाशात् संशयविनाशः श्रेयान्।**

भविष्य में होने वाले विनाश से हो रहा विनाश श्रेष्ठ है।

१५३. **परधनानि निक्षेप्तुः केवलं स्वार्थम्।**

दूसरे की धरोहर के प्रति भेदभाव स्वार्थ है।

१५४. **दानं धर्मः।**

दान करना धर्म है।

१५५. **नार्यागतोऽर्थवत् विपरीतोऽनर्थभावः।**

संस्कारहीन समाज में प्रचलित धन का उपयोग मानव जीवन नाशक होता है।

१५६. **यो धर्मार्थौ न विवर्धयति स कामः।**

जो धर्म और अर्थ की वृद्धि नहीं करता वह वासना है।

१५७. **तद्विपरीतोऽर्थाभासः।**

धर्म के विपरीत प्रकार से आया हुआ धन मात्र महसूस करा सकता है।

१५८. **ऋजुस्वभावपरो जनेषु दुर्लभः।**

निष्कपट व्यवहार वाला व्यक्ति बहुत दुर्लभ होता है।

१५९. **अवमानेनागतमैश्वर्यमवमन्यते साधुः।**

अन्याय से आए हुआ धन को उपेक्षित कर देने वाला ही साधु है।

१६०. **बहूनपि गुणानेक दोषो ग्रसति।**

बहुत से गुणों को भी एक दोष चौपट कर देता है।

१६१. **महात्मना परेण साहसं न कर्तव्यम्।**

महात्मा लोग दूसरों के साहस पर भरोसा न करें।

१६२. **कदाचिदपि चरित्रं न लंघेत्।**

चरित्र का उल्लंघन कभी नहीं करना चाहिए।

१६३. **क्षुधार्तो न तृणं चरति सिंहः।**

भूखा हुआ शेर कभी घास नहीं खाता।

१६४. **प्राणदपि प्रत्ययो रक्षितव्यः।**

प्राण से भी अधिक विश्वास की रक्षा करनी चाहिए।

१६५. **पिशुनः श्रोता पुत्रदारैरपि त्यज्यते।**

चुगलखोर की बात सुनने वाले को पुत्र–पत्नी भी त्याग देते हैं।

१६६. **बालादप्यर्थजातं शृणुयात्।**

बालकों को भी अत्यंत उपयोगी बातें सुननी चाहिए।

१६७. **सत्यमप्यश्रद्धेयं न वदेत्।**

सत्य भी यदि प्रिय न हो, तो उसे भी नहीं कहना चाहिए।

१६८. **नाल्पदोषाद् बहुगुणस्त्यज्यन्ते।**

अल्प दोष से अधिक गुण नहीं त्यागे जाते।

१६९. **विपश्चित्स्वपि सुलभा दोषः।**

ज्ञानी पुरुषों में भी दोष हो सकता है।

१७०. **नास्ति रत्नमखण्डितम्।**

बिना दोषयुक्त रत्न (हीरा–जवाहरात) भी नहीं मिलता।

१७१. **मर्यादातीतं न कदाचिदपि विश्वसेत्।**

चरित्रहीन का कभी विश्वास नहीं करना चाहिए।

१७२. **अप्रियेण कृतं प्रियमपि द्वेष्यं भवति।**

शत्रु द्वारा किया जा रहा उपकार ही घातक होता है।

१७३. **नमन्त्यपि तुलाकोटिः कूपोदकक्षयं करोति।**

नमस्कार करने पर ही ढेकुली कुएँ से पानी निकालता है।

१७४. **सतां मतं नातिक्रमेत्।**

सज्जनों के विचारों का उल्लंघन नहीं करना चाहिए।

१७५. **गुणवदाश्रयन्निर्गुणोऽपि गुणी भवति।**

गुणवान के सहारे बिना गुण वाला भी गुणी हो जाता है।

१७६. **क्षीराश्रितं जलं क्षीरमेव भवति।**

दूध में मिला हुआ जल दूध ही हो जाता है।

१७७. **मृत्पिण्डोऽपि पाटलिगन्धमुत्पादयति।**

मिट्टी भी फूलों के संपर्क में रहने पर सुगंध पैदा करती है।

१७८. **रजतं कनकसंगात कनकं भवति।**

चाँदी सोने के संपर्क में आकर सोना ही बन जाती है।

१७९. **उपकर्तर्यपकर्तुमि-छत्यबुधः।**

मूर्ख व्यक्ति भलाई के बदले बुराई करता है।

१८०. **न पापकर्मणामाक्रोशभयम्।**

पाप करने वाले को निन्दा का भय नहीं होता।

१८१. **उत्साहवतां शत्रवोऽपि वशीभवन्ति।**

हिम्मत वालों के शत्रु भी वश में हो जाते हैं।

१८२. **विक्रमधना राजानः।**

राजा पराक्रम (वीरता) से धनी होते हैं।

१८३. **नास्त्यलसस्यैहिकामुष्मिकम्।**

आलसी व्यक्ति का वर्तमान और भविष्य नहीं होता।

१८४. **निरुत्साहाद् दैवं पतति।**

उत्साह के अभाव में भाग्य भी नष्ट हो जाता है।

१८५. **मत्स्यार्थीव जलमुपयुज्यार्थ गृह्णीयात्।**

मछुआरे के समान जल में डूबकर लाभ ले लें।

१८६. **अविश्वस्तेषु विश्वासो न कर्तव्यः।**

जिनका विश्वास न हो, उन पर कभी विश्वास नहीं करना चाहिए।

१८७. **विषं विषमेव सर्वकालम्।**

जहर कभी भी जहर ही है।

१८८. अर्थ समादाने वैरिणां संग एव न कर्तव्यः।

धन बचाना हो तो दुश्मनों का साथ छोड़ दें।

१८६. अर्थसिद्धौ वैरिणं न विश्वसेत्।

उद्देश्य प्राप्ति के लिए भी शत्रुओं पर विश्वास न करें।

१६०. अर्थाधीन एव नियतसम्बन्धः।

कोई भी सम्बन्ध उद्देश्य से जुड़ा रहता है।

१६१. शत्रोरपि सुतः सखा रक्षितव्यः।

शत्रु का पुत्र यदि मित्र हो, तो उसकी रक्षा करें।

१६२. यावच्छत्रोश्छिद्रं तावद् बद्धहस्तेन वा स्कन्धेन वा बाह्यः।

शत्रु की कमजोरी जानने तक उसे बनावटी आडंबरों में रखें।

१६३. शत्रुछिद्रे प्रहरेत्।

शत्रु की कमजोरी पर ही चोट पहुँचानी चाहिए।

१६४. आत्मछिद्रं न प्रकाशयेत।

अपनी कमजोरी किसी से न बताएं।

१६५. छिद्रप्रहारिणः शत्रवः।

शत्रु कमजोरी पर ही अक्सर चोट पहुँचाते हैं।

१६६. हस्तगतमपि शत्रुं न विश्वसेद्।

हाथ में हाए हुए शत्रु पर भी भूलकर विश्वास न करें।

१६७. स्वजनस्य दुर्वृत्तं निवारयेत।

अपने हितैषियों की कमियों (दोषों) को दूर करना चाहिए।

१६८. स्वजनावमानोऽपि मनस्विनां दुःखमावहति।

मनस्वियों को अपने लोगों का अपमान दुःख देता है।

१६६. एकांगदोषः पुरुषमवसादयति।

एक अंग का दोष भी व्यक्ति को दुःखी करता है।

२००. शत्रुं जयति सुवृत्तता।

अच्छी आदत ही शत्रुओं को जीतती है।

२०१. निकृतिप्रिया नीचाः।

नीच व्यक्ति सज्जनों के लिए दुखदायी होता है।

२०२. **नीचस्य मतिर्न दातव्या।**

दुष्ट व्यक्ति को उपदेश नहीं देना चाहिए।

२०३. **तेषु विश्वासो न कर्तव्यः।**

दुष्ट व्यक्ति पर कभी विश्वास नहीं करना चाहिए।

२०४. **सुपूजितोऽपि दुर्जनः पीडयत्येव।**

सम्मान पाया हुआ दुर्जन दुःख ही देता है।

२०५. **चन्दनानपि दावोऽग्निर्दहत्येव।**

चन्दन आदि को भी दावानल (जंगल में लगने वाली आग) जलाता ही है।

२०६. **कदाऽपि पुरुषं नावमन्येत्।**

कभी भी पुरुष का अपमान न करें।

२०७. **क्षन्तव्यमिति पुरुषं न बाधेत्।**

क्षमा करने योग्य पुरुष को दुःखी न करें।

२०८. **भर्त्राधिकं रहस्ययुक्तं वक्तुमिच्छन्त्यबुद्धयः।**

मालिक द्वारा कहे गए गोपनीय बातों को भी मूर्ख व्यक्ति कह देना चाहते हैं।

२०९. **अनुरागस्तु फलेन सूच्यते।**

सच्चा प्रेम कहने से नहीं अपितु कार्य रूप में दिखने लगता है।

२१०. **आज्ञाफलमैश्वर्यम्।**

ऐश्वर्य का परिणाम आज्ञा है।

२११. **दातव्यमपि बलिशः क्लेशेन दास्यति।**

देने योग्य व्यक्तियों (दानियों) को भी मूर्ख व्यक्ति कष्ट (पीड़ा) देता है।

२१२. **महदैश्वर्यं प्राप्याप्यधृतिमान् विनश्यति।**

धैर्यहीन व्यक्ति अधिक सुख–सुविधा पाकर नष्ट हो जाता है।

२१३. **नास्त्यधृतेरैहिकाममुष्मिकम्।**

धैर्यहीन व्यक्ति का वर्तमान और भविष्य नहीं होता।

२१४. **न दुर्जनैः सह संसर्गः कर्तव्यः।**
दुष्टों की संगति से सदा दूर ही रहना चाहिए।

२१५. **शौण्डहस्तगतं पयोऽप्यवमन्यते।**
शराबी के हाथ का दूध भी त्याग देना चाहिए।

२१६. **कार्यसंकटेष्वर्थव्यवसायिनी बुद्धिः।**
कठिन समय में बुद्धि ही राह दिखाती है।

२१७. **मितभोजनं स्वास्थ्यम्।**
थोड़ा भोजन करना ही स्वास्थ्य लाभ है।

२१८. **पथ्यमपथ्यं वाऽजीर्णे नाश्नीयात्।**
नहीं पचने वाली वस्तु से कब्ज हो जाए तो पचने वाली वस्तु
भी नहीं खानी चाहिए।

२१९. **जीर्णभोजिनं व्याधिर्नोपि सर्पितः।**
पच जाने पर भोजन करने वाले को बीमारी नहीं होती।

२२०. **जीर्णशरीरे वर्धमानं व्याधिं नोपेक्ष्येत्।**
बुढ़ापे में बढ़ रहे छोटे रोग को भी अनदेखा न करें।

२२१. **अजीर्णे भोजनं दुःखम्।**
बदहजमी होने पर भोजन कष्ट पहुँचाता है।

२२२. **शत्रोरपि विशिष्यते व्याधिः।**
शत्रु से भी रोग बड़ा है।

२२३. **दानं निधानमनुगामि।**
दान अपनी हैसियत के अनुसार देना चाहिए।

२२४. **पदुतरे तृष्णापरे सुलभमतिसन्धानम्।**
चालाक और लोभी व्यक्ति बेकार ही स्वार्थवश घनिष्ठता
बढ़ाता है।

२२५. **तृष्णया मतिश्छाद्यते।**
लोभ बुद्धि को ढंक लेता है।

२२६. **कार्यबहुत्वे बहफलमायतिकं कुर्यात्।**
बहुत-से कार्यों में अधिक फल देने वाला कार्य पहले करें।

२२७. **स्वयमेवावस्कन्नं कार्य निरीक्षेत्।**

स्वयं बिगाड़े या अन्यों के बिगाड़े कार्यों का स्वयं निरीक्षण करें।

२२८. **मूर्खेषु साहसं नियतम्।**

मूर्खों में साहस होता ही है।

२२९. **मूर्खेषु विवादो न कर्तव्यः।**

मूर्खों से विवाद नहीं करना चाहिए।

२३०. **मूर्खेषु मूर्खवत् कथ्येत्।**

मूर्ख से मूर्ख की ही भाषा में बोलें।

२३१. **आयसैरावसं छेद्यम्।**

लोहे से लोहा काटना चाहिए।

२३२. **नास्त्यधीमतः सखा।**

मूर्ख का मित्र नहीं होता।

२३३. **धर्मेण धार्यते लोकः।**

धर्म ही मानव को धारण करता है।

२३४. **प्रेतमपि धर्माधर्मावनुगच्छतः।**

धर्म और अधर्म प्रेत योनि में भी साथ नहीं छोड़ते।

२३५. **दया धर्मस्य जन्मभूमिः।**

दया धर्म की जन्मभूमि है।

२३६. **धर्ममूले सत्यदाने।**

धर्म ही सत्य और दान का मूल है।

२३७. **धर्मेण जयति लोकान्।**

व्यक्ति धर्म से ही लोकों को जीतता है।

२३८. **मृत्युरपि धर्मिष्ठं रक्षति।**

धार्मिक व्यक्ति मृत्यु के बाद भी अमर रहता है।

२३९. **तद्विपरीतं पापं यत्र प्रसज्यते तत्र धर्मावमतिर्महती प्रसज्यते।**

जहाँ पाप फैल जाता है, वहाँ धर्म का घोर अपमान होने लगता है।

२४०. उपस्थितविनाशानां प्रकृत्याकारेण लक्ष्यते।

उपस्थित विनाश प्रकृति के व्यवहार से सूचित होते हैं।

२४१. आत्मविनाशं सूचयत्यधर्मबुद्धिः।

अधर्म बुद्धि खुद का विनाश कर देती है।

२४२. पिशुनवादिनो न रहस्यम्।

चुगलखोर को गोपनीय बातें कभी न बताएं।

२४३. पर रहस्यं नैव श्रोतव्यम्।

दूसरों की गोपनीय बातें न सुनें।

२४४. वल्लभस्य कारकत्वधर्म युक्तम्।

मालिक अपने सेवकों को मुँह न लगाए, ऐसा करने से वे उद्दंड हो जाते हैं और प्रजा को दुःखी करते हैं।

२४५. स्वजनेष्वतिक्रमो न कर्तव्यः।

अपने परिजनों का अपमान नहीं करना चाहिए।

२४६. माताऽपि दुष्टा त्याज्या।

माता भी दुष्ट हो, तो त्याग कर देने योग्य है।

२४७. स्वहस्तोऽपि विषदग्धश्छेद्यः।

विषैले हाथ को काट देना चाहिए।

२४८. परोऽपि च हितो बन्धुः।

अनजान व्यक्ति यदि शुभ चिन्तक हो तो उसे अपना भाई समझना चाहिए।

२४९. कक्षादत्यौबधं गृह्यते।

सूखे जंगल से भी औषधि लाई जा सकती है।

२५०. नास्ते चौरेषु विश्वासः।

चोरों पर कभी विश्वास न करें।

२५१. अप्रतीकारेष्वनादरो न कर्तव्यः।

शत्रु को दुःखी देखकर कभी उपहास न करें।

२५२. व्यसनं मनागपि बाधते।

छोटी बुराई भी दुख देने वाली होती है।

२५३. अमरवदर्थजातमर्जयेत्।
अपने को अमर मानकर धन–संचय करना चाहिए।

२५४. अर्थवानम् सर्वलोकस्य बहुमतः।
धनी को सारा लोक इज्जत करता है।

२५५. महेन्द्रयष्यर्थहीनं न बहु मन्यते लोकः।
महान राजा यदि धनहीन हो तब भी लोक–सम्मान नहीं प्राप्त कर पाता।

२५६. दारिद्र्यं खलु पुरुषस्य जीवितं मरणम्।
गरीबी तो जीते–जी मरने के समान है।

२५७. विरूपोऽर्थवान् सुरूपः।
कुरूप व्यक्ति के पास यदि धन हो तो वह सुंदर रूप वाला हो जाता है।

२५८. अदातारमप्यर्थवन्तर्थिनो न त्यजन्ति।
माँगने वाले तो कंजूस धनवान को भी नहीं छोड़ते।

२५९. अकुलीनोऽपि धनी कुली कुलीनाद्विशिष्टः।
जिसका कुल कलंकित हो और भरपूर धन–संपदा हो वह कुलीन से भी श्रेष्ठ है।

२६०. नास्त्यवमानभयमनार्यस्य।
नीच को अपमान का भय नहीं होता।

२६१. न चेतनवतां वृत्तिर्भयम्।
कुशल लोगों को रोजी–रोटी का भय नहीं होता।

२६२. न जितेन्द्रियाणां विषयभयम्।
जिनकी इन्द्रियाँ वश में होती हैं, उनको विषय–वासना का भय नहीं होता।

२६३. न कृतार्थानां मरणभयम्।
भला करने वालों को मृत्यु का भय नहीं रहता।

२६४. कस्यचिदर्थं स्वमिव मन्यते साधुः।
किसी के भी धन को सज्जन अपनी वस्तु जैसा ख्याल रखता है।

२६५. **परविभवेष्वादरो न कर्तव्यः।**

दूसरों की सुख–सुविधाओं का लोभ नहीं करना चाहिए।

२६६. **परविभवेष्वादरोऽपि नाशमूलम्।**

दूसरों के धन का लोभ नाश का कारण हैं

२६७. **अल्पमपि पर द्रव्यं न हर्तव्यम्।**

दूसरों की छोटी–से–छोटी वस्तु भी कभी चुरानी नहीं चाहिए।

२६८. **परद्रव्यापहरणमात्मद्रव्यनाशहेतुः।**

दूसरों के धन की चोरी करना अपने धन का नाश करना है।

२६९. **न चौर्यात्परं मृत्युपाशः।**

चोरी करने से तो मर जाना अच्छा है।

२७०. **यवागूरपि प्राणधारणं करोति लोके।**

सत्तू से भी लोक में प्राण की रक्षा होती है।

२७१. **न मृतस्यौषधं प्रयोजनम्।**

मरे हुए व्यक्ति को औषधि से क्या लेना।

२७२. **समकाले स्वयमपि प्रभुत्वस्य प्रयोजनं भवित।**

प्रत्येक समय जागरूक रहना ही उद्देश्य प्राप्ति का कारण बन जाता है।

२७३. **नीचस्य विद्याः पापकर्मणि योजयन्ति।**

दुराचारी की विद्याएं पाप कर्मों को बढ़ाने वाली होती हैं।

२७४. **पयःपानमपि विषवर्धन भुजंगस्य नामृतं स्यात्।**

सांप को दूध पिलाना भी उसका विष बढ़ाना है, न कि अमृत।

२७५. **न हि धान्यसमो ह्यर्थः।**

अन्न के समान दूसरा कोई धन नहीं है।

२७६. **न क्षुधासमः शत्रुः।**

भूख के समान दूसरा कोई शत्रु नहीं है।

२७७. **अकृतेर्नियताक्षुत्।**

आलसियों का भूखों मरना भाग्य में है।

२७८. नास्त्यभक्ष्यं क्षुधितस्य।
भूखे के लिए कुछ भी अभक्ष्य नहीं है।

२७६. इन्द्रियाणि जरावशं कुर्वन्ति।
इन्द्रियाँ बुढ़ापे के अधीन में कर देती हैं।

२८०. सानुक्रोशं भर्तारमाजीवेत्।
जो सेवकों के दुख–दर्द को समझता हो वही सेवा योग्य है।

२८१. लुब्धसेवी पावकेच्छया खद्योतं धमति।
कठोर व्यवहार वाले मालिक के सेवक आग के लिए जुगनू को फूँकते हैं।

२८२. विशेषज्ञ स्वामिनमाश्रयेत्।
योग्य स्वामी का ही सहारा लेना चाहिए।

२८३. पुरुषस्य मैथनुं जारा।
अधिक मैथुन करने से पुरुष शीघ्र ही वृद्ध हो जाता है।

२८४. स्त्रीणां अमैथुनं जरा।
स्त्रियाँ मैथुन न करने से शीघ्र वृद्ध हो जाती हैं।

२८५. न नीचोत्तमयोर्विवाहः।
दुष्ट और अच्छे का विवाह नहीं होना चाहिए।

२८६. अगम्यागमनादायुर्यशश्च पुण्यानि क्षीयन्ते।
न भोगी जाने वाली स्त्री या बालिका के साथ सहवास करने से आयु, यश व पुण्य क्षीण हो जाते हैं।

२८७. नास्त्यहंकार समः शत्रुः।
अहंकार से बड़ा दूसरा कोई शत्रु नहीं।

२८८. संसदि शत्रु न परिक्रोशेत्।
सभा में शत्रु पर क्रोध नहीं करना चाहिए।

२८६. शत्रुव्यसनं श्रवणसुखम्।
शत्रुव्यसन सुनने से सुख मिलता है।

२६०. अधनस्य बुद्धिर्न विद्यते।
निर्धन को बुद्धि नहीं होती।

२९१. हितमप्यधनस्य वाक्य न शृणोति।
निर्धन का हितकारक वाक्य भी नहीं सुना जाता।

२९२. अधनः स्वभार्ययाप्यवमन्यते।
निर्धन अपनी भार्या से भी अपमानित होता है।

२९३. पुष्पहीनं सहकारमपि नोपासते भ्रमराः।
पुष्पहीन छोटे आम को भी भँवरे त्याग देते हैं।

२९४. विद्या धनमधनानाम्।
विद्या गरीबों का धन है।

२९५. विद्या चौरैरपि न ग्राह्या।
विद्या को चोर भी नहीं चुरा सकते।

२९६. विद्या ख्यापिता ख्यातिः।
विद्या ख्याति को फैलाती है।

२९७. यशः शरीरं न विनश्यति।
यश रूपी शरीर का कभी नाश नहीं होता।

२९८. यः परार्थमुपसर्पति स सत्पुरुषः।
जो परोपकार आगे बढ़ाता है, वही सत्पुरुष है।

२९९. इन्द्रियाणां प्रशम शास्त्रम्।
इन्द्रियों को शांत रखना ही बुद्धिमानी हैं

३००. अशास्त्रकार्यवृत्तौ शास्त्राकुशं निवारयति।
बुराइयों को हावी होने पर शास्त्र का अंकुश उसे रोकता है।

३०१. नीचस्य विद्या नोपेतव्या।
दुष्ट की विद्या नहीं लेनी चाहिए।

३०२. म्लेच्छभाषण न शिक्षेत्।
म्लेच्छों की भाषा न सीखें।

३०३. म्लेच्छानामपि सुवृत्तं ग्राह्यम्।
म्लेच्छों की भी अच्छी बातें ग्रहण योग्य होती हैं।

३०४. गुणे न मत्सरः कार्यः।
गुण सीखने में आलस नहीं करना चाहिए।

३०५. **शत्रोरपि सुगुणो ग्राह्यः।**

शत्रु के भी सद्‌गुण ले लेने चाहिए।

३०६. **विषादप्यमृतं ग्राह्यम्।**

विष से भी अमृत ले लेना चाहिए।

३०७. **अवस्थया पुरुषः सम्मान्यते।**

योग्यता से ही पुरुष सम्मान पाता है।

३०८. **स्थान एव नरा पूज्यन्ते।**

अपने गुणों से ही पुरुष पूजित होते हैं।

३०९. **आर्यवृत्तमनुतिष्ठेत।**

श्रेष्ठ स्वभाव को बनाए रखें।

३१०. **कदापि मर्यादां नातिमेत्।**

मार्यादा का कदापि उल्लंघन न करें।

३११. **नास्त्यर्ध पुरुष रत्नस्य।**

पुरुष रूपी रत्न का कोई मूल्य नहीं आंका जा सकता।

३१२. **न स्त्रीरत्नसमं रत्नम्।**

स्त्री रत्न के समान अन्य रत्न नहीं है।

३१३. **सुदुर्लभं रत्नम्।**

रत्न प्राप्त करना बहुत कठिन होता है।

३१४. **अयशो भयं भयेषु।**

बदनामी सभी भयों से बड़ा भय है।

३१५. **नास्त्यलसस्य शास्त्रगमः।**

आलसी शास्त्र का अध्ययन कभी नहीं कर सकता।

३१६. **न स्त्रैणस्य स्वर्गाप्तिर्धर्मकृत्यं च।**

स्त्रैण (वह पुरुष जो स्त्रियों के जैसा व्यवहार करता है) से सुख चाहने वाले से स्वर्ग प्राप्ति और धर्म–कर्म की अपेक्षा रखना बेकार है।

३१७. **स्त्रियोऽपि स्त्रैणमवमन्यते।**

स्त्री भी ऐसे स्त्रैण पुरुष का अपमान करती है।

३१८. **न पुष्पार्थी सिञ्चति शुष्कतरुम्।**

फूलों को चाहने वाला मनुष्य सूखे वृक्ष को नहीं सींचता।

३१६. **अद्रव्यप्रयत्नो बालुकाक्वथानादनन्यः।**

बिना धन का कार्य मतलब बालू से तेल निकालना है।

३२०. **न महाजनहासः कर्तव्यः।**

महान लोगों का अनादर नहीं करना चाहिए।

३२१. **कार्यसम्पदं निमित्तानि सूचयन्ति।**

किसी कार्य के लक्षण ही उसकी सिद्धि–असिद्धि की सूचना देते हैं।

३२२. **नक्षत्रादपि निमित्तानि विशेषयन्ति।**

नक्षत्रों से भी भावी सिद्धि या असिद्धि की सूचना मिलती है।

३२३. **न त्वरितस्य नक्षत्रपरीक्षा।**

अपने कार्य की सिद्धि चाहने वाला नक्षत्र से भाग्य की परीक्षा नहीं करता।

३२४. **परिचये दोषा न छाद्यन्ते।**

परिचय में दोष छिपे नहीं रहते।

३२५. **स्वयमशुद्धः परानाशङ्कते।**

स्वयं अशुद्ध व्यक्ति दूसरों की शुद्धता पर संदेह करता है।

३२६. **स्वभावो दुरतिक्रमः।**

स्वभाव को बदला नहीं जा सकता।

३२७. **अपराधानुरूपो दण्डः।**

अपराध के अनुरूप ही दंड देना चाहिए।

३२८. **कथानुरूपं प्रतिवचनम्।**

जैसा पूछा जाए, उसी के अनुरूप ही उत्तर होना चाहिए।

३२६. **विभवानुरूपमाभरणम्।**

वैभव के अनुरूप ही आभूषण होने चाहिए।

३३०. **कुलानुरूपं वृत्तम्।**

कुल के अनुरूप ही चरित्र होना चाहिए।

३३१. **कार्यानुरूपः प्रयत्नः।**
कार्य के अनुरूप ही प्रयास करना चाहिए।

३३२. **पात्रानुरूपं दानम्।**
व्यक्तित्व के अनुरूप ही दान देना चाहिए।

३३३. **वयोऽनुरूपः वेषः।**
उम्र के अनुरूप ही वेश होना चाहिए।

३३४. **स्वाम्यनुकूलो भृत्यः।**
सेवक को स्वामी के अनुकूल ही चलना चाहिए।

३३५. **गुरुवशानुवर्ती शिष्यः।**
शिष्य को गुरु के अनुकूल आचरण करना चाहिए।

३३६. **भर्तृशानुवर्तिनी भार्या।**
पत्नी को पति के अनुकूल आचरण (व्यवहार) करना चाहिए।

३३७. **पितृवशानुवर्ती पुत्रः।**
पुत्र को पिता के अनुकूल आचरण करना चाहिए।

३३८. **अत्युपचारः शंकितव्यः।**
अधिक औपचारिकता में शंका करनी चाहिए।

३३९. **स्वामिनमेवानुवर्तेत।**
सेवक सदा स्वामी की आज्ञाओं का पालन करे।

३४०. **मातृताडितो वत्सो मातरमेवापुरोदिति।**
माँ द्वारा पीटा गया बच्चा माँ के आगे रोता है।

३४१. **स्नेहवत स्वल्पो हि रोषः।**
गुरुजनों का गुस्सा भी स्नेहवत होता है।

३४२. **आत्मछिद्रं न पश्यति परिछिद्रमेव पश्यति बालिशः।**
मूर्ख व्यक्ति दूसरों के ही दोष देखता है, कभी अपने नहीं।

३४३. **सोपचारः कैतवः।**
धूर्त दूसरों के कपटी सेवक बनते हैं।

३४४. **काम्यैर्विशषैरूपचरणमुपचारः।**
स्वामी को विशेष चाहने वाली वस्तु की भेंट देना ही धूर्तों की सेवा है।

३४५. चिरपरिचितानामत्युपचारः शंकितव्यः।
पुराने परिचितों द्वारा अधिक सम्मान देना शंका योग्य होता है।

३४६. गौर्दुष्करा श्वसहस्रादेकाकिनी श्रेयसी।
बिगड़ैल गाय भी हजार कुत्तों से श्रेष्ठ है।

३४७. श्वो मयूरादद्य कपोतो वरः।
कल के मोर से आज का कबूतर भला।

३४८. अतिसंगो दोषमुत्पादयति।
अधिक लगाव दोष उत्पन्न करता है।

३४९. सर्वं जयत्यक्रोधः।
बिना क्रोध करने वाला सबको जीत लेता है।

३५०. यद्यपकारिणि कोपः कोपे कोप एवं कर्तव्यः।
दुष्ट व्यक्ति के क्रोध करने पर ही अपना क्रोध प्रकट करें।

३५१. मतिमत्सु मूर्खमित्रगुरुवल्लभेषु विवादो न कर्तव्यः।
बुद्धिमान, मूर्ख, मित्र, गुरु तथा स्वामी से विवाद न करें।

३५२. नस्त्यपिशाचमैश्वर्यम्।
ऐश्वर्य बिना बुराइयों का नहीं होता।

३५३. नास्ति धनवतां शुभकर्मसु श्रमः।
धनवानों का परिश्रम शुभ कार्यों में नहीं होता। होता है तो समझो कोई न कोई स्वार्थ हैं

३५४. नास्ति गतिश्रमो यानवताम्।
वाहनों पर निर्भर रहने वाले पैदल चलने का कष्ट नहीं करते।

३५५. अलौहमयं निगडं कलत्रम्।
पत्नी बिना लोहे की बेड़ी है।

३५६. यो चरित्रकुशलः सतस्मिन् योक्तव्यः।
जो व्यक्ति जिस कार्य में निपुण है, उसे उसी कार्य में लगाना चाहिए।

३५७. दुष्टकलत्रं मनस्विनां शरीरकर्शनम्।
विद्वानों की नजर में दुष्ट पत्नी दुःख का कारण है।

३५८. अप्रमत्तो दारान्निरीक्षेत्।
सावधानी से पत्नी का निरीक्षण करें।

३५९. स्त्रीषु किञ्चिदपि न विश्वसेत्।
स्त्रियों पर बिल्कुल भी विश्वास नहीं करना चाहिए।

३६०. न समाधि स्त्रीषु लोकज्ञता च।
स्त्रियों में विवेक एवं लोक–व्यवहार का ज्ञान नहीं होता।

३६१. गुरुणां माता गरीयसी।
गुरुओं में माता श्रेष्ठ है।

३६२. सर्वावस्थासु माता भर्तव्या।
सभी परिस्थितियों में माता का भरण–पोषण करें।

३६३. वैदुष्यमलंकारेणाच्छाद्यते।
अधिक योग्यता अलंकारों से ढक जाती है।

३६४. स्त्रीणां भूषणं लज्जा।
स्त्रियों का आभूषण ही लज्जा है।

३६५. विप्राणां भूषणं वेदः।
वेद ही विप्रों के आभूषण हैं।

३६६. सर्वेषां भूषणं धर्मः।
धर्म सभी का अलंकार है।

३६७. अनुपद्रवं देशभावसेत।
जहाँ आतंकवादी न हों, उसी देश में रहना चाहिए।

३६८. साधु जल बहुलो देशः।
जहाँ सज्जनों की अधिकता हो वही अच्छा देश है।

३६९. राज्ञो भेतव्यं सार्वकालम्।
राजा से सदा डरना चाहिए।

३७०. न राज्ञः परं दैवतम्।
राजा से बढ़कर परम देवता नहीं है।

३७१. सुदूरमपि दहति राजवह्निः।
राजा के क्रोध की आग बड़ी तेज होती है और दूर तक की बुराइयों को जला देती है।

३७२. **रिक्तहस्तो न राजानमभिगच्छेत्।**

राजा के पास खाली हाथ नहीं जाना चाहिए।

३७३. **गुरुं च दैवं च।**

मन्दिर तथा गुरु के पास कभी खाली हाथ नहीं जाना चाहिए।

३७४. **कुटुम्बिनो भेजव्यम्।**

राज परिवार से कभी ईर्ष्या नहीं करनी चाहिए।

३७५. **गन्तव्यं च सदा राजकुलम्।**

राजकुल में बराबर जाते रहना चाहिए।

३७६. **राजपुरुषैः सम्बन्धं कुर्यात्।**

राज पुरुषों से अच्छे सम्बन्ध रखना चाहिए।

३७७. **राजदासी न सेवितव्या।**

राजमहलों में रहने वाली दासी से मेल–जोल कभी न बढ़ाएं।

३७८. **न चक्षुषाऽपि राजातं निरीक्षेत्।**

राजा से आँख से आँख मिलाकर कभी बात नहीं करनी चाहिए।

३७९. **पुत्रे गुणवति कुटुम्बिनः स्वर्गः।**

पुत्र के गुणी होने पर परिवार वालों को हमेशा सुख ही सुख है।

३८०. **पुत्राः विद्यानां पारं गमयितव्या।**

पुत्र को सभी विद्याओं में पारंगत बनाना चाहिए।

३८१. **जनपदार्थं ग्रामं त्यजेत्।**

जनपद के लिए गाँव का त्याग कर देना चाहिए।

३८२. **ग्रामार्थ कुटुम्बं त्यजेत्।**

गाँव के लिए परिवार का त्याग कर देना चाहिए।

३८३. **अतिलाभः पुत्रलाभः।**

पुत्र रत्न की प्राप्ति सभी सुखों से बढ़कर है।

३८४. **दुर्गतेः पितरौ रक्षित स पुत्रः।**

माता–पिता की परेशानियाँ दूर करने वाला ही पुत्र है।

३८५. **कुलं प्रख्यापयति पुत्रः।**

उत्तम पुत्र कुल गौरव होता है।

३८६. नानपत्यस्य स्वर्गः।

पुत्रहीन व्यक्ति को स्वर्ग नहीं मिलता है।

३८७. या प्रसूते सा भार्या।

सुन्दर सन्तान को जन्म देने वाली ही पत्नी है।

३८८. तीर्थसमवाये पुत्रवतीमनुगच्छेत्।

कई रानियों के एक साथ रजस्वला होने के बाद राजा प्रथम पुत्रवती रानी के पास जाए।

३८९. सतीर्थगमनाद् ब्रह्मचर्यं नश्यति।

मासिक धर्म काल में सहवास करने पर ब्रह्मचर्य का नाश होता है।

३९०. न परक्षेत्रे बीजं विनिक्षिपेत।

दूसरे स्त्री के साथ कभी सहवास न करें।

३९१. पुत्रार्था हि स्त्रियः।

स्त्रियाँ पुत्र रत्न देने वाली होती हैं।

३९२. स्वदासी परिग्रहो हि दासभावः।

अपनी दासी से सहवास करना उसी का दास बनने के बराबर है।

३९३. उपस्थितविनाशः पथ्यवाक्यं न शृणोति।

जिसका विनाश होने वाला हो उसे अच्छी बात नहीं सूझती।

३९४. नास्ति देहिनां सुखदुःखभावः।

प्राणियों को सुख–दुःख तो लगा रहता है।

३९५. मातरमिव वत्साः सुखदुःखानि कर्तारमेवानुगच्छन्ति।

माँ के पीछे चलते बच्चे के समान सुख–दुःख मनुष्य के पीछे चलते हैं।

३९६. तिलमात्रप्युकारं शैलषन्मन्यते साधुः।

सज्जन तिलवत उपकार को भी पर्वत के समान मानता है।

३९७. उपकारोऽनार्येष्वकर्तव्यः।

दुष्ट का कभी भला नहीं करना चाहिए।

३९८. **प्रत्युपकारभयादनार्यः शत्रुर्भवति।**

दुष्ट के साथ उपकार करने पर वह उपकार न मानकर शत्रु बन जाता है।

३९९. **स्वल्पमप्युपकारकृते प्रत्युपकार कर्तुमार्यो स्वपिति।**

छोटे उपकार के बदले उपकार करने के लिए सज्जन हमेशा जागरूक रहता है।

४००. **न कदाऽपि देवताऽवमन्तव्या।**

देवताओं का कभी अपमान नहीं करना चाहिए।

४०१. **न चक्षुषः समं ज्योतिरस्ति।**

आँख के समान ज्योति नहीं है।

४०२. **चक्षुर्हि शरीरिणां नेता।**

आँख ही प्राणियों के मार्गदर्शक हैं।

४०३. **अपचक्षुः किं शरीरेण।**

बिना आँख वाले शरीर से क्या करना।

४०४. **नाप्सु मूत्रं कुर्यात्।**

जल में पेशाब न करें।

४०५. **न नग्नो जलं प्रविशेत्।**

नग्न होकर जल में प्रवेश नहीं करना चाहिए।

४०६. **यथा शरीरं तथा ज्ञानम्।**

जैसा शरीर होता है, वैसा ही ज्ञान होता है।

४०७. **यथा बुद्धिस्तथा विभवः।**

जैसी बुद्धि होती है, वैसा ही वैभव भी होता है।

४०८. **अग्न्वाग्नि न निक्षिपेत।**

आग में आग न डालें।

४०९. **तपस्विनः पूजनीया।**

तपस्वी पूजनीय होते हैं।

४१०. **परदारान् न गच्छेत।**

पराई स्त्री के साथ संभोग नहीं करना चाहिए।

४११. अन्नदानं भ्रूणहत्यामपि मार्ष्टि।

अन्नदान करना भ्रूणहत्या जैसे पापों से मुक्त करा देता है।

४१२. न वेदबाह्यो धर्मः।

धर्म वेद से अलग नहीं है।

४१३. कदाचिदपि धर्मं निषेवेत।

कभी–न–कभी तो धर्म का पालन करना ही चाहिए।

४१४. स्वर्गं नयति सुनृतम्।

सत्य आचरण से स्वर्ग मिलता है।

४१५. नास्ति सत्यात्परं तपः।

सत्य से बढ़कर तप नहीं है।

४१६. सत्यं स्वर्गस्य साधनम्।

सत्य ही स्वर्ग का साधन है।

४१७. सत्येन धार्यते लोकः।

सत्य द्वारा ही समाज में रहा जा सकता है।

४१८. सत्याद् देवो वर्षति।

सत्य से ही देवता प्रसन्न होते हैं।

४१९. नानृतात्पातकं परम्।

झूठ से बढ़कर पाप नहीं है।

४२०. न मीमांसयः गुरवः।

गुरुजनों की आलोचना नहीं करनी चाहिए।

४२१. खलत्वं नोपेयात्।

बुरे विचार कभी न अपनाएं।

४२२. नास्ति खलस्य मित्रम्।

दुष्ट का कोई मित्र नहीं होता।

४२३. लोकयात्रा दरिद्रं बाधते।

सामाजिक व्यवहार में कमी दरिद्र मनुष्य को दुःखी करती है।

४२४. अतिशूरो दानशूरः।

दानवीर ही सच्चा वीर है।

४२५. **गुरुदेवब्राह्मणेषु भक्तिर्भूषणम्।**

गुरु, देवता तथा ब्राह्मणों के प्रति भक्ति ही भूषण है।

४२६. **सर्वस्य भूषणं विनयः।**

विनय सबका भूषण है।

४२७. **अकुलीनोऽपि विनीतः कुलीनाद्विशिष्टः।**

विनीत अकुलीन भी कुलीन से श्रेष्ठ है।

४२८. **आचारादायुर्वर्धते कीर्तिश्च।**

अच्छे आचरण से आयु और कीर्ति बढ़ती हैं

४२९. **प्रियमप्यहितं न वक्तव्यम्।**

प्रिय होते हुए भी हितकारी न हो उसे नहीं बोलना चाहिए।

४३०. **बहुजनविरुद्धमेकं नानुवर्तेत्।**

बहुत लोगों को छोड़कर एक के पीछे न जाएं।

४३१. **न दुर्जनेषु भाग्धेयः कर्तव्यः।**

दुर्जनों के साथ कभी साझेदारी नहीं करनी चाहिए।

४३२. **न कृतार्थेषु नीचेषु सम्बन्धः।**

भाग्यशाली होने पर भी नीचों से सम्बन्ध न रखें।

४३३. **ऋणशत्रु व्याधिर्निर्विशेषः कर्तव्यः।**

ऋण, शत्रु तथा व्याधि को जड़ से नष्ट कर देना चाहिए।

४३४. **भूत्यादुर्तनं पुरुषस्य रसायनम्।**

सम्पन्न जीवन बिताना ही व्यक्ति के लिए लाभदायक है।

४३५. **नार्थिष्वज्ञा कार्या।**

माँगने वालों का कभी अपमान नहीं करना चाहिए।

४३६. **दुष्करं कर्म कारयित्वा कर्तारवमवमन्यते नीचः।**

कठिन कार्य कराके भी नीच व्यक्ति काम करने वाले को अपमानित करता है।

४३७. **नाकृतज्ञस्य नरकान्निवर्तनम्।**

पापी पुरुष के लिए नरक के सिवाय कोई जगह नहीं।

४३८. जिह्वाऽऽयत्ततौ वृद्धिविनाशौ।

वृद्धि और विनाश जिह्वा के अधीन है।

४३९. विषामृतयोराकरो जिह्वा।

जीभ विष और अमृत की खान है।

४४०. प्रियवादिनो न शत्रुः।

प्रिय बोलने वाले का कोई शत्रु नहीं होता।

४४१. स्तुता अपि देवतास्तुस्यन्ति।

स्तुति किए जाने पर देवता भी संतुष्ट होते हैं।

४४२. अनृतमपि दुर्वचनं चिरं तिष्ठति।

निराधार दुर्वचन भी लम्बे समय तक भूलते नहीं हैं।

४४३. राजद्विष्टं न च वक्तव्यम्।

राजा पर आरोप भरे शब्द नहीं बोलने चाहिए।

४४४. श्रुतिसुखात् कोकिलालापातुष्यन्ति।

सुनने का तो सुख कोयलों की कूह–कूह से मिलता है।

४४५. स्वधर्महेतुः सत्पुरुषः।

सत्पुरुष स्वधर्म हेतु होते हैं।

४४६. नास्त्यर्थिनो गौरवम्।

धन से अधिक मोह होने पर सम्मान नहीं मिलता।

४४७. स्त्रीणां भूषणं सौभाग्यम्।

सौभाग्य स्त्रियों का भूषण है।

४४८. शत्रोरपि न पातनीया वृत्तिः।

शत्रु की भी जीविका नष्ट नहीं करनी चाहिए।

४४९. अप्रयत्नोदकं क्षेत्रम्।

बिना प्रयास के जलीय स्रोत मिल जाए उसे ही अपना क्षेत्र समझें। अर्थात् जहाँ सर्व सुलभ वस्तुएँ उपलब्ध हो जाएं।

४५०. एरण्डमवलम्ब्य कुञ्जरं न कोपयेत।

कमजोर का सहारा लेकर बलशाली से न भिड़ें। एरण्ड का सहारा लेकर हाथी को कुपित न करें।

४५१. अतिप्रवृद्धा शाल्मली वारणस्तम्भो न भवति।

अति पुराना शाल वृक्ष हाथी का खम्भा नहीं होता।

४५२. अतिदीर्घोपि कर्णिकारी न मुसली।

कनेर का वृक्ष बहुत बड़ा भी हो तो भी मूसल बनाने के काम नहीं आता।

४५३. अति दीप्तोऽपि खद्योतो न पावकः।

अत्यधिक चमकने पर भी जुगनू आग नहीं होता।

४५४. न प्रवृद्धत्व गुणहेतुः।

निपुणता कोई जरूरी नहीं कि अच्छे गुणों का कारण है।

४५५. सूजीर्णोऽपि पिचमुन्दो न शकुलायते।

अति पुराना भी नीम सरोता नहीं बन सकता।

४५६. यथाबीजं तथा निष्पत्तिः।

जैसा बीज वैसा ही कार्य।

४५७. यथा शृणुतं तथा बुद्धिः।

जैसा सुना जाता है वैसी ही बुद्धि हो जाती है।

४५८. यथा कुलं तथाऽऽचारः।

जैसा कुल होता है, वैसा ही चरित्र होता है।

४५९. संस्कृत पिचमन्दौ सहकारनवति।

पका हुआ नीम आम नहीं बनता।

४६०. न चागतं सुखं त्यजेत्।

आए हुए सुख का परित्याग नहीं करना चाहिए।

४६१. स्वयमेव दुःखमधिगच्छति।

मनुष्य स्वयं ही दुःखों को बुलाता है।

४६२. रात्रि चारणं न कुयति।

रात के समय व्यर्थ न घूमें।

४६३. न चार्ध रात्रं स्वपेत।

आधी रात्रि को न सोएं।

४६४. **तद्विद्वदिम परीक्षेत।**

विद्वानों के समक्ष ब्रह्म की चर्चा करें।

४६५. **पर गृहं कारण न प्रविशेत्।**

दूसरे के घर में अकारण न जाएं।

४६६. **ज्ञात्वापि दोषमेव करोति लोकः।**

लोग जानबूझकर अपराध करते हैं।

४६७. **शास्त्रप्रधाना लोकवृत्तिः।**

लोक–व्यवहार शास्त्र प्रधान है।

४६८. **शास्त्राभावे शिष्टाचारमनुगच्छेत्।**

शास्त्र के अभाव में शिष्टाचार का पालन करना चाहिए।

४६९. **ना चरिताच्छास्त्रां गरीयः।**

शिष्टाचार से शास्त्र बड़े नहीं हैं।

४७०. **दूरस्थमपि चारचक्षुः पश्चति राजा।**

अपने विवेक तथा गुप्तचरों द्वारा राजा दूर की वस्तु को भी देखता है।

४७१. **गतानुगतिको लोको।**

एक दूसरे की देखा–देखी लोग अपना व्यवहार करते हैं।

४७२. **यमनुजीवेत्तं नापवदेत्।**

जिस पर आश्रित हो, उसकी निन्दा नहीं करनी चाहिए।

४७३. **तपः सारः इन्द्रियनिग्रहः।**

इंद्रियों को वश में रखना ही तप का सार है।

४७४. **दुर्लभः स्त्रीबन्धनान्मोक्षः।**

स्त्रियों के मोह में लगे रहने से मोक्ष नहीं मिलता।

४७५. **स्त्रीनामं सर्वाशुभानां क्षेत्रम्।**

स्त्रियाँ सभी बुराइयों की जड़ हैं।

४७६. **न च स्त्रीणां पुरुष परीक्षा।**

स्त्री पुरुष के गुणों की परीक्षा नहीं कर सकती।

४७७. स्त्रीणां मनः क्षणिकम्।

स्त्रियों का मन बहुत चंचल होता है।

४७८. अशुभ द्वेषिणः स्त्रीषु न प्रसक्ता।

बुरे कर्मों से दूर रहने वाले पुरुष स्त्रियों के चक्कर में नहीं
पड़ते।

४७९. यशफलज्ञास्त्रिवेदविदः।

तीनों वेदों को जानने वाले ही यज्ञ के महत्त्व व परिणाम को
जानते हैं।

४८०. स्वर्गस्थानं न शाश्वततं यावत्पुण्य फलम्।

स्वर्ग—स्थान सदैव नहीं है।

४८१. न च स्वर्ग पतनात्परं दुःखम्।

स्वर्ग से पतन होने पर असाधारण दुःख होता है।

४८२. देही देहं त्यक्त्वा ऐन्द्रपदं न वाञ्छति।

प्राणी शरीर को छोड़कर इन्द्रपद भी नहीं चाहता।

४८३. दुःखानामौषधं निर्वाणम्।

दुःखों की औषधि निर्वाण (मोक्ष) है।

४८४. अनार्यसम्बन्धाद् वरमार्यशत्रुता।

बुरे मित्र से तो समझदार शत्रु ही ठीक है।

४८५. निहन्ति दुर्वचनं कुलम्।

अप्रिय बातें कुल का नाश करती हैं।

४८६. न पुत्रसंस्पर्शात् परं सुखम्।

पुत्र स्पर्श से बड़ा कोई सुख नहीं है।

४८७. विवादे धर्ममनुस्मरेत्।

विवाद में धर्म का स्मरण करना चाहिए।

४८८. निशान्ते कार्यं चिन्तयेत्।

रात्रि के अंत में यानी प्रातःकाल में दिन भर के कार्यों पर
विचार करना चाहिए।

४८९. प्रदोषे न संयोगः कर्तव्यः।

प्रातःकाल सहवास नहीं करना चाहिए।

४९०. उपस्थित विनाशो दुर्नयं मन्यते।

जिसका विनाश होता है, वह अन्याय पर उतर आता है।

४९१. क्षीरार्थिनः किं करिष्यः।

दूध का इच्छुक हथिनी से क्या करेगा?

४९२. न दानसमं वश्यं वश्यम।

दान के समान कोई उपकार नहीं है।

४९३. पराय तेषूत्कण्ठा न कुर्यात्।

दूसरे के हाथ में चली गई वस्तु को पाने के लिए उतवाले मत बनो।

४९४. असत्समृद्धिरसद्भिरेव भुज्येत।

बुरे तरीके से कमाया हुआ धन बुरे लोगों द्वारा ही भोगा जाता है।

४९५. निम्बफलं काकैरेव भुज्यते।

नीम का फल कौओं द्वारा खाया जाता है।

४९६. नाम्भोधिस्तृष्णामपोहति।

समुद्र प्यास नहीं बुझाता।

४९७. बालुका अपि स्वगुणमाश्रयन्ते।

बालू भी अपने गुण का अनुसरण करती है।

४९८. सन्तोऽसत्सु न रमन्ते।

सन्तों को असन्तों के बीच में आनन्द नहीं आता।

४९९. न हंसः प्रेतवने रमन्ते।

हंसों को श्मशान में अच्छा नहीं लगता।

५००. अर्थार्थं प्रवर्तते लोकः।

मनुष्य धन के लिए बदल जाता है।

५०१. आशया बध्यते लोकः।

संसार आशा द्वारा बाँधा जाता है।

५०२. न चाशापरेः श्री सह तिष्ठति।

केवल आशा रखने वाले के साथ लक्ष्मी नहीं ठहरती।

५०३. आशापरे न धैर्यम्।

अधिक उम्मीद वाला होने मात्र से धैर्यशील नहीं हो सकते।

५०४. दैन्यान्भरणमुत्तमम्।

गरीबी से मृत्यु अच्छी है।

५०५. आशा लज्जां व्यपोहति।

आशा लज्जा को दूर कर देती है।

५०६. न मात्रा सह वासः कर्तव्यः।

एकान्त में माता के साथ भी न रहें।

५०७. आत्मा न स्तोत्वयः।

अपनी प्रशंसा नहीं करनी चाहिए।

५०८. न दिवा स्वप्नं कुर्यात्।

दिन में नहीं सोना चाहिए।

५०९. न चासन्नमपि पश्येत्यैश्वर्यान्ध न ऋणोतीष्टं वाक्यम्।

धन से अंधा व्यक्ति ज्ञानियों की बात नहीं सुनता।

५१०. स्त्रीणां न भर्तुः परं दैवतम्।

पति ही स्त्रियों का परम देवता है।

५११. तदनुवर्तनमुभयसुखम्।

पति के अनुकूल व्यवहार करना दोनों को सुखी बनाता है।

५१२. अतिथिमभ्यागतं पूजये यथाविधिः।

घर आए हुए अतिथि को जितना हो सके उतना सम्मान देना चाहिए।

५१३. नास्ति हव्यस्य व्याघातः।

यज्ञ में दी गई हवन सामग्री कभी बेकार नहीं होती।

५१४. शत्रुर्मित्रवत् प्रतिभाति।

बुद्धि भ्रष्ट होने पर शत्रु मित्र जैसा दिखाई देने लगता है।

५१५. मृगतृष्णा जलवत् भाति।

लालची बुद्धि होने पर रेगिस्तान भी जल जैसा दिखाई देने लगता है।

५१६. दुर्मेधसामसच्छास्त्रं मोहयति।

बुद्धिहीनों को निकम्मेपन की शिक्षा देने वाली पुस्तकें अच्छी लगती हैं।

५१७. सत्संगः स्वर्गवासः।

सत्संग स्वर्ग में रहने के समान है।

५१८. आर्यः स्वमिव परं मन्यते।

आर्य लोग दूसरों को भी अपने ही समान मानते हैं।

५१९. रूपानुवर्ती गुणः।

गुण रूप के ही अनुसार होते हैं।

५२०. यत्र सुखेन वर्तते देव स्थानम्।

जहाँ सुख मिले वही अच्छा स्थान है।

५२१. विश्वासघातिनो न निष्कृतिः।

विश्वासघाती की मुक्ति कभी नहीं होती।

५२२. दैवायत्तं न शोचयेत।

दुर्भाग्य पर दुःख नहीं करना चाहिए।

५२३. आश्रित दुःखमात्मन इव मन्यते साधुः।

सज्जन दूसरों के दुःखों को अपने ही जैसा मानते हैं।

५२४. हृदगतमाच्छाद्यान्यद् वदत्यनार्यः।

दुष्ट व्यक्ति हृदय की बात को छिपाकर कुछ और ही बोलता है।

५२५. बुद्धिहीनः पिशाच तुल्यः।

बुद्धिहीन व्यक्ति पिशाच के समान होता है।

५२६. असहायः पथि न गच्छेत्।

मार्ग में अकेले नहीं जाना चाहिए।

५२७. पुत्रो न स्तोतव्यः।

पुत्र की स्तुति नहीं करनी चाहिए।

५२८. स्वामी स्तोतव्योऽनुजीविभिः।
सेवकों को स्वामी की प्रशंसा करनी चाहिए।

५२९. धर्मकृत्येष्वपि स्वामिन एवं घोषयेत्।
धार्मिक कार्यों में भी स्वामी को ही श्रेय देना चाहिए।

५३०. राजाज्ञां नातिलंघेत्।
राजा की आज्ञा का उल्लंघन नहीं करना चाहिए।

५३१. यथाऽऽज्ञप्तं तथा कुर्यात्।
जैसी आज्ञा हो वैसा ही करना चाहिए।

५३२. नास्ति बुद्धिमतां शत्रुः।
बुद्धिमानों का कोई शत्रु नहीं होता।

५३३. आत्मछिद्रं न प्रकाशयेत्।
अपनी कोई गुप्त बात कभी प्रकट न करें।

५३४. क्षमानेव सर्वं साधयति।
क्षमाशील व्यक्ति अपनी प्रशंसा प्राप्त कर लेता है।

५३५. आपदर्थं धनं रक्षेत्।
आपत्ति से बचने के लिए धन की रक्षा करें।

५३६. साहसवतां प्रियं कर्तव्यम्।
साहसी पुरुषों को कार्य प्रिय होता है।

५३७. श्व कार्यमद्य कुर्वीत्।
कल का कार्य आज ही कर लेना चाहिए।

५३८. आपराह्निकं पूर्वाहत एवं कर्तव्यम्।
दोपहर के कार्य को प्रातःकाल ही कर लें।

५३९. व्यवहारानुलोभो धर्मः।
व्यवहार के अनुसार ही धर्म है।

५४०. सर्वज्ञता लोकज्ञता।
जो सांसारिकता का अनुभवीय ज्ञान होता है, वही सर्वत्र होता है।

५४१. शास्त्रोऽपि लोकज्ञो मूर्ख तुल्यः।
शास्त्र जानने वाला यदि लोक–व्यवहार नहीं जानता तो वह मूर्ख के समान होता है।

५४२. शास्त्र प्रयोजनं तत्त्व दर्शनम्।

समस्त वस्तुओं का यथार्थ ज्ञान कराना ही शास्त्र का उद्देश्य होता है।

५४३. तत्त्वज्ञानं कार्यमेव प्रकाशयति।

कार्य ही तत्त्वज्ञान मार्ग प्रकाशित करते हैं।

५४४. व्यवहारे पक्षपाते न कार्यः।

व्यवहार में पक्षपात नहीं करना चाहिए।

५४५. धर्मादपि व्यवहारो गरीयान्।

धर्म से भी व्यवहार बड़ा है।

५४६. आत्मा हि व्यवहारस्य साक्षी।

आत्मा व्यवहार की साक्षी है।

५४७. सर्वसाक्षी ह्यात्मा।

आत्मा सर्वसाक्षी है।

५४८. न स्यात् कूटसाक्षीं

झूठी साक्षी (गवाह) नहीं होना चाहिए।

५४९. कूटसाक्षिणो नरके पतन्ति।

झूठी गवाही देने वाले नरक में गिरते हैं।

५५०. प्रच्छन्नपापानां साक्षिणो महाभूतानि।

छिपकर किए गए पापों के साक्षी पंच महाभूत हैं।

५५१. आत्मनः पापमात्मैव प्रकाशयति।

अपने किए हुए पाप को व्यक्ति की आत्मा बता देती है।

५५२. व्यवहारेऽन्तर्गतमाचारः सूचयति।

व्यवहार से ही आचरण जाना जाता है।

५५३. आकारसंवरणं देवानामशक्यम्।

आचरण के अनुसार ही मुखमंडल हो जाता है।

५५४. चोर राजपुरुषेभ्यो दित्तं रक्षते।

चोरों एवं राज पुरुष से अपने धन की रक्षा करो।

५५५. दुर्दर्शना हि राजानः प्रजाः नाशयन्ति।

अपनी प्रजा की खोज–खबर न लेने वाला राजा उस प्रजा को नष्ट कर देता है।

५५६. सुदर्शना हि राजानः प्रजाः रञ्जयन्ति।

खोज–खबर लेने वाले राजा प्रजा को प्रसन्न रखते हैं।

५५७. न्याययुक्तं राजानं मातरं मन्यते प्रजाः।

न्यायी राजा को प्रजा माँ समझती है।

५५८. तादृशः स राजा इह सुखं ततः स्वर्गमाप्नोति।

प्रजा का ख्याल रखने वाले राजा इस लोक में सुख भोगकर स्वर्ग प्राप्त करता है।

५५९. अहिंसा लक्षणो धर्मः।

अहिंसा ही धर्म का लक्षण है।

५६०. शरीराणाम् एव पर शरीरं मन्यते साधुः।

साधु पुरुष अपने शरीर को दूसरों की भलाई में लगादेते हैं।

५६१. मांसभक्षणमयुक्तं सर्वेषाम्।

मांस–भक्षण सभी के लिए बुरा है।

५६२. न संसार भयं ज्ञानवताम्।

ज्ञानियों को संसार का भय नहीं होता।

५६३. विज्ञान दीपेन संसार भयं निवर्तते।

विज्ञान के दीप से संसार का भय भाग जाता है।

५६४. सर्वमनित्यं भवति।

सब कुछ नश्वर है।

५६५. कृमिशकृन्मूत्रभाजनं शरीरं पुण्यपापजन्महेतुः।

पाप पुण्य का हेतु शरीर कृमि मल–मूत्र का पात्र है।

५६६. जन्ममरणादिषु दुःखमेव।

जन्म–मरण आदि में दुःख ही है।

५६७. सतेभ्यस्तुतुं प्रर्यतत।

अतः जन्म–मृत्यु से पार होने का प्रयत्न करना चाहिए।

५६८. तपसा स्वर्गमाप्नोति।

तप से स्वर्ग प्राप्त होता हैं।

५६९. क्षमायुक्तस्य तपो विवर्धते।

क्षमा करने वाले का तप बढ़ता हैं।

५७०. सक्षमात् सर्वेषां कार्यसिद्धिर्भवति।

क्षमा करने से सभी कार्यों में सफलता मिलती है।